Voss

Die Dirigenten der Bayreuther Festspiele

»Neunzehntes Jahrhundert«
Forschungsunternehmen der Fritz Thyssen Stiftung

Arbeitsgemeinschaft »100 Jahre Bayreuther Festspiele«

* erscheint im Prestel-Verlag, München

Egon Voss

Die Dirigenten der Bayreuther Festspiele

1976 Gustav Bosse Verlag Regensburg

Gesamtherstellung: C. Brügel & Sohn, Ansbach

Inhalt

Danksagung

Allen Personen und Institutionen, die mir bei der Arbeit an diesem Buch geholfen haben, danke ich für Ihre Unterstützung. Mein besonderer Dank gilt Herrn Wolfgang Wagner sowie den Herren Generalmusikdirektoren Robert Heger, Richard Kraus, Ferdinand Leitner, Lorin Maazel, Wolfgang Sawallisch, Horst Stein, Otmar Suitner und Hans Wallat. Zu danken habe ich ferner den Herren Dr. Joachim Bergfeld und Dr. Martin Eger von der Richard-Wagner-Gedenkstätte der Stadt Bayreuth, Herrn Dr. Dachs von der Handschriftenabteilung der Bayerischen Staatsbibliothek München, Herrn Wolfgang Burbach von der Brüder Busch Gesellschaft e. V. Hilchenbach, Frau Dr. Susanna Großmann-Vendrey, Frankfurt, Herrn Dr. Martin Geck, Hattingen/Ruhr, Herrn Dr. Dietrich Mack, Kaiserslautern. Mein ganz besonderer Dank gilt Frau Gertrud Strobel vom Richard-Wagner-Archiv, Bayreuth (Richard Wagner Stiftung), die mir durch ihre zahlreichen Auskünfte und Informationen, in Gesprächen wie in Briefen, die Arbeit sehr erleichtert hat.

Ich danke allen, die mir die Genehmigung zur Veröffentlichung von Dokumenten erteilt haben.

Nicht verschweigen möchte ich, daß mir mehrere kompetente Personen ihre Hilfe versagten.

Abkürzungen

Du Moulin Eckart   Richard Graf Du Moulin Eckart, Cosima Wagner. Ein Lebens- und Charakterbild, München-Berlin [Bd. 1: 1837–1882] 1929, Bd. 2: Die Herrin von Bayreuth 1883–1930, 1931.

Königsbriefe   König Ludwig II. und Richard Wagner. Briefwechsel, hg. vom Wittelsbacher Ausgleichsfonds und v. W. Wagner. Bearbeitet v. O. Strobel, 5 Bde., Karlsruhe 1936 [Bd. 1–4], 1939 [Bd. 5].

Künstlerbriefe   Richard Wagner an seine Künstler, hg. v. E. Kloss, 2. Aufl. Berlin–Leipzig 1908.

RWA   Richard-Wagner-Archiv Bayreuth (Richard-Wagner-Stiftung).

RWG   Richard-Wagner-Gedenkstätte der Stadt Bayreuth.

1. Von Hans Richter bis Pierre Boulez – Engagements und ihre Hintergründe

Am Anfang drei Vorbemerkungen:

Im allgemeinen Sprachgebrauch bezeichnet Engagement sowohl die vertragliche An-stellung eines Menschen durch einen anderen bzw. durch eine Institution, als auch die eigene Bindung eines Menschen an einen anderen, eine Aufgabe oder eine Idee. Beide Bedeutungen sind gemeint, wenn im Folgenden von Engagements die Rede ist. — Daß dieses Kapitel gleichermaßen alle Hintergründe für alle Engagements erfaßte, kann aufgrund der quantitativen wie qualitativen Unausgeglichenheit des Bestandes an über-lieferten und zugänglichen Zeugnissen nicht behauptet werden. — Weil zahlreiche Zeugnisse zum ersten Mal publiziert werden, ist ihre Wiedergabe ausführlich, so daß die Darstellung bisweilen zur kommentierten Dokumentation wird.

* * *

Bedeutende und berühmte Dirigenten haben im Bayreuther Festspielhaus am Pult gestanden. Es ist jedoch falsch zu glauben, die Festspielaufführungen seien stets nur von bedeutenden und berühmten Dirigenten geleitet worden, und es hätten die jeweils bedeutendsten oder berühmtesten Dirigenten der Zeit, vor allem die Wagner-Dirigenten, bei den Festspielen mitgewirkt. Wäre es so gewesen, die Frage nach den Engagements-gründen erübrigte sich fast. Indessen erweist der Blick auf die Liste der achtundvierzig Festspieldirigenten, daß es nicht so war. Es läßt sich eine ansehnliche Reihe bedeutender und berühmter Dirigenten aufstellen, die nicht bei den Bayreuther Festspielen dirigiert haben. Zu ihnen gehören: Thomas Beecham, Leo Blech, Hans von Bülow, Erich Kleiber, Otto Klemperer, Gustav Mahler, Willem Mengelberg, Dimitri Mitropoulos, Pierre Monteux, Arthur Nikisch, Hans Pfitzner, Hans Rosbaud, Franz Schalk, Hermann Scher-chen, Ernst von Schuch, Bruno Walter, Felix Weingartner. Auch zur Beantwortung der Frage, warum keiner von ihnen Festspieldirigent geworden ist, möchte dieses Kapitel beitragen, wenngleich in der Regel nur indirekte Antworten möglich sind, die sich aus der Erörterung der Gründe für die tatsächlich getroffenen Engagements ergeben.

* * *

Richard Wagner selbst hat nur ein einziges Mal im Festspielhaus dirigiert: während der letzten Parsifal-Aufführung im Uraufführungsjahr, am 29. 8. 1882, löste er den Dirigenten Hermann Levi während der Verwandlungsmusik zum letzten Bild des drit-ten Aufzuges — wie es scheint, spontan — ab. Levi hat die Begebenheit in einem Brief geschildert: »Die letzte Vorstellung war herrlich. Während der Verwandlungsmusik kam der Meister in's Orchester, krabbelte bis zu meinem Pult hinauf, nahm mir den Stab aus der Hand und dirigierte die Vorstellung zu Ende. Ich blieb neben ihm stehen, weil ich in Sorge war, er könne sich einmal versehen, aber diese Sorge war ganz unnütz — er dirigierte mit einer Sicherheit, als ob er sein ganzes Leben immer nur Kapellmeister gewesen wäre[1].« Nach der Darstellung von Wagners Biograph Glase-napp löste Wagner Levi ab, weil dieser sich unwohl fühlte[2]. Es bleibe dahingestellt, wer Recht hat. Jedenfalls duldet es keinen Zweifel, daß Wagner sich mit dieser Aktion

---

[1] Brief an seinen Vater vom 31. 8. 1882, RWG.
[2] C. F. Glasenapp, Das Leben Richard Wagners, Bd. 6, Leipzig 1911, S. 676.

nicht als Festspieldirigent etablieren wollte, um etwa 1883 gegebenenfalls mehrere Aufführungen zur Gänze zu leiten. Wagner war zwar selbst ein bedeutender und angesehener Dirigent, bei seinen Festspielaufführungen überließ er das Dirigieren jedoch anderen, um sich ganz der künstlerischen Gesamtleitung und insbesondere der Regie widmen zu können. Das Einstudieren der Werke mit dem Orchester und die Koordination der Ausführenden während der Aufführungen waren ihm dabei hinderlich. Schon 1865 während der Proben zur Uraufführung des Tristan hatte Wagner an Ludwig II. geschrieben, er könne neben dem Regieführen nicht auch noch dirigieren[3].

Wagner, der — das sollte nicht vergessen werden — als Autor Regie führte und selbstverständlich auch die musikalische Oberleitung hatte, brauchte Dirigenten, die ihm ergeben waren, fähig und bereit, vorbehaltlos auf seine Vorstellungen einzugehen und sie zu realisieren. Ein Kennzeichen der Dirigenten der ersten Festspiele war denn auch ihre Ergebenheit für Wagner. Hans Richter, der Dirigent der Festspiele von 1876, schrieb im Mai 1870 in einem Brief aus Anlaß von Wagners 57. Geburtstag: »Ich sage nichts weiter, als: mein ganzes Leben gehört Ihnen, hochverehrter Meister! — Jede Gelegenheit ergreife ich mit Freuden, um der großen Sache mit meinen schwachen Kräften zu helfen und zu nützen[4].« Die bedingungslose Anerkennung der Autorität Richard Wagners und zwar sowohl der künstlerischen als auch der allgemein menschlichen charakterisierte auch Hermann Levi, den Dirigenten der Parsifal-Uraufführung. Am Silvestertage 1882 richtete Levi die folgenden Zeilen an Wagner: »nur *ein* Ereignis hob sich von dem verschwommenen, nebelhaften Untergrunde meiner Vergangenheit mit herrlicher Deutlichkeit ab — das Erwachen und das Wachsen und endlich das Vollgefühl meiner Liebe zu Ihnen und zu Allem dem, was Sie mir und der Welt bedeuten. Ich habe weiter keinen Besitz, als dieses Gefühl der Liebe und Anbetung, aber in ihm fühle ich mich unermeßlich reich und selig — Lassen Sie mich Ihnen in dieser feierlichen Stunde in Gedanken die Hand küssen![5]« Ähnliche Äußerungen sind u. a. auch von Felix Mottl[6] und Anton Seidl überliefert. Die Ergebenheit der Dirigenten der ersten Festspieljahre ging nach Wagners Tod wie selbstverständlich auf Cosima Wagner über, später in ähnlicher Weise auf Wagners Sohn Siegfried. Sie war eine wichtige Voraussetzung für die Arbeit bei den Festspielen. Zum einen wurden auf diese Weise interpretatorische Eigenmächtigkeiten ausgeschlossen. Hans Richter legte davon Zeugnis ab, als er in einem Brief aus Wien am 23. 12. 1875 bezüglich der von Wagner neueinstudierten Wiener Lohengrin-Aufführung an Cosima Wagner schrieb: »Es wird meine stete Sorge sein, Alles *so* zu erhalten, wie es uns der Meister angegeben hat[7].« Zum anderen ließ die Ergebenheit für Wagner und Haus Wahnfried die Dirigenten zahlreiche Dienste versehen, die nicht unmittelbar mit der musikalischen Leitung von Festspielaufführungen zu tun hatten. 1874, zwei Jahre vor den ersten Festspielen, beschrieb Wagner in einem Brief an Richter die Aufgaben, die der Festspieldirigent erfüllen sollte, folgendermaßen: »Können Sie — von spätestens Mai an — nur für 3 Monate sich gänzlich zur Verfügung stellen? Das ist die Frage. Zu thun hätten Sie Folgendes: 1. Namentlich das Frauen-Personal, welches ich nach so langer Zeit fast gänzlich aus den Augen verloren habe, von Ort zu Ort zu bereisen, nochmals oder neuerdings prüfen, mir Rapporte abstatten, correspondiren u.s.w. 2. Die Blasinstrumentisten des Orchesters mit mir auswählen u. engagiren (ebenfalls mit Reisen verbunden).

3 Königsbriefe, Bd. 1, S. 74.
4 Nach einer Fotokopie im RWA.
5 RWG.
6 Felix Mottls Tagebuchaufzeichnungen aus den Jahren 1873—1876, hg. v. W. Krienitz, Neue Wagner-Forschungen, hg. v. O. Strobel, Karlsruhe 1943, S. 189.
7 RWA.

Auch mit *Wilhelmj* [dem Konzertmeister] ernstlich u. entscheidend die Streichinstrumente in Ordnung bringen. 3. Die Sänger, welche ich bereits diesen Sommer einzeln zu mir bescheiden muß, mit mir überhören u. überhaupt vernehmen[8].« Auch später haben die Dirigenten sich intensiv um die Sängerbesetzung und die Zusammenstellung des Orchesters gekümmert. Die Briefe Hermann Levis und Felix Mottls an Cosima Wagner handeln zu einem großen Teil von Sängern und der Frage ihrer Eignung für die Bayreuther Festspiele. Wie selbstverständlich studierten Levi und Mottl unterm Jahr mit den Sängern deren Rollen. Karl Muck ließ es sich bis zu seinem Ausscheiden 1930 nicht nehmen, selbst das Festspielorchester zusammenzustellen. Über die Beschwerlichkeit dieser Arbeit geben zahlreiche im Bayreuther Richard-Wagner-Archiv erhaltene Briefe Mucks Auskunft. Die Ergebenheit für Wagner und Haus Wahnfried ließ ihn die Mühen auf sich nehmen. Indessen ging die enge persönliche Bindung naturgemäß mit dem Tode Richard Wagners, dann mit dem Rücktritt Cosimas und dem Tode Siegfried Wagners zunehmend verloren. Damit schwand auch die Bereitschaft bei den Dirigenten, Arbeiten und Dienste, wie die genannten, auf sich zu nehmen.

Hans Richter war ein Schüler Wagners. Während seiner Aufenthalte in Tribschen bei Luzern (1866—67/1870—71), wo Wagner von 1866 bis 1872 lebte, hatte er Wagners Werke wie die Vorstellungen Wagners von Musik und musikalischem Theater durch Wagner selbst kennen lernen können. 1868 war er an der Münchner Uraufführung der Meistersinger, die von Wagner geleitet und von Hans von Bülow dirigiert worden war, als Chordirigent und musikalischer Assistent beteiligt gewesen. Am 27. 6. 1869 hatte er dann, ebenfalls in München, zum ersten Mal selbst die Meistersinger dirigiert. Wenige Monate später, im Dezember 1869, schrieb ihm Wagner von seiner Absicht, ihn mit der Einstudierung und Aufführung des Rings des Nibelungen zu betrauen[9]. Dabei dürfte eine Rolle gespielt haben, daß Richter einerseits intensiv und erfolgreich an der Vorbereitung der Münchner Uraufführung des Rheingolds mitgearbeitet, andererseits aber von Anfang an keinen Zweifel daran gelassen hatte, daß er auch als königlich bayerischer Musikdirektor, der er seit 1868 war, Wagner mehr ergeben war als dem König, und deshalb zusammen mit Wagners Distanzierung von der Aufführung seine Entlassung erbeten hatte. Konnte es für Wagner danach keinen treuer ergebenen Dirigenten geben, so mußte Richter nach seiner langen Zusammenarbeit mit dem Komponisten auch als derjenige Kapellmeister gelten, der mit den Intentionen Wagners am besten vertraut war. An der Absicht, Richter die Ring-Aufführungen dirigieren zu lassen, hielt Wagner fest, so daß Richter eine Vorbereitungszeit von insgesamt sechseinhalb Jahren hatte[10]. Es kommt hinzu, daß Richter in den Jahren vor den ersten Festspielen eine ansehnliche Karriere durchlief. Als er 1876 den Ring in Bayreuth leitete, war er Kapellmeister der Wiener Hofoper und Dirigent der Philharmonischen Konzerte. Er setzte also nicht nur sein Können für die ersten Bayreuther Festspiele ein, sondern auch sein Renommé als einer der führenden Dirigenten der Zeit. Das dürfte für Wagner indessen weniger wichtig gewesen sein als Richters umfassendes musikalisch-handwerkliches Können, das ihm die Garantie einer Verwirklichung seiner Partituren, zumindest in technischer Hinsicht, bot, wie er sie sehr wahrscheinlich von keinem anderen Kapellmeister erwarten konnte. In der »Deutschen Rundschau« hieß es diesbezüglich über die Festspielproben 1875: »*Hans Richter*, ein noch junger Mann, ist ein Universalgenie, der alle Instrumente spielt, sie mögen Contrafagot oder Bratsche, Piccolo oder

---

[8] R. Wagner, Briefe an Hans Richter, hg. v. L. Karpath, Berlin—Wien—Leipzig 1924, S. 107.
[9] Brief Wagners vom 19. 12. 1869, R. Wagner, Briefe an Hans Richter, a.a.O., S. 51.
[10] Es ist freilich einschränkend hinzuzufügen, daß die Götterdämmerung erst 1874 vollendet wurde. Auch die Partitur des Siegfried wurde erst 1871 fertig.

Posaune, Oboe oder Baßtuba, Pauke oder Violine heißen. Er ist in Wahrheit ein musikalischer Polyglotte und zählt zu den berufensten und schlagfertigsten Dirigenten, der die verwickeltste Rhythmik und eine vielgegliederte Instrumentation, wie die Wagner'sche, mit einer fast unglaublichen Umsicht beherrscht. Seine Correcturproben, die täglich in den Vormittagsstunden von 10 bis etwas nach 12 Uhr stattfanden, waren von einer wunderbaren Intuition geleitet; daher auch die bei einem so schwierigen Ensemble schnelle Erledigung derselben[11].« Richters praktische wie theoretische Kenntnisse über die Technik der Orchesterinstrumente, derentwegen Siegfried Wagner Richter später als »Orchestermeister[12]« bezeichnete, waren für die Bewältigung der technischen Probleme der Ring-Partituren von außerordentlicher Bedeutung. Kein Orchestermusiker konnte es sich erlauben, seine Stimme für unspielbar zu erklären. Wie berichtet wird, wußte Richter stets die Ausführbarkeit unter Beweis zu stellen.

Dennoch war Wagner mit Richters Dirigieren nicht ganz zufrieden, wie ein Brief aus der Zeit der Proben 1876 zeigt, der hier im Auszug wiedergegeben sei. Wagner schrieb darin an Richter: »Freund! Es ist unerläßlich, daß Sie den Klavierproben genau beiwohnen, Sie lernen sonst mein Tempo nicht kennen; und dann ist es mehr als beschwerlich, in den Orchesterproben, wo ich mich doch nicht gern erst mit Ihnen über das Tempo verständige, zum Schaden des Ganzen dies nachzuholen. Gestern kamen wir, besonders bei Betz [dem Sänger des Wotan], den ich am Klavier immer im feurigsten Tempo habe singen lassen, aus dem Schleppen nicht heraus [. . .] Ich glaube wirklich auch, Sie halten sich durchgängig zu sehr am Viertelschlagen, was immer den Schwung eines Tempos hindert, namentlich bei langen Noten, wie sie in Wotans Zorn häufig vorkommen. Man schlage meinetwegen selbst die Achtel aus, wo der Präzision dadurch genützt wird: nur wird man nie ein lebensvolles Allegro durchgängig durch Viertel im Charakter erhalten[13].« Der Brief scheint nicht ganz den erhofften Erfolg gehabt zu haben; denn Cosima Wagners Tagebuch enthält unter dem 9. 9. 1876 einen Rückblick auf die Festspiele, in dem es u. a. heißt: »lange Besprechung der Aufführungen und der Erfahrungen. [. . .] Richter nicht eines Tempos sicher. Trübsal! Erschütterung! Richard sehr traurig[14].« Noch 1879 schrieb Wagner an Ludwig II. über die ersten Ring-Aufführungen: »Ich kenne keinen Dirigenten, dem ich die richtige Aufführung meiner Musik zutrauen könnte [. . .] Die Stümperhaftigkeit auf jedem Kunstgebiete des Deutschen ist unvergleichlich, und jeder Compromiss, welchen ich zu Zeiten mit ihr einzugehen versuchte, führte dahin, wo mein erhabener Herr und hochgeliebter Freund mich an jenem Abende der letzten Aufführung der Götterdämmerung in Bayreuth [30. 8. 1876] angekommen sah, als ich mehrere Male, hinter ihm sitzend, heftig aufzuckte, so dass ich vom Theuersten theilnahmvoll befragt wurde, was mir fehle? Es war nur in diesen Augenblicken zu demüthigend, zu gestehen, was mich so verzweiflungsvoll erregte, und hiermit zu erklären, dass es mein Entsetzen darüber sei, wahrzunehmen, wie mein Kapellmeister, trotzdem ich ihn für den Besten halte, den ich noch kenne, das richtige Zeitmaass — öfters schon geglückt — doch nicht festzuhalten vermochte, weil — ja! weil er eben unfähig war zu *wissen, warum* es so und nicht anders aufgefasst werden müsse[15].« Im gleichen Brief rühmte Wagner die Münchner Uraufführung der Meister-

[11] Berlin, Oktober 1875, S. 155.
[12] S. Wagner, Erinnerungen, Stuttgart 1923, S. 142.
[13] Bayreuth, 23. 6. 1876, Bayreuther Festspielbuch 1951, S. 59. — In den Proben forderte Wagner immer wieder »nicht schleppen« und »nicht eilen«, H. Porges, Die Bühnenproben zu den Festspielen des Jahres 1876, Bayreuther Blätter 1880, 1881, 1884, 1886, 1890, 1896. Das bestätigen auch die in Kapitel 3 genannten Probenklavierauszüge, die im RWA aufbewahrt werden.
[14] Zitiert nach Du Moulin Eckart, Bd. 1, S. 771 f.
[15] Königsbriefe, Bd. 3, S. 146 f.

singer als »die Einzige«, die keine »Stümperei[16]« geblieben sei. Damit rühmte er auch den Dirigenten Hans von Bülow, der wie Richter sein Schüler war, aber offensichtlich seinen Vorstellungen von den Qualitäten eines guten Dirigenten besser als jener entsprochen hatte. 1865 sagte Wagner über Bülow: »Ausser mir versteht keiner so zu dirigiren[17].« Der Gedanke liegt nahe, daß Wagner Bülow als Dirigenten der Festspiele verpflichtet hätte, wenn nicht die privaten Verhältnisse[18] dem entgegen gewesen wären. Auch später, als Cosima Wagner, Bülows erste Frau, für die ersten Tristan-Aufführungen in Bayreuth einen Dirigenten suchte, verhinderten sie die Berufung Bülows, obwohl er zu jener Zeit der renommierteste Kapellmeister war und als Dirigent der Tristan-Uraufführung von 1865 als bester Bürge für die Authentizität der Aufführung gelten mußte.

Hans von Bülow scheint universeller gewesen zu sein als Hans Richter. Siegfried Wagner beschrieb in seinen Erinnerungen den Unterschied zwischen beiden ganz im Sinne der allgemeinen Bayreuther Meinung, als er von Richter sagte: »Er war kein Dirigent in der Art Bülows. Er blieb immer Musiker[19].« Siegfried Wagner sprach damit nicht nur ein Lob aus. Vor dem Hintergrund, daß sein Vater Richard Wagner anläßlich der Gründung der königlichen Musikschule in Würzburg im Jahre 1877 an Ludwig II. geschrieben hatte: »als ob wir nicht schon ›Musiker‹ gerade genug hätten[20]«, erscheint Siegfried Wagners Charakterisierung sogar eher wie ein Tadel. Für die Werke Richard Wagners und seine Festspiele jedenfalls war die Beschränkung auf die Musik eine Unzulänglichkeit. Als Wagner im Brief an Ludwig II. die Würzburger Musikschule tadelte, sprach er gleichzeitig von der Verbindung der Bayreuther Bühnenfestspiele mit der »Idee einer völligen Neugründung, einer ›creatio ex integro‹, um zu dem zu gelangen, was ich als die einzige wahre ›Hochschule‹ des neuen deutschen musikalischen Dramas bezeichne[21].« Konzentration auf die Musik konnte zur Verwirklichung des »neuen deutschen musikalischen Dramas«, womit selbstverständlich vor allem die Werke Richard Wagners gemeint waren, nicht genügen. Der ständige Bezug zur Szene, die genaue Übereinstimmung von Handlung und Musik, wie sie Ziel und Inhalt des Bayreuther Stils war, hatte auch und vor allem den Kapellmeister zu leiten. Hans Richter aber verstand sich nach dem, was überliefert wird[22], als Musiker, nicht als Anwalt des Dramas. Wenn Wagner Richters Tempi rügte, so tat er es vermutlich vor allem deshalb, weil Richter sie aus der Musik, nicht aus dem dramatischen Verlauf ableitete.

Wagners Kritik an Hans Richter dürfte einer der Gründe gewesen sein, weshalb Richter für die zweiten Festspiele, die Uraufführung des Parsifal 1882, überhaupt nicht in Betracht gezogen wurde. Immerhin hatte er bereits Festspielerfahrung und wäre als erprobter Festspieldirigent von Wagner auch mit Sicherheit gegen Hermann Levi und Franz Fischer, die Parsifal-Dirigenten, durchgesetzt worden, hätte er Wagners Vorstellungen vollauf entsprochen. Wagners Kritik bildete in der Folgezeit aber auch eine der Grundlagen des problematischen Verhältnisses, das Cosima Wagner zu Richter hatte und das von beträchtlicher Auswirkung auf die späteren Festspiele gewesen ist.

---

[16] Ebda., S. 148.
[17] Königsbriefe, Bd. 1, S. 159.
[18] Hans von Bülows erste Frau, Cosima, hatte sich von Bülow scheiden lassen und 1870 Wagner geheiratet, dem sie zuvor — noch in der Ehe mit Bülow — seit 1865 drei Kinder, unter ihnen Siegfried, geboren hatte.
[19] S. Wagner, Erinnerungen, a.a.O., S. 142.
[20] Brief vom 22. 6. 1877, Königsbriefe, Bd. 3, S. 105.
[21] Ebda.
[22] W. Golther, Hans Richter, Niehrenheims Wegweiser für Besucher der Bayreuther Festspiele 1914, Teil II, S. 127.

Zu Richters Verteidigung muß gesagt werden, daß Wagner in seinen letzten Lebensjahren wiederholt darüber geklagt hat, keinen Künstler zu wissen, der seine Werke in seinem Sinne aufzuführen vermöge[23]. In Cosima Wagners Tagebüchern ist unter dem 20. 11. 1878 zu lesen: »Richard ruft wiederum aus: ›Nicht einen Menschen hinterlasse ich, welcher mein Tempo kennt‹[24].« Wagner sprach die Befähigung zur selbständigen Aufführung seiner Werke auch Hans von Bülow ab, mit dessen Leitung der Meistersinger-Uraufführung er seinerzeit so sehr zufrieden gewesen war[25]; und auch Anton Seidl, von dem er Ludwig II. geschrieben hatte, er erziehe ihn zu seinem »Zukunftskapellmeister[26]«, vertraute er nicht ganz[27]. Dem steht freilich entgegen, daß er Seidl in einem Brief an den Theaterdirektor Angelo Neumann überschwänglich rühmte: »Keiner von allen Dirigenten kennt meine Tempi und die Übereinstimmung der Musik mit der Aktion. Seidl habe ich unterrichtet. Er wird Ihnen auch die Nibelungen besser dirigieren, als jeder andere[28].« Daß diese Äußerung in einem Empfehlungsschreiben steht, mindert indessen ihren Wert. Auch versteht sich von selbst, daß Wagner ein eigener Schüler als Dirigent der Nibelungen grundsätzlich lieber sein mußte als ein anderer Kapellmeister. Mit ähnlichen Vorbehalten ist auch ein Empfehlungsbrief an den Münchner Hofrat Düfflipp zu lesen, in dem Wagner Franz Fischer, den späteren Parsifal-Dirigenten, pries: »Er ist ausgezeichneter Klavier-Accompagnateur, hat vor meinen Augen mit größter Umsicht und Energie Orchester dirigiert, und ist überhaupt ein ganz vortrefflicher Musiker, welchem ich jeden Augenblick die Direktion meiner schwierigsten Werke übergeben würde[29].« Es war Wagner selbstverständlich daran gelegen, seine Schüler in angesehene und einflußreiche Positionen zu bringen; denn damit nützte er nicht zuletzt auch sich selbst. Daß er sie zu diesem Zweck lobte, bedarf keiner Erklärung, sagt aber eben darum auch wenig darüber aus, wie er sie tatsächlich einschätzte. Keiner jedenfalls scheint Wagners Vorstellungen so genau entsprochen zu haben, daß Wagner 1882 in der Lage gewesen wäre, Ludwig II. einen Parsifal-Dirigenten zu präsentieren, der sein volles Vertrauen besessen hätte und den vom König offerierten Dirigenten als Alternative entgegenzustellen gewesen wäre. Im Jahre 1882 nämlich, dem zweiten Festspieljahr, löste sich die Frage nach dem Dirigenten gleichsam von selbst, da Ludwig II. mit seinem Hoforchester zugleich dessen Kapellmeister Hermann Levi und Franz Fischer als musikalische Träger der Festspiele bereitstellte[30]. Wagner akzeptierte diese Regelung, obwohl er gegen Levi, der Jude war, starke Vorbehalte hatte, über die noch zu sprechen sein wird. Es dürfte indessen deutlich sein, daß Wagner von den Kapellmeisterqualitäten weder Hans Richters noch eines anderen Dirigenten so überzeugt war, daß er auf ihrer Mitwirkung bestanden hätte. Künstlerischen Argumenten wäre Ludwig II. vermutlich zugänglich gewesen. Wagner vermochte jedoch keinen Dirigenten zu nennen, der Hermann Levi — er hatte den deutlichen Primat vor Franz Fischer — künstlerisch so überlegen gewesen wäre, daß seine Berufung zum Parsifal-Dirigenten anstelle von Levi als Selbstverständlichkeit hätte empfunden werden können und auch den König überzeugt hätte.

[23] Brief an A. Seidl, 16. 4. 1880, Künstlerbriefe, S. 314 / Brief an H. v. Wolzogen, 28. 9. 1882, Künstlerbriefe, S. 405.
[24] Bayreuther Blätter 1937, S. 58.
[25] Brief an A. Niemann, 6. 11. 1872, Künstlerbriefe, S. 32.
[26] Brief vom 1. 4. 1878, Königsbriefe, Bd. 3, S. 120.
[27] Cosima Wagners Tagebücher vom 14. 3. 1878, Bayreuther Blätter 1937, S. 3, und vom 13. 7. 1878, ebda., S. 53.
[28] Brief vom 28. 7. 1878, Künstlerbriefe, S. 288. Vgl. auch Künstlerbriefe, S. 269.
[29] Brief vom 2. 7. 1877, Künstlerbriefe, S. 265 f. Vgl. die Empfehlungen Mottls, Künstlerbriefe, S. 308 u. 315.
[30] Vgl. die Anordnung Ludwig II. vom 15. 10. 1880, C. F. Glasenapp, Das Leben Richard Wagners, Bd. 6, Leipzig 1911, S. 397.

Wagner hatte im Gegenteil die künstlerischen Qualitäten Levis stets anerkannt[31]. Hätte er Levis Fähigkeiten nicht vertraut, so hätte er es kaum zugelassen, daß Levi in der Probenzeit vor den ersten Festspielen 1876 den Mitgliedern der sog. Nibelungen-Kanzlei — u. a. Felix Mottl und Anton Seidl — »Dirigierlektionen« erteilte[32]. Während der Vorbereitung der Uraufführung des Parsifal schrieb Wagner über Levi an Ludwig II.: »seinem vorzüglichen Eifer und seiner fast leidenschaftlichen Ergebenheit glaube ich vollständig vertrauen zu können[33] [...] Zudem muss ich wirklich gestehen, dass ich mit der musikalischen Direction meiner Opern, bei meinem letzten Besuche, in München zufriedener war, als irgend sonst wo[34].« Dennoch ist wahrscheinlich, daß Wagner andere Dirigenten engagiert hätte, wären seine Hände nicht gebunden gewesen. Die Tatsache, daß Levi Jude war, konnte ihm nach allem, was er über Juden und Judentum geäußert hatte, nicht gleichgültig sein, und die Vorstellung, daß ausgerechnet der Parsifal von einem Juden dirigiert werden sollte, mußte ihm unerträglich sein. Bekannt ist Wagners Ausspruch bei der Generalprobe des Parsifal, »er möchte nicht als Orchestermitglied von einem Juden dirigiert werden[35].« Es scheint, daß Wagner, der Ludwig II., seines Gönners, liberale Einstellung zum Judentum kannte, Levi akzeptiert hat, weil er weder auf die Hilfe des Gönners, noch auf die freundschaftlichen Beziehungen zum König verzichten wollte und konnte.

Nach Darstellungen, die u. a. der Chordirektor Julius Kniese[36] — als Gegner Levis ein gewiß unverdächtiger Zeuge — und Felix Weingartner[37] überliefert haben, lehnte Wagner Levi zunächst ab, bekam daraufhin jedoch den Bescheid, das Hoforchester werde ihm nur mit Levi überlassen oder gar nicht. Wagner stimmte daraufhin der Mitwirkung Levis zu. Am 14. 4. 1881 teilte Hermann Levi seinem Vater von Bayreuth aus mit: »Daß ich das Werk leite, ist nun kein Geheimnis mehr[38].« In den folgenden Monaten wurde Wagner, nach seiner eigenen Darstellung, zum Vorwurf gemacht, daß er den christlichen Parsifal von einem jüdischen Kapellmeister dirigieren lassen wolle[39]. Höhepunkt dieser Kampagne war ein anonymer Brief an Wagner, der zum Ziel hatte, Levi moralisch zu diskreditieren. Cosima Wagner schrieb dazu am 1. 7. 1881 an ihre Tochter Daniela von Bülow: »Am Mittwoch [29. 6. 1881]; der brachte allerlei Rauhes: nämlich einen anonymen Brief an Papa, in welchem der arme Levi so schändlich verklagt wurde (und zwar in Gesellschaft mit mir!), daß er sich garnicht fassen konnte, und plötzlich abreiste[40].« Nach Kniese wurde Wagner in dem Brief mitgeteilt, »daß Frau Wagner Herrn Levi mehr als begünstige, vielleicht ein intimes Verhältnis mit ihm habe[41].« Levi reiste, nachdem Wagner ihn zuvor den Brief eigens noch hatte lesen lassen, verletzt von Bayreuth ab und bat brieflich darum, von der Aufgabe, den Parsifal einzustudieren und zu dirigieren, entbunden zu werden. Am 1. 7. schrieb ihm Wagner jedoch: »Wir sind ganz einstimmig, aller Welt diese Sch... zu erzählen, und dazu gehört, daß Sie nicht von uns fortlaufen,

31 Vgl. Wagners Brief an Levi vom 27. 4. 1870, Richard Wagner an Freunde und Zeitgenossen, hg. v. E. Kloss, 2. Aufl., Berlin—Leipzig 1909, S. 515 ff.
32 Felix Mottls Tagebuchaufzeichnungen, a.a.O., S. 200.
33 Brief vom 19. 9. 1881, Königsbriefe, Bd. 3, S. 223.
34 Ebda., S. 224.
35 Cosima Wagners Tagebuch vom 22. 7. 1882, Bayreuther Blätter 1938, S. 10.
36 Der Kampf zweier Welten um das Bayreuther Erbe. Julius Knieses Tagebuchblätter aus dem Jahre 1883, hg. v. J. Kniese, Leipzig 1931, S. 17.
37 F. Weingartner, Lebenserinnerungen, Wien—Leipzig 1923, S. 331.
38 RWG.
39 Es war die Zeit unmittelbar nach dem »Berliner Antisemitismusstreit«. Vgl. dazu: Der Berliner Antisemitismusstreit, hg. v. W. Boehlich, Frankfurt/M. 1965.
40 Cosima Wagners Briefe an ihre Tochter Daniela von Bülow 1866—1885, hg. v. M. F. v. Waldberg, Stuttgart—Berlin 1933, S. 215.
41 Der Kampf zweier Welten um das Bayreuther Erbe, a.a.O., S. 95 f.

und folgends Unsinn vermuten lassen. Um Gottes willen, kehren Sie sogleich um [...] — für alle Fälle aber — sind Sie mein Parsifal-Dirigent[42].« Wie schwer es Wagner gefallen ist, diese Entscheidung zu treffen, veranschaulicht die umständliche und auffallend devote Erklärung, die er am 19. 9. 1881 dem König gab: »Trotzdem nämlich häufig verwunderungsvolle Beschwerden darüber mir zukommen, dass gerade der ›Parsifal‹, dieses allerchristlichste Werk, von einem jüdischen Kapellmeister dirigirt werden solle, und Levi selbst darüber sich in Verwirrung und Betroffenheit befindet, halte ich an dem Einen fest, dass mein gnadenvoller königlicher Herr mir Seine musikalische Kapelle und Gesangschor zur Verwendung für ausserordentliche Aufführungen eines ungewöhnlichen Werkes, als einzig ermöglichende Mitwirkung, grenzenlos grossmüthig und freigebig zuweist, dass ich demnach die Meister dieses musikalischen Körpers, so wie der königliche Herr sie selbst in Seinem Dienste verwenden lässt, ebenfalls dankbar annehme, ohne zu fragen, ob der eine ein Jude ist, der andere ein Christ sei[43].« Die Antwort des Königs war freundlich, aber unmißverständlich. Da Ludwig II. Wagners Einstellung zum Judentum kannte, ist ausgeschlossen, daß die Sätze so wohlwollend-naiv gemeint waren, wie sie klingen. Der König schrieb am 11. 10. 1881 an Wagner: »Daß Sie, geliebter Freund, keinen Unterschied zwischen Christen und Juden bei der Aufführung Ihres großen, heiligen Werkes machen, ist sehr gut; nichts ist widerlicher, unerquicklicher, als solche Streitigkeiten; die Menschen sind ja im Grunde doch alle Brüder, trotz der confessionellen Unterschiede[44].« Durch diese Worte fühlte sich Wagner jedoch herausgefordert, und er brachte nun ebenso deutlich zum Ausdruck, wie er in der Frage dachte. In seinem Brief vom 22. 11. 1881 heißt es: »das gewogene Urtheil meines erhabenen Freundes über die Juden kann ich mir doch nur daraus erklären, dass diese Leute nie Seine königliche Sphäre streifen: sie bleiben dann ein Begriff, während sie für uns eine Erfahrung sind. Der ich mit mehreren dieser Leute freundlich mitleidvoll und theilnehmend verkehre, konnte diess doch nur auf die Erklärung hin ermöglichen, dass ich die jüdische Race für den geborenen Feind der reinen Menschheit und alles Edlen in ihr halte: dass namentlich wir Deutschen an ihnen zu Grunde gehen werden, ist gewiss, und vielleicht bin ich der letzte Deutsche, der sich gegen den bereits alles beherrschenden Judaismus als künstlerischer Mensch aufrecht zu erhalten wusste[45].« — Daß Wagner überhaupt so reden konnte, war möglich geworden, weil Heinrich von Treitschke den Antisemitismus im sog. Berliner Antisemitismusstreit der Jahre 1879/80 gleichsam hoffähig gemacht hatte[46].

Man sollte annehmen, daß Wagners Einstellung zu den Juden die Zusammenarbeit mit Levi unmöglich gemacht hätte. Daß die künstlerische Arbeit nicht ohne Spannungen und Aggressionen verlief, zeigt der zitierte Ausspruch von der Generalprobe. Möglich war das gemeinsame Tun aber überhaupt nur, weil Levi sich Wagners Gedanken zu eigen gemacht hatte und innerlich mit Wagner gegen sich selbst Stellung bezog. Aufschlußreich ist in diesem Zusammenhang ein Brief Levis an seinen Vater, den Gießener Oberrabbiner Dr. Levi, in dem es über Wagner heißt: »Er ist der beste und edelste Mensch. Daß ihn die Mitwelt mißversteht und verleumdet, ist natürlich; es pflegt die Welt das Strahlende zu schwärzen; Goethe ist es auch nicht besser ergangen. Aber die Nachwelt wird einst erkennen, daß W. ein ebenso grosser Mensch als Künstler war, wie dies jetzt schon die ihm Nahestehenden wissen. Auch sein Kampf gegen das, was er ›Judenthum‹ in der Musik und in der modernen Literatur nennt, entspringt den edelsten

42 Künstlerbriefe, S. 327.
43 Königsbriefe, Bd. 3, S. 223.
44 Ebda., S. 226.
45 Ebda., S. 229 f.
46 Der Berliner Antisemitismusstreit, a.a.O., S. 239 f.

Motiven[47].« Levi tolerierte Wagners Vorbehalte und Ressentiments gegen sein Judentum nicht nur, er akzeptierte sie und machte sich damit zum geduldigen Diener eines Mannes, dem eine solche Ergebenheit bei der Verfolgung seiner künstlerischen Ziele nur recht sein konnte.

* * *

Die Weiterführung der Festspiele nach Wagners Tode (13. 2. 1883) erfolgte mit dem gleichen Künstlerensemble, das unter Wagners Leitung gespielt hatte, zumal die Dispositionen für die Festspiele von 1883 noch von Wagner selbst getroffen worden waren. Die Wahrung der Kontinuität mußte allein darum in Wagners und seiner Nachfolger Absicht liegen, weil es galt, einen eigenen Stil zu entwickeln, zu bewahren und weiterzugeben. In Bayreuth, wo Wagner eine Stilbildungsschule hatte gründen wollen — die dann in der Ära Cosimas unter dem Chordirektor und Repetitor Julius Kniese 1892 gegründet wurde, nach Knieses Tod, 1905, jedoch zunehmend an Bedeutung und Einfluß verlor —, sollte der Welt gezeigt werden, was Kunst, insbesondere was deutsche Kunst sei.

Kontinuität ist freilich auch ein Gebot der Ökonomie, zumal bei einem Sommertheater mit beschränkter Probenzeit. Auch in den Festspieljahren seit 1951, in denen die Entwicklung und Wahrung eines spezifischen Bayreuther Stils nicht zu den intendierten Ideen und Aufgaben zählte, haben die Festspielleiter darauf gesehen, Aufführungen über mehrere Jahre vom gleichen Dirigenten betreuen zu lassen, auch wenn sich das nicht so wie in den früheren Festspieljahren hat durchführen lassen. Für das Ansehen eines Theaters und damit für seinen Erfolg, der sich nicht zuletzt in den unerläßlichen finanziellen Einnahmen spiegelt, ist nicht der stete Wechsel zum Attraktiv-Neuen von allein entscheidender Bedeutung. Fraglos ist die Auswahl der Dirigenten bei den Bayreuther Festspielen zeitweise unter dem Aspekt erfolgt, mit einer Berufung nach Bayreuth Sensation zu machen. Die Engagements von Toscanini oder Boulez hatten den Sinn, neue und ungewohnte Aspekte an den Werken Wagners aufzudecken, Verkrustetes aufzubrechen, Alternativen zum Gewohnten zu bieten, dem Alten das Neue entgegenzusetzen, um dessentwillen es sich lohnte, nach Bayreuth zu fahren und die Festspiele zu besuchen. Der Grundzug aber war stets der, durch die Wahrung von Kontinuität den Bayreuthbesuchern das sichere Gefühl der Seriosität und Solidität, des Langgereiften und Altüberlieferten zu geben.

Ging es in späteren Jahren lediglich darum, die Eigenheiten und Merkmale einer einzelnen Aufführung zu bewahren, so mußte es nach Wagners Tode im Interesse der Festspielleitung liegen, den von Wagner erarbeiteten Stand insgesamt zu erhalten. Dazu schienen trotz aller Vorbehalte, die er selbst gegen sie gehabt hatte, die von Wagner instruierten Dirigenten der Festspiele von 1876 und 1882 sowie jene, die sich als Schüler Wagners fühlen konnten, besonders geeignet.

Von den ersten Dirigenten der Festspiele konnten sich zumindest vier als Schüler Wagners bezeichnen, nämlich Hans Richter, Franz Fischer, Felix Mottl und Anton Seidl. Hermann Zumpe, der zum gleichen Kreis gehörte, aber nie im Bayreuther Festspielhaus dirigiert hat, berichtete 1872 in einem Brief an seine Braut: »Er [Wagner] studiert uns jetzt seine ›Walküre‹ ein; jeder spielt einen Akt und er singt und gibt die Tempi an. So werden wir seine Schüler[48].« Zumpe, Fischer, Mottl und Seidl waren Mitglieder der sog. Nibelungen-Kanzlei, einer Art Kopistenbüro, in dem ab 1872 das Aufführungsmaterial für die ersten Festspiele 1876 hergestellt und eingerichtet wurde. Fischer, Mottl

---

47 Brief vom 13. 4. 1882, RWG.
48 H. Zumpe, Persönliche Erinnerungen nebst Mitteilungen aus seinen Tagebuchblättern und Briefen, München 1905, S. 29.

und Seidl waren darüberhinaus auch bei den ersten Festspielen als Assistenten und Hilfsdirigenten tätig, so daß sie neben dem Hauptdirigenten Hans Richter als diejenigen zu gelten hatten, die mit Wagners Intentionen am besten vertraut waren. Seidl war zudem bis zum Juli 1878 Hauspianist und Assistent Wagners in Bayreuth.

Die gegebenen Möglichkeiten zur Wahrung der Kontinuität wurden einerseits genutzt: Levi blieb Parsifal-Dirigent; Richter wurde erneut nach Bayreuth berufen; Mottl, Fischer und Seidl haben Aufführungen geleitet. Andererseits ist nicht zu leugnen, daß das Verhältnis Cosima Wagners zu Hans Richter und Hermann Levi, den ersten Festspieldirigenten, gespannt war und deutliche Auswirkungen auf die Festspiele hatte; und daß ferner die Schüler Wagners durchaus nicht in dem Maße an den Festspielen beteiligt wurden, wie man das erwartet haben würde. Fischer und Seidl haben jeder nur ein einziges Mal selbständig Festspielaufführungen dirigiert (1899 der eine, 1897 der andere). Zumpe ist nie eingeladen worden, obwohl er ein renommierter Dirigent war und seine Hilfe anbot[49]. Sie alle waren, Seidl vor allem, anerkannte Wagner-Dirigenten. Auch Karl Klindworth, den Wagner für seine Stilbildungsschule als Dirigent verpflichten wollte und dem er 1877 geschrieben hatte, er zähle auf ihn als den einzigen, dem er einst sein Werk überlassen könne[50], erhielt keine Berufung. Stattdessen berief Cosima 1891 bzw. 1892 — zu einem Zeitpunkt, als die genannten Wagner-Schüler mit Ausnahme Karl Klindworths im Zenit ihres Könnens und ihrer Karrieren standen — neue Kapellmeister nach Bayreuth, nämlich Richard Strauss und Karl Muck, die keine Schüler Wagners waren. Der Verdacht liegt nahe, daß Cosima Strauss und Muck bevorzugte, weil sie sich nicht auf Wagner berufen konnten und auf eine Tradition, von der Cosima abwich. *Einen* Wagner-Schüler allerdings protegierte Cosima besonders: Felix Mottl.

Cosima Wagner, die ab 1884, offiziell ab 1886 die Festspiele leitete, scheint nicht durchweg die Auffassungen der Dirigenten bezüglich dessen geteilt zu haben, was Tradition sei und also bewahrt werden müsse und was nicht. Sie glaubte, sich genauer an die von Wagner geleiteten Aufführungen zu erinnern als die Dirigenten, war überzeugt davon, tiefer und richtiger als jene in die Absichten Wagners eingedrungen zu sein und berief sich häufig auf mündliche Informationen durch den Meister selbst[51]. Es entzieht sich unserer Kenntnis, ob Cosima in der Tat besser und genauer informiert war oder nur rechthaberisch und unduldsam auf der eigenen Meinung bestand, wie behauptet worden ist. Vermutlich ging beides ineinander, wie überhaupt die Äußerungen Cosima Wagners nicht leicht zu durchschauen sind. Der höflich-liebenswürdige Ton verbirgt meist die Wahrheit, die nicht selten ganz anders aussieht als ihr Erscheinungsbild. Man muß zwischen den Zeilen lesen oder den diplomatischen Putz abschlagen, unter dem mitunter unerwartetes Mauerwerk zutage tritt. Selbstverständlich brachte Cosima Hans Richter Achtung entgegen, und ginge man statistisch vor, dann müßte die Beziehung zwischen beiden gemäß der Fülle der freundlichen Worte und Ehrenbezeigungen stets ungetrübt gewesen sein. Was ist aber davon zu halten, daß Cosima an Richter schrieb, und zwar im Jahre 1902: »Du hast hier den ersten Platz und wirst ihn immer haben[52]«, wenn doch offenkundig ist, daß nach der Zahl der dirigierten Aufführungen und dem Einfluß auf die Gestaltung der Festspiele eindeutig Felix Mottl den Primat hatte? Es duldet keinen Zweifel, daß Cosima Wagner Hans Richter mit Skepsis, wenn nicht mit Argwohn begegnete. Sie konnte auf ihn indessen nicht verzichten, da er als von Wagner eingesetzter, von den ersten Festspielen her erfahrener und vor allem inzwischen weltberühmter Dirigent für die Bayreuther Festspiele als repräsentativer Anziehungspunkt notwendig

49 Brief an Cosima Wagner vom 31. 12. 1893, RWA.
50 Brief vom 22. 9. 1877, Künstlerbriefe, S. 270.
51 L. Lehmann, Mein Weg, Leipzig 1913, Teil II, S. 199.
52 Brief vom 19. 7. 1902, RWG.

war. Auch ein finanzieller Gesichtspunkt verdient Beachtung. Richter verzichtete auf ein Honorar[53], während für andere Kapellmeister wie Mottl Summen von nicht geringer Höhe bereitgestellt werden mußten[54]. Das war vor allem in den ersten Jahren nach Wagners Tod, als die Festspiele noch nicht etabliert und finanziell gesichert waren, ein wichtiger Aspekt. Kein Honorar zu nehmen, war im übrigen auch später für einige Dirigenten wie z. B. Karl Muck, Arturo Toscanini und Hans Knappertsbusch Ehrensache.

Der Grund für Cosimas Skepsis gegenüber Richter war vermutlich der, daß Richter, so devot er stets Cosima und der Institution der Festspiele gegenüber war, nicht bereit gewesen zu sein scheint, auf Cosimas Vorstellungen so vorbehaltlos einzugehen wie auf diejenigen Richard Wagners, zumindest nicht in Fragen, die die Musik betrafen. Nach der mündlichen Überlieferung soll Richter nur unter der Bedingung dirigiert haben, daß ihm Cosima in Bezug auf die Musik völlig freie Hand ließ. Felix Weingartner, der 1886 als musikalischer Assistent in Bayreuth gewesen war und miterlebt hatte, wie Cosima die Tristan-Interpretation Felix Mottls zu beeinflussen gesucht hatte, stellte nach den Meistersinger-Aufführungen von 1888 fest, Richter habe sich »offenbar auch von niemandem etwas dreinreden lassen[55].« Cosima Wagner scheint Richters Autorität gefürchtet zu haben. Im Jahre 1886, als Richter sich lediglich als Festspielbesucher angesagt hatte, soll sie bei der ersten Tristan-Orchesterprobe unter Mottls Leitung nach dem Vorspiel gesagt haben: »Ich wünschte, daß Richter nicht käme[56].« Als sie in einem Brief im Jahre 1888 Richter auf Mängel in der Darstellung einer Szene im 2. Aufzug der Meistersinger hinwies, entschuldigte sie sich dafür und zwar gleich zweifach[57]. Am Tage zuvor hatte sie — psychologisch sehr aufschlußreich — geschrieben: »Unter tausend Dankesgrüßen die dringende Bitte sich von *Niemandem* etwas sagen zu lassen[58]«, als wäre es bei den Bayreuther Festspielen üblich gewesen, jeden anzuhören und nicht ausschließlich und allein das zu befolgen, was Cosima Wagner anordnete. Bezeichnend ist auch die übergroße Vorsicht, mit der sie über die Meistersinger-Aufführungen 1889 an Richter schrieb: »habe Dank dafür daß du meine bescheidenen Bemerkungen so freundlich beachtet hast, und daß, wo du so viel kannst und kennst, Du es nicht verschmäht hast die Erinnerungen, die ich in mir lebendig zu erhalten trachte zu erwägen und ihnen zu entsprechen[59].« Cosima war bewußt, daß Richter ein anderes Verständnis der Tradition hatte als sie und auch der Dirigent ihrer ersten eigenen Inszenierung, Felix Mottl. Vielleicht aber hatte sie auch ein schlechtes Gewissen gegenüber der von Richter repräsentierten Tradition, weil sie sich von ihr, bewußt oder unbewußt, entfernte. Die Berufung Hans Richters zum Dirigenten der Meistersinger 1888 und des Rings 1896 war jedenfalls keine Selbstverständlichkeit, so sehr sie als solche dargestellt wurde. Aufschlußreich ist in diesem Zusammenhang die Darstellung der Gründe für Richters Verpflichtung zum Meistersinger-Dirigenten 1888 durch Cosima Wagners Biographen Du Moulin Eckart: »Nicht ist es die Anhänglichkeit und auch nicht die künstlerische Einschätzung, welche sie veranlaßt, Richter für die Meistersinger heranzuziehen, sondern es geschieht ganz einfach deshalb, daß dieser der Tradition am nächsten stand. Sie sagt wohl einmal: ›Ich

53 Nach Siegfried Wagner soll Richter gesagt haben: »Das wäre noch schöner, dem Meister verdanke ich alles, und dafür soll ich mich bezahlen lassen«. S. Wagner, Erinnerungen, a.a.O., S. 141.
54 Nach einer Aufstellung im RWA erhielten 1902 Felix Mottl 5000,— Mark, Karl Muck 2000,— Mark und Michael Balling 1100,— Mark.
55 F. Weingartner, Lebenserinnerungen, a.a.O., S. 401.
56 Du Moulin Eckart, Bd. 2, S. 78.
57 Brief vom 18. 7. 1888, RWG.
58 RWG.
59 Brief vom 28. 8. 1889, RWG.

wüßte Richter am liebsten wiederum auf der Bühne‹[60].« Dort nämlich hatte Richter bei der Uraufführung des Werks 1868 in München gewirkt und zwar als Chorleiter, Hilfs-dirigent und musikalischer Assistent, während die musikalische Gesamtleitung in den Händen Hands von Bülows gelegen hatte, eines ergebenen Dirigenten, der ausführte, was der Regisseur ihm auftrug. Es dürfte deutlich sein, daß sich Cosima selbstverständ-lich des Könnens und des Wissens von Hans Richter versichern wollte, als musikalischen Oberleiter aber einen anderen, mehr auf ihre, des Regisseurs, Vorstellungen eingehenden Dirigenten sich wünschte. Nicht viel anders als im Falle der Meistersinger wurde die Berufung Richters zum Ring-Dirigenten 1896 von Du Moulin Eckart erklärt: »Frau Cosima hatte den Dirigentenstab vor allem in die Hände des ersten Bayreuther Kapell-meisters Hans Richter gelegt, obwohl, wie wir wissen, dieser ihr im Jahre 1876 keines-wegs das Werk zu ihrer vollen Befriedigung geleitet hatte. Aber sie hielt daran fest, nicht bloß aus Pietät, sondern vor allem in dem tiefen Bewußtsein der Pflicht der Dank-barkeit gegen einen Mann, den einst der Meister an sich gezogen, und der ihm, zumal in der Münchner Zeit, Treue bewährt hatte. Sie tat es um so mehr, als sie neben ihm Mottl und ihren Sohn Siegfried zur Leitung herangezogen hat[61].« Mit anderen Worten: Hans Richter wurde weniger seiner künstlerischen Befähigung wegen und als Repräsen-tant der Tradition, der er war, verpflichtet als vielmehr aus dem Gefühl heraus, ihn nicht umgehen zu können. Siegfried Wagner und Felix Mottl bildeten das unübersehbare Gegengewicht, dazu ausersehen, Richters Einflußnahme auf die künstlerische Gestaltung nicht allzu groß werden zu lassen. Cosima Wagners kritische Einwände gegen Richter als Repräsentanten und Wahrer der Tradition kommen vielleicht am deutlichsten in einer Briefstelle aus dem Jahre 1902 zum Ausdruck, in der es über eine Pariser Auffüh-rung der Götterdämmerung unter Richter sarkastisch heißt: »Richters Autoritätsmantel wird gewiß die ›Götterdämmerung‹ mit Unfehlbarkeit umhüllen[62].« In ihrer Skepsis und ihrem Argwohn gegen Richter konnte sich Cosima nicht nur auf Wagners erwähnte Unzufriedenheit mit den Ring-Tempi 1876 berufen, sondern auch auf kritische und abfällige Urteile Hans von Bülows[63] und auf die Kritik Gustav Mahlers[64].

Der Gedanke, daß Cosima Wagner auf die Mitwirkung Richters bei den Bayreuther Festspielen verzichtet hätte, wäre ein solcher Verzicht nur vor der Öffentlichkeit der Wagnerianer und der Bayreuthbesucher zu rechtfertigen gewesen, ist nicht ganz von der Hand zu weisen. Am Versuch, an die Stelle Richters einen anderen zu setzen bzw. ihn seine Position mit einem anderen teilen zu lassen, hat es jedenfalls allen Anzeichen nach nicht gefehlt. Im Jahr nach den ersten Bayreuther Meistersinger-Aufführungen (1888) bemühte sich Cosima darum, den anerkannten und berühmten Dresdner Hofkapell-meister Ernst von Schuch nach Bayreuth zu engagieren — »für den Fall der Erkrankung Levis[65].« 1888 hatte Levi wegen Krankheit absagen müssen. Mottl, mit dem Cosima über Schuch korrespondierte, schrieb ihr am 6. 2. 1889 aus Karlsruhe, nachdem er sich in seinen vorangegangenen Briefen wiederholt abfällig über Richter als Dirigenten geäußert hatte — u. a.: »Richter ist oberflächlich und ganz unmaßgebend![66]«: — »Was fangen wir aber mit Schuch an, wenn Richter doch einmal verläßlich wäre?! — Ihre guten Empfindun-gen für Schuch teile ich vollkommen. Ich habe ihn wirklich sehr gerne und glaube, daß

[60] Du Moulin Eckart, Bd. 2, S. 194 f.
[61] Ebda., S. 520 f.
[62] Brief an die Gräfin Wolkenstein, Du Moulin Eckart, Bd. 2, S. 689.
[63] H. v. Bülow, Briefe und Schriften, hg. v. M. v. Bülow, Bd. 7, Leipzig 1907, S. 18 / H. v. Bü-low, Neue Briefe, hg. v. R. G. Du Moulin Eckart, München 1927, S. 569.
[64] »Richter hat keine Ahnung von den Tempi«, M. Graf, Die Wiener Oper, Wien—Frankfurt/M 1955, S. 86.
[65] Du Moulin Eckart, Bd. 2, S. 259.
[66] Brief vom 28. 1. 1889, RWA.

er von großem Vorteile sein wird für Bayreuth. Wir werden auch gewiß nichts von seiner Bosheit merken, sondern nur Gutes von ihm erleben. Ich wollte, Richter hätte ›Nein‹ gesagt und wir könnten Schuch vollständig einsetzen[67]!« Es mutet seltsam an, daß Mottl Schuch mit Richter in einen Zusammenhang stellte, nachdem Schuchs Einladung doch ursprünglich auf den möglichen Ausfall von Levi bezogen gewesen war. Indessen nahm Schuch die Berufung nicht an, und Hans Richter war entgegen Mottls Skepsis »verläßlich«. In ähnlichem Sinne wie der Versuch der Verpflichtung Schuchs ist die Berufung von Richard Strauss bzw. Karl Muck, die weiter unten ausführlicher erörtert wird, zu deuten. Angesichts der Tatsache, daß im Jahre 1892 für acht Parsifal-Aufführungen Hermann Levi sowie für je vier Tristan- und Tannhäuser-Aufführungen Felix Mottl vorgesehen waren, erscheint es merkwürdig, daß für die vier geplanten Meistersinger-Aufführungen zwei Dirigenten engagiert wurden, nämlich neben Hans Richter Richard Strauss bzw. nach dessen Absage Karl Muck.

Auch Hermann Levi hatte ein anderes Verständnis der Tradition als Cosima Wagner, obwohl im Unterschied zu Richter Levi seine Ergebenheit für Cosima so weit reichen ließ, stets und in allen Fragen auf sie einzugehen. Rühmend beschrieb er Cosimas Einflußnahme auf die Parsifal-Aufführungen 1884: »Daß die Vorstellungen dieses Jahres so vollendet waren, ist zum größten Teil dem tätigen Eingreifen von Frau Wagner zu danken. Allerdings hat sie mit niemanden gesprochen, nicht mit mir, nicht mit der Schleinitz, ja nicht einmal mit ihrem Vater, aber sie war in allen Proben und Vorstellungen. Nach jeder Vorstellung erhielten der Regisseur Fuchs und ich ausführliche schriftliche Kritiken, und ihre Bemerkungen waren so richtig und feinsinnig, enthielten so wichtige Aufschlüsse über die Kunst des Vortrages, daß ich in diesen wenigen Tagen mehr gelernt habe, als in 20 Jahren meiner Dirigenten-Praxis[68].« Dieses Eingreifen ist meist, so von Cosima Wagners Biographen und von Daniela Thode, ihrer Tochter, als Akt der Wiederherstellung des Ursprünglichen gedeutet worden, da das Jahr 1883, in dem — nach Wagners Tod — ohne künstlerische Führung gespielt werden mußte, nach dieser Darstellung zu Verfälschungen der originalen Intentionen geführt hatte. Diese Deutung ist möglich. Sie steht indessen im Widerspruch zu der Tatsache, daß Cosima im Jahre 1888, als Levi wegen Krankheit nicht dirigieren konnte, Mottl zu Veränderungen der musikalischen Darstellung veranlaßte, die besonders auffällig waren und heftige Kritik hervorriefen. Sollte Cosima, die 1888 so deutliche Eingriffe vornahm, nicht auch 1884 schon versucht haben, ihre Vorstellungen zu verwirklichen? Lilli Lehmann — als Kritikerin Cosima Wagners eine vielleicht nicht ganz unverdächtige Zeugin — berichtete in ihrer Darstellung der Wiederaufnahme des Rings 1896 und der ihrer Meinung nach dabei durchgeführten Veränderungen: »Mottl sagte mir schon, daß Cosima im Jahre 1883 den ganzen Parsifal geändert habe[69],« wobei sie sich freilich in der Jahreszahl irrte. Wenn der Schein nicht trügt, dann hat sich Levi den Forderungen Cosima Wagners nicht widerstandslos gebeugt, sondern versucht, die Intentionen Richard Wagners zu realisieren, die Tradition des Parsifal-Uraufführungsjahres zu bewahren. Es wäre sonst nicht nötig gewesen, das Jahr seiner Abwesenheit zur Durchsetzung der Absichten Cosima Wagners zu benutzen. Die Parsifal-Aufführungen der Jahre nach 1888, die wieder unter Levis Leitung standen, wurden allgemein als Wiederherstellung der überlieferten Gestalt angesehen[70].

[67] RWA.
[68] Brief an seinen Vater vom 7. 8. 1884, RWG.
[69] L. Lehmann, Mein Weg, a.a.O., Teil II, S. 196.
[70] Vgl. Vossische Zeitung, Berlin, 21. 7. 1891 / Berliner Lokal Anzeiger 22. 7. 1894.

Aufgrund seiner umfassenden Bildung, an die keiner der anderen Festspieldirigenten der ersten Jahrzehnte heranreichte, wurde Levi von Cosima Wagner außerordentlich geschätzt. Das zeigt der rege Briefwechsel zwischen beiden[71]. Aus der Tatsache aber, daß Levi Jude war, leitete Cosima das Bestehen einer tiefen, unüberbrückbaren Kluft zwischen ihnen ab, und Zeit seines Lebens hat sie Levi spüren lassen, daß sie Juden verachtete und ihnen mißtraute. In einem Brief an Cosima drückte Levi ihre Haltung ihm gegenüber so aus, »daß es nicht meine Handlungen, Gesinnungen und Äußerungen sind, die Sie verletzen, sondern daß Sie mein ganzes Wesen, mein bloßes Dasein als etwas Ihnen Feindliches, Ihre Kreise Störendes empfinden«, und er fuhr fort: »Und diese nagende, von Jahr zu Jahr mir deutlicher zu Bewußtsein gekommene Erkenntnis hat mich, wie ich in meinem letzten Briefe schrieb, wund und krank gemacht, so daß ich fürchte, in einem nächsten Festspieljahre nicht einmal mehr physisch meiner künstlerischen Aufgabe, wie früher, gewachsen zu sein[72].« In dem erwähnten früheren Brief hatte Levi Cosima um seine Entlassung gebeten: »Ich habe das deutliche Gefühl, daß meine Schultern zu schwach geworden sind sowohl für das, was ich in Bayreuth zu thun, als auch was ich zu tragen und zu ertragen habe; ich bin wund und krank und sehne mich nach Ruhe. Darum bitte und beschwöre ich Sie: entlassen Sie mich der Enge!! Sie sagten so oft im Ernst und im Scherze, daß ich das Kreuz sei, welches Sie bis an das Ende zu tragen hätten. Aber wann ist das Ende? Warum kann es nicht heute sein? — Mißverstehen Sie mich nicht: ich klage Niemanden an, nicht Sie, nicht etwa die Menschen, die mich von vornherein als einen Nichtdazugehörigen betrachteten und die das ›Ende‹ so gerne schon vor Jahren herbeigewünscht hätten, — ich habe nur eine tiefe Einsicht in mich selbst gewonnen, und auf Grund dieser Erkenntniß sage ich mir, daß ich nicht mehr geeignet bin, Ihr Mitarbeiter an dem hohen Werke zu sein[73].« Darauf antwortete Cosima: »Wir unterscheiden uns abermals darin, mein Freund, daß ich gar nicht in mir noch in Ihnen Macht und Recht empfinde Sie von dem Amt zu entfernen, in welchem Sie eingesetzt wurden. Es ist mein völliger Ernst gewesen, wie ich Ihnen gesagt habe: wir hätten uns gegenseitig zu ertragen[74].« Die Stilisierung der künstlerischen Zusammenarbeit mit einem Juden zur unumgänglichen Schicksalsfügung[75] diente dazu, den Künstler zu verpflichten und zugleich den Juden in die Schranken zu verweisen. In seiner uneingeschränkten Ergebenheit für Wagner, sein Werk und seine Familie fügte sich Levi dem, wie der zitierte Brief an den Vater vom 13. 4. 1882 zeigt. Sehr anschaulich und zugleich nicht ohne kritischen Unterton schilderte Levi seine Situation gegenüber dem Hause Wahnfried 1894 in einem Brief an Cosima Wagner: »Ich glaube auch hier ist Alles von einem Punkte aus zu begreifen: ich bin Jude, und daß es in und um Wahnfried zum Dogma geworden ist, daß ein Jude so und so aussieht, so und so denkt und handelt, und daß vor Allem eine selbstlose Hingabe an eine Sache für einen Juden unmöglich ist, so beurtheilt man Alles was ich thue und sage, von diesem Gefühlspunkte aus und findet deshalb auch in Allem, was ich thue und sage, etwas Anstößiges oder zum mindesten Fremdartiges. Ich werde Niemanden ob solchen Urtheils schmähen, denn ich weiß sehr wohl, was in dem ›Judenthum in der Musik‹ gesagt ist und stehe selbst ganz auf dem Standpunkt dieses herrlichen Buches. Aber daß ich in mir selbst alle Eigenschaften der Juden als vorhanden annehmen sollte, ist nicht wohl

71 Der Briefwechsel ist nahezu vollständig in der Handschriftenabteilung der Bayerischen Staatsbibliothek München erhalten.
72 Brief vom 15. 9. 1891, Bayerische Staatsbibliothek München.
73 Brief vom 30. 8. 1891, Bayerische Staatsbibliothek München.
74 Brief vom 3. 9. 1891, Bayerische Staatsbibliothek München.
75 Vgl. Cosimas Wort von des Rabbiners Sohn, der durch ein unerforschliches Geschick zum Dirigenten des Parsifal geworden sei. Du Moulin Eckart, Bd. 2, S. 558.

von mir zu verlangen: mein Bewußtsein von meiner eigenen Natur ist ein ganz anderes[76].«

An Levis künstlerischen Qualitäten gab es keinen Zweifel. Seine Ablösung aber allein deswegen zu betreiben, weil er Jude war, schien nicht vertretbar. Im Jahre 1884 gab es neue Angriffe gegen Levi als Parsifal-Dirigenten. Cosima Wagner beschrieb ihr Verhalten später in einem Brief an den Bildhauer Adolf von Hildebrand: »Als ich im Jahre 84 unserer Festspiele mich annehmen mußte, wiederholte sich gegen Levi der Sturm, der bereits im Jahre 82, als man erfuhr, daß er der Dirigent des Parsifal war, sich erhoben hatte. Ich erbat mir von den Anstürmern schriftlich die bündige Erklärung: ›Daß Generalmusikdirektor Levi moralisch unwürdig und künstlerisch unfähig sei Parsifal zu dirigieren‹. Daraufhin wollte ich die Sache untersuchen und entscheiden. Alles schwieg und es blieb wie es war[77].« Cosima stellte sich nicht selbstverständlich schützend vor Levi. Vielmehr hat es den Anschein, als hätte sie, die sonst ihre Entscheidungen rigoros selbst zu treffen pflegte, sich dem Votum anderer beugen wollen. Sie hätte sich auf diese Weise von Levi befreien können, ohne selbst das Gesicht zu verlieren. Die geforderte Erklärung mußte indessen ausbleiben, weil Levi künstlerisch wie moralisch integer war, und man sich damals augenscheinlich noch nicht getraute, öffentlich zu erklären, Levi müsse zwangsläufig künstlerisch unfähig und moralisch unwürdig sein, weil er der jüdischen Rasse angehöre. Privat und im Stillen zog man diese Schlüsse längst. An Mottl schrieb Cosima Wagner 1890 über Levi: »Ganz offenherzig gestand ich ihm auch, daß seine Fühlungslosigkeit mit einem Bestimmten in der Kunst mir auch in seinen Aufführungen bemerklich sei. Daher kam es auch, daß er keine Macht, keine veredelnde Einwirkung auf seine Künstler habe. In Karlsruhe [Mottl] und Weimar [Strauss] merkt man eine solche von einem Kapellmeister ausgehende Einwirkung[78].« Geringschätzung, ja Nichtachtung der künstlerischen Fähigkeiten spricht aus einer Aufstellung von Gesichtspunkten, die Cosima für einen Nachruf auf Levi wichtig waren. Sie sind in einem Brief an Houston Stewart Chamberlain zu lesen, der diesen Nachruf für die Bayreuther Blätter[79] geschrieben hat: »Vier Punkte sind es, die Levi als besonders für den Dienst unserer Sache geeignet hinstellten. Sie sind: 1. Seine hohe, geistige Kultur, welche ihn befähigte, die ›Gesammelten Schriften‹ [Wagners] zu fassen. 2. Seine Gewissenhaftigkeit in den praktischen Dingen, welche machte, daß Adolf v. Groß' schwere Aufgaben durch ihn wesentlich erleichtert wurden (Orchesterengagements etc.). 3. Seine Generosität, welche ihn jede Entschädigung von sich weisen ließ und ihn zu einem der Hauptgönner unseres Stipendienfonds gestempelt. 4. Seine Erfassung des Gedankens der Schule. (Wir verdanken ihm die Zuführung Burgstallers, die Empfehlung der Brema und manches anderen Künstlers.) Was nun schwere Konflikte herbeiführte, das war das, was seinem Stamm als Fluch mitgegeben ist: Mangel an Glauben, selbst da, wo er Überzeugung hatte [. . .][80].«

So sehr Hermann Levi als Kapellmeister und als Parsifal-Dirigent geschätzt, bewundert, ja gepriesen wurde, so sehr wurde immer aufs neue getadelt, daß ein Jude den Parsifal dirigierte. Richard Strauss, der 1892 gern selbst den Parsifal geleitet hätte, augenscheinlich aber abschlägigen Bescheid aus Bayreuth erhalten hatte, fragte in einem Brief an Cosima im November 1891, warum das arme Werk Levis Verdienste büßen müsse — wobei er Verdienste in Anführungsstriche setzte — und nie mehr aus jüdi-

[76] Brief vom 22. 1. 1894, Bayerische Staatsbibliothek München.
[77] Brief vom 20. 9. 1901, RWA.
[78] Du Moulin Eckart, Bd. 2, S. 339.
[79] Richard Wagners Briefe an Hermann Levi. Zur Einführung, Bayreuther Blätter 1901, S. 13—17.
[80] Brief vom 28. 6. 1900, Cosima Wagner und Houston Stewart Chamberlain im Briefwechsel 1888—1908, hg. v. P. Pretzsch, Leipzig 1934, S. 599.

scher Folterkammer entlassen werde[81]. Im Falle des christlichen Parsifal schien es ganz besonders befremdlich, einen Juden als Dirigenten zu haben; in einem Theater jedoch, das sich der Ausbildung spezifisch deutscher Kunst widmete und sich als nationale Einrichtung verstand, mußte es ganz allgemein für fragwürdig, wenn nicht für sinnwidrig und falsch gelten, mit Angehörigen anderer Völker, Rassen oder Religionen zusammenzuarbeiten. Über Gustav Mahler schrieb Felix Mottl 1887 an Cosima Wagner: »Er ist, von allen Leuten, mir als sehr begabt bezeichnet worden, aber leider ein Jude[81a]«!, was so viel heißen sollte wie: für Bayreuth und die Festspiele untauglich. Diese Einstellung — Folge sowohl des traditionellen Antisemitismus im Hause Wahnfried als auch des wachsenden Antisemitismus im Deutschen Kaiserreich — scheint bezüglich der Dirigenten bis zum 2. Weltkrieg sich ausgewirkt zu haben. Jedenfalls hat es erst nach 1951 jüdische Kapellmeister am Pult des Bayreuther Festspielhauses gegeben. Daß Wagner-Dirigenten vom Range Otto Klemperers, Bruno Walters und Leo Blechs nicht nach Bayreuth berufen worden sind, dürfte die nämlichen Gründe gehabt haben, die gegen Gustav Mahler ins Feld geführt wurden. Die deutsch-nationale Haltung richtete sich freilich nicht allein gegen die Juden, sondern gegen alles, was den Anschein des Fremden hatte. Dabei ist einzuräumen, daß die Festspielleitung liberaler verfuhr als manche Verfechter der Festspielidee und der deutschen Kunst und im Interesse des Erfolgs der Festspiele schon früh ausländische Sänger engagierte. Als der erste nicht-deutschsprachige Sänger, der Belgier Van Dyck, nach Bayreuth verpflichtet wurde, gab es Proteste. Man glaubte, damit werde der ursprüngliche Sinn einer spezifisch deutschen Kunststätte verfälscht. Der Mannheimer Instrumentenbauer und Vorsitzende des Wagnervereins Emil Heckel stellte fest, mit Van Dyck sei »die Macht des fremdländigen Einflusses doch erheblich[82]« gewachsen, wenn auch die übertriebenen Befürchtungen sich nicht erfüllt hätten. Heckel — Haus Wahnfried gegenüber stets loyal — meinte die angeblich »störende fremdländische Aussprache« (Weingartner)[83], aber — wie seine Formulierung zeigt — meinte er nicht sie allein. Hinter dem sachlichen oder sachlich erscheinenden Argument verbarg sich — wenn auch vielleicht nicht bei Heckel, so doch bei vielen anderen — häufig die pauschale Ablehnung alles Nicht-Deutschen. Während unter den Sängerinnen und Sängern, auch unter den musikalischen Assistenten, wiederholt Ausländer waren, standen am Dirigentenpult des Festspielhauses bis zum Jahre 1930 nur Deutsche bzw. Österreicher (Richter, Mottl). Die Proteste, die es gab, als Toscanini nach Bayreuth eingeladen wurde, zeigen, daß die Meinung, die Bayreuther Festspiele seien eine nationale Einrichtung von unverfälscht deutscher Eigenart, die Ausländern verschlossen bleiben müsse, fest eingewurzelt war. Selbst ein Musiker wie Alfred Cortot, der zu Beginn des Jahrhunderts sich zunächst sehr erfolgreich als Dirigent betätigte, 1901 als musikalischer Assistent bei den Bayreuther Festspielen wirkte und als begeisterter Wagner-Anhänger die französischen Erstaufführungen der Götterdämmerung und des Tristan dirigierte, wurde nie in Betracht gezogen, obwohl die Festspiele gerade in den Jahren nach 1900 nicht mehr nur auf Dirigenten von außerordentlichem Format wie Richter, Mottl und Muck sich stützen konnten, vielmehr neuer Kapellmeister von Rang bedurften. Als nach Toscanini (1930 und 1931) und Victor de Sabata (1939) für das Jahr 1954 Igor Markevitch als dritter Ausländer nach Bayreuth eingeladen wurde, schrieb Clemens Krauss — 1953 Ring- und Parsifal-Dirigent bei den

[81] D. Mack, Von der Christianisierung des Parsifal in Bayreuth, Neue Zeitschrift für Musik, Mainz 1969, S. 467.
[81a] Brief vom 9. 7. 1887, RWA.
[82] Briefe Richard Wagners an Emil Heckel. Zur Entstehungsgeschichte der Bühnenfestspiele in Bayreuth, hg. v. K. Heckel, Berlin 1899, S. 165.
[83] F. Weingartner, Bayreuth, 2. Aufl., Leipzig 1904, S. 32.

Festspielen — an Frau Markevitch, er lehne ihren Mann als artfremden Dirigenten für Bayreuth strikt ab; in Bayreuth sollten nur deutsche Dirigenten ans Pult treten; er, Krauss, fühle sich als Senior für die musikalische Tradition in Bayreuth verantwortlich[84]. Freilich haben Wieland und Wolfgang Wagner — wie auch Markevitch selbst — dem nicht entsprochen, und die Tannhäuser-Aufführungen 1954 kamen deshalb nicht unter Markevitch zustande, weil der Dirigent schließlich krank wurde und absagte.

Verstanden fühlte sich Cosima Wagner in ihrem Verständnis der Tradition und ihren Vorstellungen von der Verwirklichung der Wagnerschen Intentionen allein von Felix Mottl, auch wenn Cosimas Biograph Du Moulin Eckart meinte: »Von einem vollen Verständnis für ihre Absichten war bei keinem die Rede: Weder bei Richter noch bei Levi und, was ihr im höchsten Grade schmerzlich war, auch nicht bei Mottl[85].« Wolfgang Golther sprach von Mottl als dem »ersten großen und selbständigen Künstler, der Frau Cosima wirklich verstand[86]«, und auch Du Moulin Eckart schrieb an anderer Stelle: »Wenn er [Mottl] Frau Cosima gehorchte und ihre Tempi annahm, so geschah es, weil er aus ihren Angaben sofort das Richtige erkannte und sie auf ihn wirkten wie eine Inspiration, die sich unmittelbar mit seinem eigenen künstlerischen Empfinden und Können verband[87].« Nach Du Moulin Eckart ging Cosima vor den Festspielen 1886 die Partitur des Tristan mit einer ihrer Töchter am Klavier durch und legte die Tempi nach ihren Vorstellungen fest[88]. Daß Felix Mottl, der den Tristan dann leitete, diese Tempi übernommen hat, liegt nahe, da Felix Weingartner berichtet hat: »Die wenigen der hier Versammelten, die den ›Tristan‹ unter Seidls ursprünglicher Leitung in Leipzig gehört hatten, sahen sich verwundert und oft bedenklich an[89].«

Mottl ist der Vorwurf gemacht worden, sich Cosimas Vorstellungen und Wünschen allzu devot angepaßt und gefügt zu haben. Weingartner sprach von Unterwürfigkeit, die ihm vor allem deshalb fragwürdig erschien, weil er an Cosimas Kompetenz in Fragen der Musik zweifelte. Weingartner, 1886 musikalischer Assistent bei den Festspielen und nach Hermann Levis Zeugnis im Hause Wahnfried oft zu Gast, hat in seinen Lebenserinnerungen die Berechtigung seines Zweifels durch ein Beispiel[90] gestützt, das zeigt, daß Cosima die Partituren Wagners durchaus nicht so genau kannte oder gar beherrschte, wie das häufig von ihren Biographen und anderen Apologeten behauptet worden ist. Auch gibt es eine mündliche Überlieferung, die Cosimas Musikalität stark in Zweifel zieht. Joseph Rubinstein, Mitglied der Nibelungen-Kanzlei und später Hauspianist in Wahnfried, soll gesagt haben, er halte Cosima für völlig unmusikalisch. Dem steht der mitgeteilte Bericht Levis über Cosimas Eingreifen in die Parsifal-Proben und -Aufführungen 1884 entgegen, wenngleich Levi keinerlei Einzelheiten angegeben hat, aus denen etwas über die spezifisch musikalischen Kenntnisse und Fähigkeiten Cosimas zu entnehmen wäre. Leider sind die erwähnten Zettel, auf denen Cosima ihre Einwände und Änderungsvorschläge notiert hat, nicht überliefert, so daß der Wahrheit in dieser Frage kaum auf den Grund zu kommen ist. Unpräzis ist auch das Urteil Wolfgang Golthers: »Sie beherrschte die Partitur so, daß sie bei jedem Takt die rechte Ausdeutung für die Wiedergabe fand[91].« Mit der »rechten Ausdeutung für die Wiedergabe« ist vermutlich

84 Brief vom 29. 10. 1953, Bayreuther Festspiele.
85 Du Moulin Eckart, Bd. 2, S. 316.
86 W. Golther, Cosima Wagner als Spielleiterin, Bayreuther Festspielführer 1937, S. 64.
87 Du Moulin Eckart, Bd. 2, S. 78.
88 Ebda., S. 48.
89 F. Weingartner, Lebenserinnerungen, a.a.O., 339. Vgl. Anmerkung 108.
90 Ebda., S. 337.
91 W. Golther, Cosima Wagner als Spielleiterin, a.a.O., S. 65.

weniger die spezifisch musikalische Gestaltung gemeint als vielmehr die szenische Um-
setzung, aus der dann mehr oder weniger zwangsläufig bestimmte Konsequenzen für
die musikalische Darstellung sich ergaben. Über Cosimas Kompetenz in Fragen der
Musik ist damit jedoch wenig gesagt. Mottl indessen scheint Cosima auch in dieser Beziehung vorbehaltlos anerkannt zu haben, wie seine Briefe nahelegen. Er schrieb z. B.
am 5. 1. 1903 aus Karlsruhe an Cosima Wagner: »Glauben Sie mir, es ist mir nicht so
leicht geworden, zu dem, was Sie unter ›Konzentration‹ zusammenfassen, zu gelangen.
Meine musikalische Anlage hat viel Weibliches in sich. (Trotz allem Herumtollen und
ins Zeug gehen!) Ich weiß das ganz gut und habe eine große Aufmerksamkeit darauf
gerichtet, das Weiche nicht ›weichlich‹ und das Zarte nicht ›zärtlich‹ werden zu lassen.
Wenn ich solche Gefahren, wenigstens theilweise, überwunden habe (theilweise sage
ich, weil die Anlagen dazu noch immer da sind!) so danke ich das Ihnen und Ihren Anweisungen. Was Sie mir als innere Führerin waren, möge unausgesprochen bleiben.
Es sagt sich auch nicht und nur Eines hoffe ich, daß Sie es noch recht oft in Bayreuth an
mir erkennen werden, wie segensvoll Sie auf diesem, nicht ganz unwürdigen Felde,
gesäet und geerndtet haben[92]!« Als Cosima im Jahre 1900 Mottl die Tristan-Partitur
der Bayreuther Aufführungen von 1886 zurücksandte, antwortete ihr Mottl: »Ich bins,
der Ihnen zu danken hat! Immer und immer! Sie haben das, was ich seit 1876 in mich
aufgenommen und gelernt hatte, in mir befestigt und ausgebaut, so daß ich es als sicheres
Besitzthum in mir trage! Vom Jahre 1886 an, bis zum heutigen Tag, hat Alles was Sie
mir gegeben haben, sich entwickelt und ist aufgegangen[93].« Daß Cosima Wagners Einfluß bis zu musikalischen Einzelheiten gereicht zu haben scheint, veranschaulicht ein
anderer Brief, in dem Mottl am Ostersonntag 1903 aus Karlsruhe berichtete: »Auf Ihre
gütigen Worte hin, über meine bescheidene Theilnahme an der Bayreuther Tannhäuser-
Aufführung habe ich auch die Partitur wieder vorgenommen und mich so tief dankbar
an alle Ihre Winke erinnert! Ich las noch ein paar Worte von Ihrer Hand eingezeichnet,
wobei mir das ›concertirend‹ bei einer Harfenstelle besondere Freude machte[94].« Mottl
hat sich sogar in Bezug auf Werke anderer Komponisten von Cosima beraten lassen.
Über ein geplantes Konzert in Berlin heißt es in einem Brief Mottls an Cosima 1893:
»Berlin! Ich habe die c-Moll Symphonie [Beethoven] gewählt, weil ich sie mit Ihnen be-
sprochen hatte und nachdem Sie sie von mir gehört hatten, Sie nicht unzufrieden damit
waren[95]!«

Es mag richtig sein, daß Felix Mottl gefügig war und bereit, Cosima Wagners Inter-
pretationswünschen zu entsprechen. Gewiß dürfte aber auch sein, daß Mottl nicht Cosima zu Gefallen seine Art des Dirigierens und Musizierens total geändert hat. Wahrscheinlich kam seine Eigenart den Intentionen und Vorstellungen Cosimas in besonderem
Maße entgegen, und oft war es vermutlich gar nicht nötig, daß Cosima ihre Wünsche
vortrug, da Mottl diese ohne besonderen Hinweis schon realisierte. Cosima schätzte
Mottls offensichtliche Neigung zu langsamen Tempi. Das entsprach ihren Vorstellungen
von den Bayreuther Festspielen und korrespondierte ihrer Regie[96]. Wichtiger war ihr
vermutlich noch, daß »Mottl ein ausgesprochener Bühnendirigent war, der den Zusammenhang zwischen Szene und Orchester meisterlich zu wahren wußte[97].« Er gehorchte
damit einer zentralen Forderung des Bayreuther Stils.

Cosima Wagner sah in Felix Mottl den begabtesten unter den Festspieldirigenten.

[92] RWA.
[93] Brief vom 27. 1. 1900, RWA.
[94] RWA.
[95] Brief vom 19. 1. 1893, RWA.
[96] Vgl. das Kapitel über den Bayreuther Stil.
[97] L. Reuß-Belce, Felix Mottl, Bayreuther Festspielführer 1930, S. 139.

1895 schrieb sie über ihn: »ich weiß, daß er schließlich doch derjenige ist, der die größte künstlerische Anlage hat[98].« Sie konnte sich auf ein Wort Franz Liszts, ihres Vaters, berufen, der Mottl »un talent de tout premier ordre[99]« genannt hatte. An Mottl selbst schrieb sie im Jahre 1890: »Gestehe ich es Ihnen doch: ich entsinne mich kaum jemals an eine Begegnung so viele Hoffnung geknüpft zu haben, als wie an diese eine mit Ihnen. Gott hat Sie mit einem Talente begabt, wie es in unserer Kunstwelt zu verscheiden scheint, da Sie mir als die einzigste Individualität bekannt sind, dem es zuteil wurde. Ich möchte es als das Naiv-Melodische bezeichnen, und es reiht Sie dieses Talent unmittelbar an Genien wie Schubert und Weber an. Nun sagte ich mir, daß, der Aufgabe von Bayreuth zugewandt, durch die Gesammelten Schriften gekräftigt, es nicht fehlen könnte, daß dieses Talent zur schönsten Blüte sich entfaltete[100].« Mottl war, wie ihr Biograph Millenkovich-Morold geschrieben hat, der »Lieblingsdirigent Cosimas[101].« Allein so ist zu verstehen, warum Mottl nahezu alle Premieren der Bayreuther Festspiele bis zum Jahre 1901 geleitet hat: 1886 Tristan, 1891 Tannhäuser, 1894 Lohengrin, 1901 Fliegender Holländer; warum er 1896 zu den Ring-Dirigenten gehörte, 1892 die Meistersinger dirigierte und warum ihm 1888 die Leitung des Parsifal übertragen wurde.

Mottl war einer der wichtigsten Faktoren in Cosima Wagners Strategie zur Durchsetzung ihrer Vorstellungen. Es wurde bereits erwähnt, daß Cosima 1888, als Levi wegen Krankheit fehlte, versucht hatte, die Parsifal-Aufführungen in ihrem Sinne umzugestalten. Dazu gehörte vor allem, daß Mottl sie dirigierte. Cosimas Einverständnis mit Mottls Interpretation ist mehrfach bezeugt. Mottl schrieb am 27. 8. 1888 an Cosima: »Gestern Vormittag machte mir ein Wiener Freund, bei einem gemeinsamen Spaziergang, die bittersten Vorwürfe über meine allzulangsamen Tempi im ›Parsifal‹. Auf meine Erwiderung darauf, dass Ihre mir zu Theil gewordene Zustimmung mir jede Bedenklichkeit darüber benommen hätte, meinte er, dass ich bei Ihnen in so grosser Gunst stehe, dass Sie meine Fehler nicht sähen[102]!« Einige Monate später, als Cosima für 1889 den wieder genesenen Hermann Levi zum Parsifal-Dirigenten bestimmt hatte, klagte Mottl: »Sie selbst haben mir Ihre unbedingte Zufriedenheit mit meiner Direction des ›Parsifal‹ so unumwunden schriftlich und mündlich bezeugt, dass ich wirklich nicht einsehe, warum ich jetzt davon dispensirt werden soll. Sie wissen, welchen unerhörten Beschimpfungen ich ausgesetzt war! Mir war das Alles ganz gleichgültig, denn Sie sagten mir, Sie seien zufrieden[103]!« Ungeachtet ihrer persönlichen Zustimmung schien es Cosima augenscheinlich zunächst wichtiger, den kritischen Einwänden Rechnung zu tragen, zumindest solange die Erinnerung an das Parsifal-Uraufführungsjahr 1882 lebendig war, und Hermann Levi, die Symbolgestalt dieser Erinnerung, noch in der Lage war, zu dirigieren. Nachdem Levi dann aus gesundheitlichen Rücksichten seinen Abschied genommen hatte — er dirigierte 1894 zum letzten Mal im Bayreuther Festspielhaus —, sah Cosima darauf, den Parsifal von Mottl leiten zu lassen. Mit welcher Intention, zeigt ein Brief an Mottl aus dem Jahre 1900: »Wenn ich bei dem Wunsche verharrte, Sie Parsifal dirigieren zu lassen, so war es, um meine Meinung von Ihrer Direktion dieses Werkes immer wieder zu bekunden, gerade den Torheiten gegenüber, welche im ersten Jahre nicht ganz harmlos sich laut ergangen hatten[104].« In einem anderen Brief aus dem gleichen

98 Du Moulin Eckart, Bd. 2, S. 515.
99 D. Thode — von Bülow, »Was liegt an mir?« Cosima Wagner, Festspielleiterin von 1886 bis 1906, Bayreuther Festspielführer 1937, S. 24.
100 Du Moulin Eckart, Bd. 2, S. 352.
101 M. Millenkovich-Morold, Cosima Wagner, Ein Lebensbild, Leipzig 1937, S. 315.
102 RWA.
103 Brief vom 15. 4. 1889, RWA.
104 Brief vom 7. 8. 1900, RWG.

Jahr nahm Cosima Bezug auf Mottls langsame Parsifal-Tempi: »Man muß nur ruhig bei seiner Sache bleiben und dann schweigt schon das Gekreisch[105].« Mottl war 1897 neben Anton Seidl offizieller Parsifal-Dirigent und leitete 1894[106] und 1902[107] einzelne Aufführungen des Werks. Es ist sehr wahrscheinlich, daß die Parsifal-Interpretation Karl Mucks, die von 1901 bis 1930 die allein bestimmende Deutung dieses Werks bei den Festspielen war, weniger auf Levi — und damit auf Richard Wagner — als auf Mottl — und damit auf Cosima Wagner — zurückging.

In ihrer Bevorzugung Mottls ging Cosima Wagner das Risiko ein, andere legitimierte Kapellmeister auszuschließen. Das stieß durchaus nicht nur auf Billigung und Verständnis. Die »Neue Zeitschrift für Musik« schrieb 1886 anläßlich der Tristan-Aufführungen in Bayreuth, es habe »teilweise Verstimmung hervorgerufen«, »daß man den vortrefflichen Anton Seidl nicht unter den Dirigenten fand[108].« Cosima setzte sich mit ihrer Bevorzugung Felix Mottls jedoch durch. Der Bayreuther Aufführungsstil der meisten Werke wurde auf Jahre hinaus entscheidend von Mottl geprägt.

Cosima Wagner scheint über Mottls Aktivitäten außerhalb Bayreuths argwöhnisch gewacht zu haben. Besonderes Mißtrauen hegte sie gegen Mottls New Yorker Engagement 1903/4, obwohl Mottl sich dabei in der Frage der Parsifal-Aufführung außerhalb Bayreuths ganz im Sinne von Haus Wahnfried verhielt und es ablehnte, die New Yorker Erstaufführung des Parsifal zu dirigieren. Argwöhnischer noch reagierte Cosima auf Mottls Übersiedlung nach München. Mottl wurde dort Hofkapellmeister als Nachfolger Hermann Zumpes, der im September 1903 gestorben war, und hatte in dieser Eigenschaft zwangsläufig mit den Wagner-Aufführungen im Prinzregententheater zu tun, die mit den Bayreuther Festspielen konkurrierten und selbstverständlich nicht den Beifall Cosima Wagners fanden. Daß Mottl die Berufung nach München nicht zurückwies, kam einem Verrat gleich. Die Entfremdung, die zwischen Mottl und Cosima Wagner eintrat, bewirkte, daß Mottl fortan nicht mehr unter den Festspieldirigenten war. Auch der Versöhnungsversuch, der 1906 bei der Wiederaufnahme des Tristan mit dem erneuten Engagement Mottls unternommen wurde, vermochte daran nichts zu ändern.

Die Frage, ob Cosima Wagner in ihren Ideen und Vorstellungen hinsichtlich der Verwirklichung der Wagnerschen Werke so überlegen und sicher war, wie es nach dem Gesagten scheinen könnte, läßt sich nicht klar beantworten. Es ist auffällig, daß sie immer wieder bei Hans von Bülow um Rat fragen ließ, so daß Cosimas Biograph Millenkovich-Morold meinte, man könne Bülow »beinahe als Mitarbeiter Bayreuths bezeichnen[109];« auch forderte Cosima Mottl mehrfach auf, von Bülow geleitete Aufführungen anzuhören und ihn selbst zu besuchen. »Ich habe mir gedacht, wenn es irgend möglich ist, im nächsten Winter H. v. Bülow aufzusuchen, um was von ihm zu lernen[110]!«, schrieb Mottl am 18. 3. 1892 aus Karlsruhe an Cosima. Bülow dürfte dabei freilich nicht nur als Schüler Richard Wagners und Uraufführungsdirigent des Tristan und der Meistersinger das Vorbild abgegeben haben, sondern auch als weltberühmter Kapellmeister, dessen Interpretationen allgemein große Beachtung fanden.

Es gehörte zu den Zielen der Bayreuther Festspiele, ihre Aufführungen deutlich und unmißverständlich von den gängigen Opernaufführungen abzuheben. Bayreuth sollte

105 Du Moulin Eckart, Bd. 2, S. 635.
106 Brief Mottls an Cosima Wagner vom 27. 7. 1894, RWA.
107 Brief Mottls an Cosima Wagner vom 17. 9. 1902, RWA.
108 Neue Zeitschrift für Musik, 6. 8. 1886, S. 347.
109 M. Millenkovich-Morold, Cosima Wagner, a.a.O., S. 443.
110 RWA.

jene Vollkommenheit erreichen, die im täglichen Opernbetrieb stets Utopie blieb. Dazu waren Fleiß und Ausdauer nötig und die stete Bereitschaft zu arbeiten, um zu verbessern. Für die Wiederaufnahme des Rings im Jahre 1896 hielt Hans Richter nach dem Zeugnis von Lilli Lehmann[111] allein 46 Orchesterproben ab. Es galt, Routine und Schlendrian zu bekämpfen und zu überwinden. Dazu gehörte auch, daß in der zwischen den Aufführungen verbleibenden Zeit ständig weiter geprobt wurde bzw. geprobt werden sollte. »Die bis zuletzt nicht ruhende Arbeit sollte [...] das Merkzeichen Bayreuths sein[112].« In diesem Sinne wurde es als Verstoß gegen den »Bayreuther Geist[113]« gewertet, daß Hermann Levi 1883 das Abhalten weiterer Proben zwischen den Aufführungen für überflüssig erklärt hatte[114]. Es bildete sich die Idee vom Dienst am Werk, der rücksichtslos alles unterzuordnen war. Alle anderen Aspekte des Lebens waren hintanzusetzen um des Ideals der Vollkommenheit der Bayreuther Festspielaufführungen willen. Opferbereitschaft war eine Selbstverständlichkeit. Houston Stewart Chamberlain sprach vom »Grundprinzip der Selbstlosigkeit[115]« und nannte die »unbedingte Selbstlosigkeit[115]« den »Felsen«, »auf welchem das Werk ruht[115].« Die Festspiele und die aufzuführenden Werke — man sprach in Bayreuth nur von »den Werken«, wenn man Wagners Opern und Musikdramen meinte — waren unantastbare höchste Werte, denen man nur mit Demut und äußerster Bescheidenheit begegnen konnte und durfte. Fast alle Dirigenten der ersten Festspieljahre dachten so. Einige Zeugnisse mögen das belegen. Hermann Levi schrieb im Jahre 1896 an Cosima: »helfen werde ich, wo ich kann, wenn auch nur als *Assistent*, und ich stelle mich jetzt schon für alle Proben des Parsifal zu Ihrer Verfügung, wenn Sie glauben, daß ich Ihnen irgendwie von Nutzen sein kann[116].« Richard Strauss erklärte in einem Schreiben vom 28. 1. 1889, daß er es jederzeit für eine seiner höchsten und schönsten Pflichten halten werde, der Bayreuther Sache mit dem ganzen Aufgebot seiner Kräfte treu zu dienen[117]. Unmißverständlicher und kompromißloser drückte sich Felix Mottl aus: »Daß wir in Bayreuth uns zu gewöhnen haben, nur einzig die Sache zu sehen und keinerlei persönliche Rücksichten walten zu lassen, das, scheint mir, braucht nicht ausgesprochen zu werden, da es sich von selbst versteht[118]!« 1892 schrieb Mottl an Cosima: »Wie oft habe ich nicht das Gefühl gehabt, welches Sie beim Anblick des Festhauses neulich ergriff: Bist du würdig hier schaffen zu dürfen! Und die Gnade, die aus diesen Hallen spricht, hat mir dann die Reinheit geschenkt, die mir den Muth stärkte! Wie überhaupt aus allen diesen göttlichen Werken die Gnade zu uns spricht[119]!« Unmittelbar vor seinem ersten Auftreten als Festspieldirigent 1886 hatte Mottl Cosima erklärt: »Es ist selbstverständlich, daß ich in Bayreuth ganz und gar meine Kräfte und Fähigkeiten in den Dienst unserer grossen Sache stellen werde! Verfügen Sie vollständig über mich; ich bin ebenso bereit den ›Tristan‹ zu leiten, wie das Öffnen und Schliessen des Vorhangs zu überwachen. Überhaupt dächte ich, dass wir, die wir der Ehre theilhaftig sein sollen, das Bayreuther Werk weiter zu führen, nur den Worten Kundry's ›Dienen, Dienen!‹ zu folgen haben[120]!« Die Bescheidenheitsmetapher vom Vorhangüberwachen kehrt variiert wieder in einem undatierten Schreiben Cosimas an

[111] L. Lehmann, Mein Weg, a.a.O., Teil II, S. 201.
[112] M. Millenkovich-Morold, Cosima Wagner, a.a.O., S. 368.
[113] Ebda.
[114] Ebda.
[115] H. S. Chamberlain, 1876—1896. Die ersten zwanzig Jahre der Bayreuther Bühnenfestspiele, Bayreuther Blätter 1896, S. 3.
[116] Brief vom 25. 10. 1896, Bayerische Staatsbibliothek München.
[117] RWA.
[118] Brief vom 14. 12. 1887 an Cosima Wagner, RWA.
[119] Brief vom 6. 11. 1892, RWA.
[120] Brief vom 14. 6. 1886, RWA.

Hans Richter, in dem es über Siegfried Wagner heißt: »Als ich Siegfried frug, welches Werk er gern dirigieren würde, antwortete er mir: ›am liebsten stehe ich beim Beleuchtungsapparat‹[121].« Hans Richter schließlich teilte 1911 Siegfried Wagner mit: »Du glaubst doch nicht, daß ich ›drücken‹ will? Es ist ja mein innigster Herzenswunsch, die ›Meistersinger‹ in Bayreuth zu dirigieren; es ist auch meine heiligste Pflicht, bei Euch zu sein, Euch zu helfen, so lange ich *kann*. Aber es ist auch meine Pflicht, meine Bedenken zu äußern, damit Du nicht in Verlegenheit kommst. Ich bin jetzt fertig mit meiner Kraft. [. . .] Mein Gebet ist: Wotan gebe mir Gesundheit und Kraft, damit ich mein Vorhaben ausführen kann; und dieses ist: ›dienen, dienen‹[122]!«

Cosima nahm die Künstler beim Wort. Von einer Lohengrin-Probe, bei welcher Siegfried Wagner 1894 zum ersten Mal das Festspielorchester leitete, wird berichtet, Cosima habe »mit einer Strenge sondergleichen seine Führung beobachtet [. . .], so daß die Geschwister diesen Schritt der Mutter als einen Akt grenzenloser Härte, ja Grausamkeit beurteilt und mit Bangen dem Ausgang dieses Probestückes entgegengesehen hätten[123].« In Bayreuth sollte es allein ums Werk gehen, nicht um die Person. Wer nicht bereit war, in Demut und mit Begeisterung auch den niedrigsten Dienst zu versehen, das zu tun, was angeordnet wurde, mußte sich gefallen lassen, daß man ihn des Mangels an echtem Bayreuther Geist, echter Bayreuther Gesinnung zieh. Als Anton Seidl sich 1886 darüber beklagte, daß er nur vier Aufführungen leiten sollte und von Zurücksetzung sprach, verstieß er gegen ein Bayreuther Gebot. Er schrieb am 30. 5. 1886 an Cosima Wagner: »Es wird mir sehr schwer, aber je eher desto besser für mich, wenn ich mich nicht länger den Qualen und Unannehmlichkeiten einer Zurücksetzung aussetze. Wenn mein Freund Richter gekommen wäre, so hätte ich mit Mottl in der zweiten Linie rüstig und begeistert an dem großen Werk mitgearbeitet! Da ich heute zur Gewißheit kam, daß Richter nicht kommt, und ich durch die Einteilung des Dirigierens der beiden Werke sogar in die vierte Aufführung zurückgewiesen, und überhaupt numerisch mich nur viermal dirigieren sehe, so halte ich mein Wirken in diesem Jahre vollständig für überflüssig, ja sogar die Plazierung meiner Person für meine, leider in der Außenwelt sehr notwendige Stellung für höchst gefahrvoll. Ich darf bei meiner jetzigen Stellung keine untergeordnete Rolle mehr spielen, wenn mich meine Begeisterung noch so dazu mahnt. Ich glaube sogar verdient zu haben, daß ich im Dirigieren in Bayreuth neben Richter und Levi in erster Linie berufen bin[124].« Es war selbstverständlich, daß Seidl zu den Festspielen 1886 und auch in den folgenden Jahren nicht eingeladen wurde. Cosima stellte den Sachverhalt später, in ihrem Nachruf auf Seidl 1898, freilich etwas anders dar: »Bereits im Jahre 1884 stattete er in Wahnfried seinen Freunden einen Besuch ab. Er wurde damals gleich für die Direktion des ›Parsifal‹ neben Hermann Levi in das Auge gefaßt. Seine Tätigkeit in Amerika gestattete es ihm nicht, der Aufforderung zu entsprechen, und erst im Jahre 1897 konnte er sich an die Spitze des Orchesters im Festspielhause stellen[125].« Zeugnisse für die erwähnte Aufforderung sind nicht erhalten, und liest man, was Seidl am 23. 2. 1897 an Cosima schrieb, so wird man bezweifeln müssen, ob Cosimas Darstellung der Wahrheit entspricht. Seidl schrieb: »Ich würde mich maßlos freuen, wenn endlich einmal mir auch vergönnt sein würde, mein Opfer in der heiligen Halle darbringen zu können[126].« Es waren wahrscheinlich nicht zuletzt diese devoten Worte, die Cosima veranlaßten, 1897 Anton Seidl mit der Leitung mehrerer Parsifal-Aufführungen zu betrauen[127].

[121] Geschrieben vermutlich 1900 oder 1901, RWG.
[122] Brief vom 20. 2. 1911, RWA.
[123] Du Moulin Eckart, Bd. 2, S. 521.
[124] RWA.
[125] Bayreuther Blätter 1898, S. 138.
[126] RWA.
[127] Zweiter Parsifal-Dirigent war bezeichnenderweise Felix Mottl.

Mangel an Bayreuther Gesinnung wurde später expressis verbis Franz Beidler, Cosima Wagners Schwiegersohn, vorgeworfen[128], der 1906, als Cosima Karl Muck fünf und Beidler zwei Parsifal-Aufführungen übertragen hatte, die Leitung weiterer Aufführungen verlangte. Ob er wirklich, wie Cosima es dargestellt hat, eine plötzliche Erkrankung Mucks während der Festspiele ausnutzte und Cosima um weitere Aufführungen zu erpressen suchte[129], läßt sich nicht klären. Jedenfalls kam es zum totalen Bruch mit Cosima, und Siegfried Wagner schrieb an Beidler: »Ich kann leider das bedrückende Gefühl nicht los werden, daß es mir scheinen will, als ob es Dir nicht viel Schmerz verursachen würde, wenn unser Festspielhaus eines schönen Tages nicht mehr spielte ... Du kennst weder die Gesammelten Schriften, noch die Biographie meines Vaters, Du weißt also von dem, was Bayreuth ist, so gut wie nichts[130].«

Die Verpflichtung zum Dienst am Werk wurde von Cosima Wagner unablässig beschworen und ins Bewußtsein gerufen. Daß sie nach dem Tode von Julius Kniese, dem Chordirektor der Festspiele und Leiter der Bayreuther Stilbildungsschule, als eine der wichtigsten notwendigen Tugenden seines Nachfolgers notierte: »Keine Ferien[131],« ist symptomatisch für einen Geist, der nur die Arbeit anzuerkennen bereit war. Selbst denen, die den Bayreuther Idealen weitgehend entsprachen wie Felix Mottl, redete Cosima ins Gewissen. In einem Brief aus Karlsruhe vom 21. 5. 1890 beklagte sich Mottl darüber: »Ihre, kurz vor Ihrer Abreise, an mich gerichtete Ermahnung, dass wir in Bayreuth an dem ›Tannhäuser‹ unendlich viel zu arbeiten haben werden, dass es da mit Genialität nicht abgehen wird usw. hat mir — ich muss es aufrichtig sagen — wehe gethan! O glauben Sie doch, dass ich weiss, was es heisst, diese Aufgabe zu übernehmen und dass ich mir der harten Arbeit und gränzenlosesten Sorgfalt und Hingabe, welche sie verlangt, wohl bewusst bin! Und darauf brauchen Sie mich nicht hinzuweisen. Ich hätte weinen mögen, wie Sie mir es sagten, aber ich wollte vor Siegfried und Frl. Eva mich zusammennehmen und machte nur ein dummes Gesicht! Ich fände es so entsetzlich, wenn Sie mich in der Entwicklung á la Richter sich vorstellen würden[132]!« Der letzte Satz gibt ein Stichwort. Er weist hin auf einen zusätzlichen Grund für die Vorbehalte, denen Hans Richter in Bayreuth begegnete. Schon bei den Vorproben zu den ersten Ring-Aufführungen waren Richard und Cosima Wagner darüber ärgerlich, daß Richter einigen Proben nicht beiwohnte. Der Vorwurf mangelnden Probeneifers kehrt später wieder. Mottl berichtete Cosima am 23. 4. 1894 aus Karlsruhe: »Über Richter hörte ich ungünstige Urteile. Er soll gar nicht mehr probiert haben und die Londoner Konzerte nur als Erwerbsquelle benutzt haben[133].« Daß die Kunst zum Geldverdienen benutzt wurde, war nach den in Bayreuth herrschenden Anschauungen ein Sakrileg, erst recht aber dann, wenn der Eindruck entstand, daß es auf Kosten der Festspiele ging. Als Hans Richter im Herbst 1887 erklärte, wegen seiner Londoner Konzertverpflichtungen nicht pünktlich zum Probenbeginn für die Festspiele 1888 in Bayreuth sein zu können, auf die Einnahmen aus den Londoner Konzerten um seiner Familie willen jedoch angewiesen zu sein, forderte Cosima Wagner ein Opfer für die Festspiele und warf Richter vor, Reichtümer sammeln zu wollen[134]. In diesem Zusammenhang ist bezeichnend, daß sie an Mottl seine »Gleichgültigkeit gegen Gewinn und Luxus«[135] rühmte,

128 M. Millenkovich-Morold, Cosima Wagner, a.a.O., S. 448.
129 Brief Cosimas an Beidler vom 11. 8. 1906, RWG.
130 M. Millenkovich-Morold, Cosima Wagner, a.a.O., S. 463 f.
131 Ebda., S. 432.
132 RWA.
133 RWA.
134 Nach Richters Antwortbrief vom 13. 2. 1888, RWA.
135 Brief an Mottl vom August 1906, W. Krienitz, Cosima Wagner und Felix Mottl, Allgemeine Musikzeitung, 1. 10. 1937, S. 580.

einen Charakterzug, der kaum aufs Dirigieren und Musizieren direkten Einfluß haben dürfte. Richter wurde indessen der Faulheit bezichtigt. Aus Hietzing bei Wien schrieb Mottl am 29. 12. 1888 an Cosima von dem »ewig behaglichen Richter, der nur ärgerlich wird, wenn er den Taktstock zur Hand nehmen muß[136]«, und am 4. 11. 1889 meldete er aus Karlsruhe über einen gemeinsamen Bekannten, dieser gehe mit Richter um und sei daher »auch schon eine Art von Bummler[137]« geworden. Cosimas Biograph Du Moulin Eckart sprach abfällig von einem »gewissen Wiener Leichtsinn[138]« Richters. Cosima selbst verglich 1899 Richter mit Gustav Mahler: »Die Lässigkeit des Deutschen läßt den Juden — will man gerecht sein — als den Verdienstvolleren erkennen[139].« In Bayreuth ging es um Leistung — das Wort kommt mehrfach in den Briefen Mottls an Cosima Wagner vor — und zwar nicht nur im Sinne besonderer Qualität der Arbeit in Proben und Aufführungen, sondern vor allem auch als moralischen und nationalen Wert. In einem Brief an Richard Strauss, in dem sie für die nach Bayreuther Maximen einstudierte Weimarer Lohengrin-Aufführung von 1889 sich bedankte, schrieb Cosima: »Es ist schön von Ihnen, es so ernst zu nehmen, und gerade zu dieser Zeit, wo die großen Theater die Schmach unserer Kunst bezeichnen, ist es rührend und erfreulich zu gewahren, wie an kleineren Bühnen der Geist, der uns Deutsche groß gemacht hat, heilig gehalten wird[140].« Nach einem Besuch bei Strauss in Weimar teilte Cosima zu Beginn des Jahres 1890 Mottl mit: »Die Persönlichkeit von Strauss ist eine sehr markante. Ich glaube nicht, daß so bald einer es mit ihm aufnimmt, was Ernst und Eifer anbetrifft. Die Intelligenz ist sehr groß und das Können unbedingt. Ich würde ihm ohne Bedenken die größten Aufgaben anvertrauen[141].« In einem Schreiben Cosimas an Chamberlain, 22. 3. 1891, heißt es: »Strauss, unser aufgehender Stern, in unserer Sache gewappnet de pied en cap, war auch da und stärkte mich durch seinen Glauben und seine Hoffnung[142].« Die Energie, mit der Strauss in Weimar, einer Stadt mit nur kleinem Theater, Bayreuther Aufführungsidealen folgte, strichlose Aufführungen durchzusetzen versuchte, zusätzliche Proben abhielt, gegen Routine und Opernschablone anging, Einführungsvorträge hielt usw., entsprach ganz den Vorstellungen, die Cosima Wagner von einem Bayreuther und Bayreuthwürdigen Festspieldirigenten hatte. Da im übrigen Bülow Strauss nach Bayreuth empfohlen hatte, und auch Mottl, dessen langsame Tempi Strauss bewunderte und nachahmte, von Strauss begeistert war, verwundert es nicht, daß Strauss, nachdem er 1889 in Bayreuth assistiert hatte und für 1891 als Probendirigent engagiert worden war, 1892 und 1894 zur Leitung von Aufführungen eingeladen wurde. Im Jahre 1892 mußte er allerdings — wie schon 1891 — wegen Krankheit absagen. An seine Stelle trat Karl Muck, ein Dirigent, der nicht minder Cosimas Idealen zu folgen bereit war und sich durch kompromißlose Disziplin auszeichnete. Es wird überliefert, daß er nicht willens war, Sängern und Musikern, die in Aufführungen Fehler machten, Einsätze verpaßten usw., ihre Patzer nachzusehen, sondern darauf drang, daß sie nicht wieder nach Bayreuth eingeladen wurden. Die Maxime war: wer seine Partie nicht vollkommen beherrscht, gehört nicht nach Bayreuth. 1931 nannte Ferdinand Pfohl Muck »das unbestechliche Gewissen Bayreuths[143].« Durch seine

[136] RWA.
[137] RWA.
[138] Du Moulin Eckart, Bd. 1, S. 721.
[139] Brief an die Gräfin Wolkenstein, Du Moulin Eckart, Bd. 2, S. 578.
[140] Der Strom der Töne trug mich fort. Die Welt um Richard Strauss in Briefen. In Zusammenarbeit mit F. und A. Strauss hg. v. F. Grasberger, Tutzing 1967, S. 48.
[141] Du Moulin Eckart, Bd. 2, S. 323.
[142] Cosima Wagner und Houston Stewart Chamberlain im Briefwechsel 1888—1908, a.a.O., S. 213.
[143] Hamburger Nachrichten, 24. 7. 1931.

Strenge und Unerbittlichkeit — Muck wachte vor allem scharf über die Orchesterzusammensetzung — verschaffte sich Muck einen außerordentlichen Respekt, der bis zum Jahre 1930, als Muck seinen Abschied nahm, ein bestimmendes Merkmal der Bayreuther Festspiele war. Daß Fritz Busch seine Mitwirkung bei den Bayreuther Festspielen 1925 kurzfristig absagte — wenn auch aus gesundheitlichen Gründen[144] —, war für Muck gänzlich unverzeihlich. Siegfried Wagner konnte es danach nicht wagen, Busch abermals einzuladen, da — wie er an Frau Busch schrieb — »ich befürchten müßte, er [Muck] würde mir den Taktstock vor die Füße werfen[145].« Mucks Einstellung zeigt auch eine Briefpassage aus dem Jahre 1924: »Wenn uns ein Bläser, Holz oder Blech, eine Festspiel-Aufführung versaut hat, nützt uns das Bewusstsein gar nichts, dass der Betreffende im Übrigen ein netter, bescheidener Mensch, aus Würzburg oder Karlsruhe oder Ulm, ist. Mit *einer* Thatsache müssen wir Alten uns ein- für allemal abfinden: die Zeiten sind vorbei, wo wir es uns leisten konnten, erst die besten Musiker, und aus diesen dann noch die besten Charaktere herauszusuchen. Es giebt kaum noch *gute* Musiker; und ›Charakter‹ ist heute ein paläontologischer Begriff; ein Ding, das, wie überall in der Welt, so auch in Deutschland, unter Demokratie (Pöbel-Herrschaft) radikal zum Teufel gegangen ist[146].«

Der Beginn von Karl Mucks Bayreuther Laufbahn gestaltete sich wenig erfreulich und erfolgreich. Muck bekam selbst zu spüren, mit welcher Strenge in Bayreuth geurteilt, wie wenig Nachsicht geübt wurde. Wie erwähnt sollten 1892 von den vier geplanten Meistersinger-Aufführungen je zwei von Hans Richter und Muck dirigiert werden. Nach Cosimas Darstellung war Richter damit nicht einverstanden. Ob es sich in Wahrheit so verhielt, ist unklar. Jedenfalls entzog Cosima Muck die zugesagten Aufführungen mit dem Hinweis auf Richters Einspruch, allerdings erst, nachdem sie Orchesterproben unter Muck erlebt hatte. Mucks Antwortbrief, der in einem längeren Auszug zitiert sei, war der Versuch einer Rechtfertigung aus der Überzeugung heraus, daß nicht Richters Einspruch, sondern Cosimas Eindruck von der Unzulänglichkeit Mucks die Triebfeder für die Absage war. Der Brief schildert anschaulich die Schwierigkeiten, die die Arbeit im Bayreuther Festspielhaus sachlich wie ideell kennzeichneten. Muck schrieb am 6. 7. 1892: »Ich brauche Ihnen wohl nicht zu sagen, daß ich seit dem Empfang Ihres Briefes, der mir den Abschied gibt, wie in einem recht schweren Traum mich fühle: ich vermied es, meiner Stimmung Ihnen gegenüber persönlich Ausdruck zu geben, um Sie nicht mit Dingen zu langweilen, die Ihnen ja odios sein müssen. Aber ich bringe es doch nicht über mich, so Alles wortlos hinzugeben, was den künstlerischen Inhalt meines Lebens ausmacht. Und so bitte ich Sie, mir auf einige Minuten gütigst Geduld zu schenken. [...] Ich bin ein schlechter Causeur, wie Sie gestern mit Recht bemerkten; um so mehr habe ich mich daran gewöhnt, Alles zu hören und zu sehen: und ich müßte recht wenig in der Lebensschule gelernt haben, um nicht zu bemerken, wie meine Tätigkeit Ihnen mißfallen hat. — Und das wundert mich nicht: war ich doch selbst über die Orchesterproben unglücklich. Aber bedenken Sie doch, unter welch' unsäglich schwierigen Verhältnissen ich hier eintrat: ein ganz fremder Orchesterkörper; fremdes Sängerpersonal; ein Orchesterraum, dessen akustische Verhältnisse so ganz ungewohnte sind. Das Alles in diesem Haus, geweiht durch das Höchste unserer Kunst! — Ich war unfrei in meinem Wollen, wie in meinem Können, erdrückt von der Umgebung; von all' den Eindrücken, die sich in diesen paar Tagen chaotisch ansam-

[144] B. Dopheide, Fritz Busch. Sein Leben und Wirken in Deutschland mit einem Ausblick auf die Zeit seiner Emigration, Tutzing 1970, S. 98.
[145] Undatierter Brief, geschrieben in Luzern, vermutlich im September 1926, Brüder Busch Archiv, Hilchenbach, Archiv Nr. B 2285.
[146] Brief an Wilhelm Schuler vom 30. 3. 1924, RWA.

melten. Wenn ich so aufrichtig bin, Ihnen zu gestehen, daß ich in den Proben auf jede Ihrer Mienen, auf jede Handbewegung lauerte, um zu entnehmen, ob Sie mit diesem oder jenem Tempo einverstanden waren, so müssen Sie das unkünstlerisch finden; aber es mag Ihnen zeigen, wie sehr ich die Leistungen von Bayreuth mit Ihrer Person identifiziere. — Ich war auch in diesem Punkte so unglücklich daran, wie nur möglich: statt bei Zeiten mich mit Ihnen über Tempo, Auffassung etc besprechen zu können, was unbedingt notwendig gewesen wäre, mußte ich das Alles aus dem Stegreif zu erraten suchen, und verlor darüber manchmal mich selbst. [...] Richter weiß, daß ich vor längerer Zeit schon die Aufforderung zur Tätigkeit hier, nicht nur zu Proben, sondern auch zu Aufführungen, erhielt. Kann er sich da wirklich verletzt fühlen, wenn ich nun dirigieren würde[147]?« Muck konnte nicht unmißverständlicher zum Ausdruck bringen, daß er gewillt war, sich Cosimas Vorstellungen und Absichten zu fügen. Insofern mußte Cosima seine Berufung als gerechtfertigt erscheinen. Die Praxis sah freilich anders aus. Mucks Deutung der Situation im Brief an Cosima dürfte richtig sein. Nachdem Cosima Zweifel am Erfolg der Meistersinger unter Mucks Leitung gekommen waren, wollte sie das Werk wohl doch lieber Hans Richter lassen, dessen Darstellung der Meistersinger allgemein anerkannt war. Das Risiko mit Muck war ihr wahrscheinlich zu groß. Ein Indiz dafür, daß Richters Einspruch nur vorgeschoben war, könnte in der Tatsache liegen, daß Cosima am 14. 7. 1892 Richter in einem Brief ausdrücklich bat, die letzten beiden Meistersinger-Aufführungen zu dirigieren[148]. Diese Aufforderung wäre kaum nötig gewesen, hätte Richters Anspruch auf alle vier Aufführungen so bestanden, wie es Cosima dargestellt hat. Muck jedenfalls, so sehr er darauf brannte, leitete 1892 keine der Festspielaufführungen. Erst 1901 hatte er sein Festspieldebüt mit dem Parsifal, den er dann bis 1930 regelmäßig dirigiert hat.

Während Karl Muck nach anfänglichem Mißerfolg zu einem der etabliertesten Dirigenten der Bayreuther Festspiele wurde, schied Richard Strauss nach seinem Tannhäuser-Debüt von 1894 sogleich wieder aus. Erst eine Generation später, 1933 und 1934, als Cosima und Siegfried Wagner bereits tot waren, konnte er an seine erste Tätigkeit in Bayreuth anknüpfen. Warum Strauss nach 1894 nicht mehr nach Bayreuth eingeladen wurde, ist, wie so vieles in der Geschichte der Bayreuther Festspiele, nicht eindeutig und mit letzter Gewißheit zu beantworten. Daß sich in seiner Einstellung zu Wagner, dessen Werk und den Bayreuther Festspielen etwas geändert hätte, läßt sich nicht behaupten. Vehement und kompromißlos trat er z. B. in der Frage des Parsifalschutzes, des Verbots aller Parsifal-Aufführungen außerhalb Bayreuths, im Sinne der Festspiele auf. Vermutlich haben in Bayreuth weder gegen die Person noch gegen den Dirigenten Strauss Vorbehalte bestanden. Beargwöhnt wurde vielmehr der Komponist. Das klang schon 1894 an: Cosima soll nach einer Tannhäuser-Aufführung zu Strauss gesagt haben: »Ei, ei, so modern, und dirigiert doch den Tannhäuser so gut[149].« Als Strauss dann 1896 »Also sprach Zarathustra« nach Nietzsche komponierte, mußte das in Bayreuth als Verstoß gegen ein Tabu aufgefaßt werden. In einem Brief an Chamberlain tat Cosima die Tatsache mit einer Geste der Überlegenheit ab, der die Verstimmtheit indessen deutlich anzumerken ist[150]. Nach dem Strauss-Biographen Max Steinitzer wurde die Oper »Guntram«, die am 16. 11. 1895 in München ihre Uraufführung erlebte, zum konkreten Streitpunkt, der dann zur Entfremdung zwischen Strauss und Bayreuth

[147] RWA.
[148] RWG.
[149] M. Steinitzer, Richard Strauss, 9.—12. Aufl., Berlin o. J., S. 123.
[150] Brief vom 26. 3. 1896, Cosima Wagner und Houston Stewart Chamberlain im Briefwechsel 1888—1908, a.a.O., S. 454.

führte. Siegfried Wagner und Alexander Ritter — ein Neffe Richard Wagners, Komponist der neudeutschen Schule und als solcher in Weimar zeitweise Lehrer von Richard Strauss, vor allem aber strenger Wagnerianer — sollen Guntram als ein gegen die Ziele Richard Wagners gerichtetes Werk, als »Absage an die Wagnersache[151]« aufgefaßt haben, worüber es zwischen Strauss und Siegfried Wagner zu einer Auseinandersetzung gekommen sei[152]. Fest steht, daß der rege Briefwechsel zwischen Strauss und Haus Wahnfried nach 1895 fast völlig abbricht. Daß es zwischen den beiden Komponisten starke, nicht nur künstlerisch-ästhetische Differenzen gab, zeigen die abfälligen und sehr drastischen Urteile, die sie über die Werke des jeweils anderen abgegeben haben[153].

Das Komponieren allein war für Bayreuth noch kein Sakrileg. Wiederholt forderte Cosima Wagner Felix Mottl zum eigenen Schaffen auf, und Siegfried Wagner schuf ab 1898 ein umfangreiches Opernwerk. Entscheidend war der Geist, in dem es geschah, der Anspruch, mit dem es auftrat. Symphonische Dichtungen mochte man noch hinnehmen; denn sie forderten nicht den direkten Vergleich mit Wagner heraus. Opern und Musikdramen aber, noch dazu in einer fortschreitenden, über Wagner hinausgehenden Tonsprache, konnten nicht toleriert werden. Sie erschienen geradezu als blasphemische Akte. Man vergegenwärtige sich, was Hans Richter am 13. 6. 1895 an Cosima schrieb, nachdem er in einem Konzert eine Komposition Siegfried Wagners gehört hatte: »Über den Komponisten will ich nichts sagen, denn ich bin nicht unbefangen genug, da ich der festen Meinung bin, daß jetzt überhaupt nicht komponiert, d. h. geschaffen wird. Wie wäre dies auch möglich? Die Natur hat am 22. Mai 1813[154] eine so großartige Riesenleistung vollbracht, daß sie sich wohl auf lange Zeit hindurch davon erholen muß[155].« Ehrgeiz und Anspruch des Komponisten Richard Strauss mußten, wurde so gedacht, als maßlos erscheinen. Felix Mottl erklärte 1902: »Was von Strauss und seiner ›Schule‹ jetzt geleistet, behauptet und vertreten wird, ist einfach unter aller Würde und muß als Tempelschändung bezeichnet werden[156].«

* * *

Für die Zukunft der Bayreuther Festspiele wurden, je älter die Festspiele wurden, neue Dirigenten zur Notwendigkeit. Wollte man die Kontinuität wahren, dann mußten die Dirigenten zukünftiger Aufführungen durch die etablierten Kapellmeister mit Geist und Stil der Festspiele gründlich vertraut gemacht werden. Der Versuch, außerhalb Bayreuths bereits zu Ansehen gelangte Dirigenten einzubeziehen, schlug, wie wir gesehen haben, zwar zunächst fehl, doch ging man gleichzeitig noch einen anderen Weg: Bayreuth versuchte, sich seine Kapellmeister selbst zu schaffen. Das läßt an die 1892 gegründete Stilbildungsschule denken, die sich zur Aufgabe gesetzt hatte, Sängern und Sänger-Darstellern, vor allem solchen, die jung, unverbildet und noch nicht von der Theaterroutine beherrscht waren, die stilistischen Grundsätze der Festspiele praktisch zu vermitteln. In ganz ähnlicher Weise wurde Siegfried Wagner in den Jahren 1892 bis 1896 als Dirigent in die Festspielarbeit eingewiesen. Zunächst musikalischer Assistent (1892), dann von Cosima streng überwachter Probendirigent (1894) machte Siegfried Wagner sein Festspieldebüt 1896 sogleich als Ring-Dirigent, angeleitet zwar von Felix Mottl und vor allem von Hans Richter, dem Cosima 1895 geschrieben hatte: »ich

151 M. Steinitzer, Richard Strauss, a.a.O., S. 146.
152 Im Januar 1896 schrieb Strauss an Arthur Seidl: »Es ist unglaublich, was der ›Guntram‹ mir Feinde gemacht hat«, ebda., S. 129.
153 Z. v. Kraft, Der Sohn. Siegfried Wagners Leben und Umwelt, Graz—Stuttgart 1969 S. 90/167.
154 R. Wagners Geburtstag.
155 RWA.
156 Brief an Cosima Wagner vom 20. 2. 1902, RWA.

übergebe dir die Einführung Siegfrieds an der Stelle, die sein Erbe ist. Ich begrüße dich als Siegfrieds Waffenmeister[157].« Siegfried Wagners musikalische Ausbildung erfolgte total im Geiste Bayreuths und der Festspiele. Seine Lehrer waren Engelbert Humperdinck — selbst jahrelang Assistent bei den Bayreuther Festspielen —, Julius Kniese, der Leiter der Stilbildungsschule, und die beiden genannten Dirigenten. Dem Wagnis, einen Musiker mit derart wenig Dirigierpraxis sich ans Pult des Festspielhauses stellen zu lassen, noch dazu im Ring, ging ein Urteil Hans Richters voraus: »Ich bin fest überzeugt, daß er der Mann sein wird, die große Sache in Bayreuth weiter zu führen, besonders wenn er sich kleiner Dummheiten entledigen wird, die nicht seiner harmonisch einheitlichen gesunden Natur entstammen, sondern ihm von außen aufgedrungen worden sind; aber er wird sich frei machen von solchen Geckereien, das hoffe ich bestimmt[158].« Siegfried Wagners Debüt scheint ein Erfolg gewesen zu sein. Cosima Wagner jedenfalls hielt es in einem Brief an Humperdinck für das wichtigste der drei ihrer Meinung nach bedeutsamen Momente der Festspiele von 1896, daß Siegfried sein Erbe angetreten habe[159].

Von den älteren Dirigenten wurde Siegfried Wagner als Nachfolger und Erbe vorbehaltlos anerkannt. Hermann Levi schrieb schon 1894, als er daran zweifelte, im Festspielsommer dieses Jahres zum Dirigieren der Parsifal-Aufführungen gesundheitlich in der Lage zu sein, an Cosima: »Ja, wenn Siegfried etwa den Parsifal leiten sollte, so wäre ich, falls ihm dies dienen sollte, bereit, ihm in den Proben beizustehen, und diese Möglichkeit, den Parsifal noch zu meinen Lebzeiten Siegfried zu übergeben, erschiene mir wie der schönste Abschluß meiner 12jährigen Leidens- und Freudenzeit in Bayreuth[160].« Siegfried sollte nicht allein das Handwerk des Dirigierens von berühmten, allgemein anerkannten Kapellmeistern wie Felix Mottl und Hans Richter erlernen, sondern zugleich auch und vor allem in die Tradition der Bayreuther Aufführungen eingeführt werden, um sie bewahren zu können. Zunächst jedoch leitete Siegfried ausschließlich Ring-Aufführungen, 1904 dann den Tannhäuser, 1908 Lohengrin und 1909 auch einige Parsifal-Aufführungen. Als Hans Richter — 1911 und 1912 nochmals Dirigent der Meistersinger — im Bewußtsein seines Alters besorgt war um die Nachfolge bezüglich dieses Werkes, forderte er selbstverständlich Siegfried als den legitimierten Erben auf, auch dieses Werks sich anzunehmen, um die Tradition gewahrt wissen zu können: »Du hast Dich in die ›Meistersinger‹ hineingelebt; für mich wär's die größte Freude zu sehen, daß auch dieses Werk in Deinen Händen sicher und gut geborgen ist. Also: beschlaf's und dann tu's[161]!« Siegfried Wagner hat dennoch die Meistersinger nie dirigiert, wie überhaupt seine Bayreuther Karriere als Dirigent derjenigen des Regisseurs und Festspielleiters weichen mußte. Schon 1896, noch bevor er überhaupt im Festspielhaus Aufführungen geleitet hatte, sagte Siegfried Wagner: »Mein Streben steht [...] weniger auf das Dirigieren, als auf das Bühnenleiten in Bayreuth. Gute Kapellmeister wird man hoffentlich immer finden[162].« Selbstverständlich hat Siegfried Wagner auch als Regisseur und Festspielleiter darauf gesehen, das Ererbte zu bewahren, und das zu verwirklichen, was er als Dirigent von seinen Lehrern, den Festspieldirigenten und von seiner Mutter, Cosima Wagner, vermittelt bekommen hatte. Sicher dürfte sein, daß er Tradition und ihre lebendige Bewahrung konservativ ver-

[157] Brief vom 24. 10. 1895, RWG.
[158] Brief an Cosima Wagner vom 13. 6. 1895, RWA.
[159] Brief vom 25. 8. 1896, Humperdinck-Archiv, Frankfurt/M.
[160] Brief vom 22. 1. 1894, Bayerische Staatsbibliothek München.
[161] Brief vom 21. 6. 1912, RWA.
[162] Bayreuth 1896. Praktisches Handbuch für Festspielbesucher, hg. v. F. Wild, Leipzig—Baden-Baden 1896, S. II, 28.

stand; an Veränderung oder gar an den Aufbruch zum Neuen, wie er später von seinen Söhnen Wieland und Wolfgang, zumindest zeitweise, intendiert worden ist, dachte er nicht. Bezeichnend ist ein Ausspruch über die Parsifal-Inszenierung, aus seinen letzten Lebensjahren, den Daniela Thode, Siegfried Wagners Stiefschwester, überliefert hat: »Wenn nicht ein neuer Böcklin oder Courbet kommt, ändere ich nichts an der Wandeldekoration. Und der Tempel bleibt, solange Bayreuth bleibt. Auch von der Aue möchte ich mich nicht trennen[163].«

Siegfried Wagners 1892 auf seiner Ostasienreise gefaßter Entschluß, nicht Architekt, wie ursprünglich beabsichtigt, sondern Musiker zu werden, war die Entscheidung für die Nachfolge seiner Mutter in der Leitung der Festspiele. Das Metier des Kapellmeisters zu kennen, gegebenenfalls gar zu beherrschen, konnte für die Erfüllung dieser Aufgabe nur nützlich und hilfreich sein. Anders als Cosima, die stets auf einen Kapellmeister als ausführendes Organ ihrer Ideen angewiesen war, konnte sich Siegfried selbst ans Dirigentenpult stellen, wie er es bei seiner Inszenierung des Fliegenden Holländers 1914, aber auch schon bei den von ihm szenisch betreuten Wiederaufnahmen des Tannhäuser 1904 und des Lohengrin 1908 und 1909 getan hat. »Der einzige Regisseur, der gleichzeitig sein eigener Dirigent ist«, schrieb der Wiener Kritiker Ludwig Karpath nach dem Lohengrin von 1908[164]. Später freilich verzichtete Siegfried Wagner darauf, die von ihm inszenierten Werke auch zu dirigieren, sei es, daß ihn die Regiearbeit zu sehr in Anspruch nahm, was gewiß der Fall war, sei es aber auch, daß er es doch für ratsam hielt, etablierte und durch ständige Dirigierpraxis erfahrene Kapellmeister wie Karl Elmendorff (Tristan 1927) und Arturo Toscanini (Tannhäuser 1930) mit dieser Aufgabe zu betrauen. Daß er selbst über keine vergleichbare Dirigiererfahrung verfügte, die indessen zur handwerklichen Grundlage eines guten Dirigenten, noch dazu in einem Opernhaus, unabdingbar notwendig ist und nicht einfach mit Routine gleichgesetzt werden kann, duldet keinen Zweifel. Den Alltag eines Kapellmeisters hat Siegfried Wagner nie erlebt. Im übrigen waren die Meinungen darüber, ob er ein guter oder talentierter, vor allem den Festspielen angemessener Dirigent sei, geteilt. Es könnte sein, daß Siegfried Wagner in kluger Einsicht darauf verzichtete, sich nachdrücklicher als Festspieldirigent zu etablieren. Dabei spielt es eine untergeordnete Rolle, ob er tatsächlich ein Dirigent minderer Qualität war oder aber seine Fähigkeiten böswillig verkannt wurden. Fest steht, daß er angegriffen wurde. Dem wich er aus. Im übrigen hätte er auch als allseits anerkannter Kapellmeister bei ständigem Auftreten als Festspieldirigent den Eindruck erweckt — jedenfalls bei denen, die die Festspiele kritisch oder skeptisch betrachteten —, daß er seine Position als Festspielleiter unangemessen ausnutzte und sich allein im Besitz der Wahrheit über die Art der Aufführung der Werke seines Vaters wähne[165].

Mangelnde Dirigiererfahrung plagte auch Franz Beidler, Cosimas Schwiegersohn, der im Jahre 1900 Isolde Wagner heiratete und auf diese Weise den Festspielen ähnlich wie Siegfried Wagner verbunden war. Er begann seine Tätigkeit bei den Bayreuther Festspielen, wie vor ihm Richard Strauss und Siegfried Wagner, als musikalischer Assistent und zwar im Jahre 1896. Einige Jahre lang war er Mitglied der Bayreuther Stilbildungsschule, in der er mit Festspielsängern deren Rollen studierte wie z. B. 1900 mit Van Dyck die Rolle des Siegmund. Cosima Wagner, durch die familiäre Beziehung freilich in ihrem Urteil nicht objektiver, sah in ihm einen zukünftigen Festspieldirigenten und

[163] RWG.
[164] Z. v. Kraft, Der Sohn, a.a.O., S. 150.
[165] 1901 ging durch die Presse, die Festspiele würden zum Familienfest, an dem Siegfried allein dirigieren würde, und Hans Richter käme nur zum Zuschauen, Z. v. Kraft, Der Sohn, a.a.O., S. 106.

war bemüht, ihn, wie seinerzeit Siegfried, zu Mottl und Richter in die Lehre zu schicken. In einem Brief an Mottl schrieb sie am 12. 11. 1900: »Es läge mir viel daran, daß er gerade in Ihre Schule käme, an sich erstens, und dann, weil er die größte Bewunderung für Ihre Leistungen hat[166].« Nur einen Tag später hieß es: »es liegt mir daran, daß er in die Dirigententätigkeit sich begibt[167].« Cosimas intensive und anhaltende Bemühung um Beidlers Dirigentenlaufbahn, die u. a. 1902 dazu führte, daß Karl Muck »meinte, man wolle ihn beiseite schieben[168]«, veranschaulicht die Tatsache, daß den Briefen an Mottl wenig später ein fast gleichlautendes Schreiben an Hans Richter folgte. Am 30. 12. 1900 teilte Cosima Richter mit: »Es würde mich freuen, wenn er in Deine Schule käme und sicher würde er Dir Ehre machen[169].« Ein Jahr später, am 3. 12. 1901, schrieb Cosima abermals zugunsten Beidlers an Richter und charakterisierte ihn dabei folgendermaßen: »Er ist ein ausgezeichneter Musiker, hat einen festen Rhythmus und wird Ordentliches leisten. [Angelo] Neumann will ihn engagieren, und er soll im Mai mit dem Holländer sein Probedebut dort machen. Er wird zu den *einfachen* Kapellmeistern gehören, was, glaube ich, bei uns recht Not tut[170].« Inwiefern die Kennzeichnung als einfacher Kapellmeister eine Kritik oder einen Zweifel am Talent Beidlers bedeutet, gleichsam eine Not, aus der Cosima eine Tugend machte, muß dahingestellt bleiben. Zumindest sah sie nicht die Gefahr selbstherrlicher Virtuosität, und das mußte ihr als gute Voraussetzung für die Festspiele erscheinen. Außerdem erfüllte Beidler eine andere wesentliche Bedingung. Als Cosima 1901 mit Beidler den Tristan studierte, schrieb sie an ihre Freundin, die Gräfin Wolkenstein: »Er ist ein vorzüglicher Musiker und faßt schnell auch die dramatischen Intentionen[171].« Musikalität und Beherrschung des Kapellmeistermetiers genügten Cosima Wagner für die Bayreuther Festspiele nicht — ein Argument mehr gegen Hans Richter, der gesagt haben soll, wenn der Vorhang aufgehe, sei seine Freude dahin. Die ständige Bezogenheit der Musik auf die Vorgänge auf der Bühne hatte das Hauptinteresse des Dirigenten zu sein. Felix Mottl, Richard Strauss und Siegfried Wagner entsprachen dem in hohem Maße, und in Beidler sah Cosima zumindest die Anlage dazu. Wie Cosima Wagner Beidler einschätzte, macht vor allem der Brief deutlich, in dem sie nach dem erwähnten Konflikt bei den Festspielen von 1906 Beidler den Abschied gab: »Du hast die Anlage zu einem tüchtigen Dirigenten. Technisch fehlt Dir noch Vieles, weshalb ich wünschte daß Du Richters Proben beiwohntest, von dem viel in dieser Hinsicht zu lernen ist und daß Du dich um einen Posten bewürbest, um durch angestrengte Tätigkeit zu erwerben, was Dir abgeht. Du hast Präzision, Festigkeit und Gewalt. Es mangelt Dir an Zartgefühl, an Innigkeit und Entrücktheit[172].«

War Cosima Wagner davon überzeugt, daß Beidler ein guter Musiker sei und geeignet, den Bayreuther Festspielen zu dienen, so lag ihr doch auch daran, ihn sich außerhalb Bayreuths bewähren zu lassen. Wie zuvor ihrem Sohn Siegfried suchte sie auch Beidler Engagements zu verschaffen. Am 19. 11. 1900 schrieb sie an Gustav Mahler in Wien: »Mein künftiger Schwiegersohn ist ein junger, tüchtiger Musiker, der sich seit etlichen Jahren bei mir schon bewährt hat und in welchem ich hoffe, eine tüchtige Stütze zu finden. Sollten Sie einen Assistenten bedürfen, oder einen Volontär Dirigenten gern bei sich aufnehmen, so würde ich mich freuen, ihn einige Zeit bei

[166] RWG.
[167] RWG.
[168] Du Moulin Eckart, Bd. 2, S. 693.
[169] RWG.
[170] RWG.
[171] Du Moulin Eckart, Bd. 2, S. 673.
[172] Brief vom 11. 8. 1906, RWG.

Ihnen zu wissen[173].« Im Jahre 1902 dirigierte Beidler in Moskau an der Kaiserlichen Oper Tannhäuser und Lohengrin, die Walküre und Siegfried, und zwar mit dem Erfolg, daß er zum kaiserlichen Musikdirektor ernannt wurde. 1904, als Cosima Wagner auf Mottl verzichten zu müssen meinte, trat Beidler zum ersten Mal im Bayreuther Festspielhaus ans Dirigentenpult. Er leitete den Ring. Im folgenden Jahr war er als Assistent bei Hans Richter, um sich weiter im Dirigierhandwerk zu vervollkomnen. 1906 dann, als Beidler Parsifal-Dirigent war, kam es zur geschilderten Entzweiung, die freilich auch private Gründe gehabt haben soll. Beidler wurde schließlich sogar untersagt, das Festspielhaus zu betreten[174]. Hans Richter, der Beidler protegierte und noch 1908 für eine Versöhnung zwischen ihm und Haus Wahnfried eintrat[175], glaubte, »daß ihm die Taktik des Dirigierens ganz abginge, und daß er unablässig sich üben müßte, um sie zu erwerben[176]«, wobei offen bleiben muß, was Richter mit der Taktik des Dirigierens gemeint hat. Zumindest soviel ist dem Urteil aber zu entnehmen, daß Beidler nicht der »geborene« Dirigent war, daß ihm das Dirigieren nicht zugefallen ist. Er selbst soll gesagt haben, »er sei zu früh in die Stellung nach Bayreuth gekommen, ihm fehlten zu seiner Entwicklung die Mittelglieder[177].« Der Fall Beidler veranschaulicht, daß der Versuch, die Festspieldirigenten allein aus der Praxis der Festspiele und der Stilbildungsschule heranzubilden, äußerst problematisch war und nicht den erwünschten Erfolg hatte.

Im gleichen Jahr wie Beidler, nämlich 1904, dirigierte auch Michael Balling zum ersten Mal Festspielaufführungen. Zwar war Balling — im Unterschied zu Siegfried Wagner und Franz Beidler, deren Tätigkeit so gut wie ganz auf die Festspiele und die Stilbildungsschule beschränkt war — zu jener Zeit bereits Hofkapellmeister in Karlsruhe und hatte sich das Handwerk des Dirigierens unabhängig von Bayreuth bei seinen diversen Tätigkeiten im In- und Ausland angeeignet; dennoch gehört er zur Gruppe der Dirigenten, die man als aus der Schule der Bayreuther Festspiele hervorgegangen bezeichnen muß. Balling spielte Bratsche. Sein Lehrer, Hermann Ritter, hatte 1876 im Festspielorchester mitgewirkt und war ein begeisterter Wagnerianer. Balling selbst spielte 1886, 1888 und 1889 im Festspielorchester, um dann 1896, 1899, 1901 und 1902 als musikalischer Assistent mitzuwirken. 1897 war er zeitweise als Bratscher und musikalischer Assistent bei Mottl in Karlsruhe, dessen Nachfolger er 1903, u. a. auf Empfehlung Hans Richters, wurde. Wie kaum ein zweiter mußte er also mit den Intentionen und Praktiken der Bayreuther Festspiele vertraut sein. In diesem Sinne rühmte ihn Cosima Wagner Hans Richter gegenüber. Für sie war indessen vor allem eines wichtig: »Er versteht auch etwas von der Bühne, weil er lange hier gewirkt hat[178].« Am 9. 11. 1905 rechtfertigte Cosima Wagner das Engagement Ballings in einem Brief an Richter mit dem Satz: »Balling gehört nach Bayreuth durch seine Gesinnung und seine Begabung[179].« Es ist gewiß kein Zufall, daß in diesem Satz die Gesinnung vor der Begabung rangiert. Man mochte in Bayreuth gewiß nicht auf Begabung verzichten, war indessen geneigt, ihr den Wert abzusprechen, wenn sie nicht von der entsprechenden Gesinnung, einer dem Geist der Festspiele bzw. des Hauses Wahnfried angemessenen Haltung begleitet war.

Balling war äußerst eifrig, sehr bildungsbeflissen und Bayreuth gegenüber stets von

173 RWG.
174 Du Moulin Eckart, Bd. 2, S. 858.
175 Brief Richters an A. v. Gross vom 15. 3. 1908, RWA.
176 Du Moulin Eckart, Bd. 2, S. 818.
177 Ebda., S. 819.
178 Brief vom 14. 7. 1903, RWG.
179 RWG.

vorbehaltloser Loyalität. Den Hintergrund zu dieser Einstellung bildete Ballings Herkunft aus unteren Gesellschaftsschichten, eine Herkunft, die Balling entweder nicht verleugnen wollte oder nicht zu verbergen vermochte. Jedenfalls galt Balling als ein Mann, dem angeblich feinere Manieren abgingen. Wie es scheint, ließ man es ihn spüren, daß er nicht schon von Hause aus zivilisiert und ein Mann von Kultur war, sondern sich die Bildung erst hatte aneignen müssen. Wie anders ist zu begreifen, daß Cosima Wagner in einem Brief an die Gräfin Wolkenstein von Balling als »einem unserer begabtesten outlaws[180]« sprach?

Der Gedanke, jüngere Kapellmeister mit den Aufgaben der Bayreuther Festspiele vertraut zu machen, trat augenscheinlich in den Jahren 1904 und 1905 verstärkt auf. Insbesondere Hans Richter scheint auf die Notwendigkeit des Nachwuchses hingewiesen zu haben. Jedenfalls schrieb ihm Cosima am 31. 3. 1904: »Deinen Gedanken von der jungen Garde habe ich bereits auch gehabt und auf Beidler und Balling mein Auge gerichtet. Das wird sich aus der Arbeit ergeben[181].« Wie berichtet, wurden die beiden genannten Dirigenten 1904 erstmals mit der Leitung von Aufführungen betraut. Wie Richter nach den Erfahrungen der Festspiele von 1904 über Balling dachte, wissen wir nicht. Indessen klingt Cosima Wagners Brief vom 9. 11. 1905 wie eine Verteidigung Ballings, in deren Verlauf Cosima ihre Absichten bezüglich der jüngeren Dirigenten folgendermaßen ausdrückte: »mir scheint es richtig, eine jüngere Generation in unseren Dingen heimisch zu erhalten[182].« Richter bot daraufhin an, den jüngeren Kapellmeistern — mit denen selbstverständlich nur Balling und Beidler gemeint sein konnten — den Vortritt zu lassen, damit sie von Cosima lernen könnten[183].

In den Jahren nach 1900 wurde in der Presse wiederholt kritisiert, daß die Bayreuther Festspiele außer Muck und Richter keine Dirigenten von besonderem Format hätten. Paul Bekker schrieb 1912 in der Frankfurter Zeitung: »Man könnte meinen, wenn Siegfried Wagner als Dirigent nicht ausreicht, so ließe sich dieser Mangel durch Hinzuziehung anderer Orchesterleiter ausgleichen. Die Bayreuther Praxis der letzten Jahre spricht gegen die Wahrscheinlichkeit einer solchen Entwicklung. Außer Richter und Muck, die vorläufig wohl aus Gründen der Repräsentation beibehalten wurden, ist nur der tüchtige, aber unpersönliche Michael Balling neben Siegfried Wagner am Pult erschienen. Die Zuführung frischer, anregender Kräfte an dieser Stelle wird streng vermieden, nicht *ein* Dirigent von Rang und Namen ist in den letzten Jahren neben Muck und Richter in Bayreuth tätig gewesen, und es ist charakteristisch, daß gerade diese beiden zu den Musikern gehören, die ihr Interesse nicht auf den szenischen Teil der Werke ausdehnen. Man möchte hier wohl einmal einen Mann an der Arbeit sehen, der etwa wie Hans Pfitzner Partitur und Szene beherrscht[184].« Der Gedanke der Schule und die Konzentration auf die Tradition der Festspiele waren augenscheinlich Werte von so außerordentlicher Bedeutung, daß daneben kein Raum blieb für andere Ideen und Ziele. Man überging indessen auch Kapellmeister, die bei den Festspielen assistiert hatten, also mit dem Bayreuther Stil vertraut waren, wie Weingartner, Max von Schillings[185], Siegmund von Hausegger[186]. Weingartner kam freilich wegen seiner kritischen Haltung den Festspielen und ihrer Aufführungspraxis gegenüber nicht in

[180] Du Moulin Eckart, Bd. 2, S. 569.
[181] RWG.
[182] RWG.
[183] Brief vom 18. 11. 1905, RWA.
[184] Frankfurter Zeitung, 11. 8. 1912.
[185] Von Schillings war 1892 Korrepetitor bei den Festspielen.
[186] Von Hausegger war 1897 Korrepetitor bei den Festspielen.

Frage[187], und Siegmund von Hausegger entsprach, da er fast ausschließlich Konzert-dirigent war, nicht den Prinzipien des Bayreuther Stils.

Cosima Wagner gab die Leitung der Bayreuther Festspiele zwar 1906 offiziell an ihren Sohn Siegfried ab, und es scheint, daß sie danach in die Belange der Festspiele nicht mehr direkt eingegriffen hat; in der Frage der Dirigenten aber blieb ihr Einfluß bestimmend bis zum Jahre 1930. Das ist nicht so zu verstehen, als hätte Cosima ins-geheim oder mit der Zustimmung ihres Sohnes über die Auswahl der Dirigenten ver-fügt. Vielmehr waren, als sie abtrat, die Weichen gestellt. Die bestimmenden Persön-lichkeiten hießen, nachdem Mottl und Richter nicht mehr da waren, Karl Muck, Michael Balling und selbstverständlich Siegfried Wagner, obwohl dieser nach 1914 nur noch einmal, nämlich 1928 im Ring, als Dirigent der Festspiele auftrat[188]. Sie alle waren durch Cosima nach Bayreuth gekommen, durch Cosima mit Geist und Stil der Fest-spiele vertraut gemacht worden. Das gilt gleichermaßen für Willibald Kaehler, der 1924 und 1925 Festspieldirigent war. Im Jahre 1908 ließ sich Cosima von Karl Muck versprechen, so lange es ihm möglich sei, ihrem Sohn bei den Festspielen zu helfen[189]. Muck hat dem im Sinne Cosimas entsprochen. Sein Brief an Siegfried Wagner vom 25. 8. 1922, betreffend die für den Wiederbeginn der Festspiele einzuladenden Diri-genten, legt dafür Zeugnis ab: »Ich halte es für meine Pflicht, Dir aufrichtig zu sagen, was ich über die Dirigenten-Frage denke; die Sache beschäftigt mich seit Tagen unauf-hörlich; und sie ist zu wichtig, als dass man nicht baldigst darüber in's Reine kommen sollte.

Um gleich den wundesten Punkt zu berühren: ich meine, dass Du Balling wieder zuziehen solltest. — Uns Alle erwartet diesmal eine ganz besonders gesteigerte Arbeits-last, da doch der gesammte Festspiel-Organismus äusserlich und innerlich vollkommen neu aufgebaut werden muss. Da ist es, meiner Ansicht nach, von weittragender Bedeu-tung, unter den Dirigenten einen Mann zu haben, der seit so vielen Jahren am Werke mitgearbeitet hat, von seinem Bratschen-Pult angefangen bis hinauf zum Dirigenten-Pult; der daher die Bayreuther Arbeit von Grund auf kennt; der noch unter Deiner Mutter Leitung in die Bayreuther Art eingeführt wurde; und der, soweit *ich* es zu beurtheilen vermag, stets Bayreuth treu war. — Du hast viele Bedenken gegen ihn in's Feld geführt. Ich gebe zu, dass Balling ein schwieriger Charakter ist; ich gebe zu, dass er Einem manchmal auch heute noch Anlass giebt zu wünschen, er hätte eine bessere Kinderstube gehabt; ich gebe zu, dass er sich manchmal von seiner nächsten Umgebung vielleicht zu Ansprüchen steigern liess, die über sein Format gingen. Aber weiter kann ich eigentlich in Deinen Bedenken nicht mitgehen. Dass er sich politisch schlecht benom-men hat, würde ich auf's Tiefste bedauern; aber hast Du *selbst* gesehen, dass er die »Zukunft und aehnl. Schurkenkram abonnirt hatte? — Dass er nur mit Juden verkehrt, thut mir gründlich leid, seinetwegen. Aber angesichts der Thatsache, dass es überhaupt nur noch einige wenige arische Taktschläger giebt, und dass die *Alle* (mit *einer* Aus-nahme, als die ich *mich* vorzustellen mir erlaube) dem jüdischen lion-hunting zur Beute wurden, oder sich die Unterstützung der Juden-Kritik durch schäbiges gesell-schaftliches Compromisseln erkauften — angesichts dieser Thatsache solltest Du ihm seinen Privat-Verkehr nicht zu dick ankreiden. — Seine auf offenem Forum geübte Kritik an den Solisten zeugt von grober Taktlosigkeit; siehe oben: »Kinderstube«. Aber auch da muss ich wieder fragen: hast Du mit eigenen Ohren diese Ausfälle gehört? Zu viel des Klatsches und der böswilligen Verdrehung machte sich immer da oben auf dem Hügel breit; dem stillen Beobachter manchmal unterhaltlich, manchmal aber auch

187 Vgl. die erwähnten Bücher Weingartners.
188 Als Dirigent angekündigt wurde Siegfried Wagner jedoch mehrfach.
189 Brief Mucks an Winifred Wagner vom 1. 9. 1930, RWA, s. u.

recht unheimlich die Einschätzung in's Gedächtniss rufend, die das »fahrende Volk« bei unsern Altvordern genoss. — Es gehen Gerüchte, als ob gefällige Ohrenbläser Dir einen Anlass zugetragen hätten, mit Balling auch rein persönlich unzufrieden zu sein. Wäre diess wirklich der Fall, so sollte das, meiner unmassgeblichen Meinung nach, erst recht ein Grund sein, ihn nicht von Deiner Arbeit am Festspielhaus auszuschliessen. Ich brauche das natürlich nicht näher zu erörtern.

Nun zu Deiner Absicht, Furtwängler einzuladen. Ich kenne ihn nicht; habe ihn nie bei der Arbeit gesehen; weiss nur, dass Publikum und Presse immer eines Lobes voll sind. Ich habe mich nun etwas eingehender mit ihm beschäftigt. Und da hörte ich zunächst, dass er, solange er beim Theater war, für die Bühne kaum je Interesse bezeigte; er soll den dramatischen Vorgängen mit grosser Kühle, fast unbetheiligt, gegenüber gestanden haben; und auch die Werke Deines Vaters sollen keine stärkere Antheilnahme bei ihm ausgelöst haben. Diese Auskunft wird stark gestützt durch die Thatsache, dass Furtw. schon bald, und freiwillig, das Theater aufgab und sich ausschliesslich dem Concert-Wesen widmete. — Ferner: die Jahre, in denen er aus eigener Wahl als Pult-Virtuose concertirte, ohne feste Stellung und ohne ständiges eigenes Orchester, sollen auf sein Musiciren den unausbleiblichen Einfluss gehabt haben: er soll stark zu äusserlichen Effekten und zur al fresco-Manier neigen, soll öfters den Respect vor dem Kunstwerk vermissen lassen etc. etc. — Es steht leider fest, dass durch die schon achtjährige Unterbrechung der Festspiele (neben dem gleichzeitigen Aussterben der »alten Garde«) die Aufführungen der Wagner'schen Werke auf *allen* Bühnen in der trostlosesten Weise verkommen und verschludert sind. Regisseure und Dirigenten, fast ausnahmslos Juden, üben ihre geschäftige Phantasie an »Modernisierung« der Werke; schrankenlos hausen sie in Musik, Darstellung und Scenerie. Was man von diesen »sensationellen« Neu-Studierungen hört u. gelegentlich sieht, lässt beinahe den Gedanken aufkommen, dass da eine ganz bestimmte Absicht zu Grunde liegt: die Werke ad absurdum zu führen. Um so mehr scheint es mir gebieterische Nothwendigkeit, den neuen Dirigenten so zu wählen, dass Du sicher sein kannst, er werde das, was er in Bayreuth gesehen und gehört, später in erzieherischer, beispielgebender Thätigkeit an den verlotterten Theatern verwerthen. Bei Furtwängler, der aller Wahrscheinlichkeit nach nie wieder mit einem Theater zu thun haben wird, ist diese dringendste Voraussetzung nicht gegeben. Ein Mann, der sich der Bühne abgewandt und gänzlich dem Concert-Podium verschrieben hat — wie kann er Dir, d. h. der Bayreuther Idee, nützen[190]?«

Die Einschätzung Ballings entsprach der Art Cosima Wagners, wie die Beurteilung Furtwänglers den Maximen des Bayreuther Stils und der Tradition der Festspiele folgte. Muck sprach als Wahrer der Überlieferung. Als solcher war er sogar zu kleinen Konzessionen an die politischen und privaten Anschauungen bereit, wurde nur nach Geist und Stil dem Dienst am Werk genüge getan. Ballings angeblich liberal-unkonventionelle Verhaltensweise wog nicht so schwer wie der Furtwängler unterstellte Mangel an Identifizierung mit den Werken Wagners und ihrer Darstellung auf der Bühne. Bei aller Ablehnung einer politischen Haltung, die nicht konservativ und nicht deutschnational war, fiel doch der Mangel an »Respekt vor dem Kunstwerk« stärker ins Gewicht. Das Plädoyer für Balling war eine Entscheidung für die Tradition des Bayreuther Stils, für das alte Bayreuth, das — wie Muck es später auffaßte — 1930 zuende ging. Wie sehr Muck als Hüter der Tradition auftrat, sich als Wahrer des alten Bayreuth fühlte, veranschaulichen Briefe an Fritz Busch, geschrieben vor den Festspielen von 1924, für die Busch engagiert war. Muck schrieb: »Sie geben in

Ihren Briefen dem Glauben Ausdruck, daß Sie und ich in unseren künstlerischen Tendenzen im wesentlichen gut übereinstimmen werden. So schmeichelhaft auch diese Erwartung für mich ist, so darf ich Ihnen wohl als der an Jahren und Bayreuther Arbeit Ältere sagen, daß es durchaus nicht darauf ankommt, *ob wir* beide im wesentlichen oder unwesentlichen, gut oder nur halbwegs *übereinstimmen* — sondern es kommt in Bayreuth darauf an, daß die zur Arbeit dort Berufenen mit *dem Bayreuther Gedanken übereinstimmen*; daß ihnen die in den Schriften niedergelegten künstlerischen Lehren des Meisters ebenso geistiger Besitz geworden sind wie die Partituren; und daß sie zu der Arbeit im Festspielhause die bescheidene Demut und den heiligen Fanatismus des Gläubigen mitbringen. Ist das der Fall, so ergibt sich die Übereinstimmung unter den Individuen von selbst[191].« Als Busch seine Hilfe für die Zusammenstellung des Festspielorchesters anbot, bekam er zur Antwort: »Schon vor dem Tode Hans Richters hat mir Frau Cosima die Zusammenstellung des Orchesters für die Bayreuther Festspiele anvertraut. Bis heute sind mir keine Klagen bekannt geworden, daß ich diese Aufgabe schlecht erfüllt hätte. Ich bedarf also Ihrer Unterstützung nicht. Dagegen möchte ich Ihnen bei dieser Gelegenheit sagen, daß, was die Freude der persönlichen Bekanntschaft betrifft, die Sie in Ihrem Schreiben erwähnen, es für meine Person noch keineswegs sicher ist, ob ich Wert darauf legen soll. Man erzählt mir, daß Sie ein guter Dirigent der Werke von Reger und Brahms sind, zweier Komponisten, die ich durchaus zu schätzen weiß. Ob Sie aber in der Lage sind, noch dazu in Bayreuth, dem Wagnerschen Gesamtkunstwerk gerecht zu werden, wird sich erst noch zu erweisen haben[192].« Wie sich das Verhältnis zwischen Muck, dem alteingesessenen Traditionswahrer, und Busch, dem Neuling, während der Festspiele 1924 gestaltete, hat Busch beschrieben: »Mit Muck stand ich — nach einigen gemeinsamen Erfahrungen — mittlerweile auf bestem Fuße. — Muck kritisierte gründlich und scharf, wobei er es auch an Anerkennung nicht fehlen ließ. Seiner klugen und richtigen Bemerkungen erinnere ich mich noch heute in Dankbarkeit[193].« Ob Muck über die Beziehung ebenso dachte, wissen wir nicht, ist jedoch zu bezweifeln. Nach der ersten Korrespondenz hatte Muck im Februar 1924 geschrieben: »Mit Busch hatte ich leider eine peinliche Correspondenz. Er ist ein grössenwahnsinniger, als Dirigent (gerade der *Rich.* Wagner'schen Werke!!) sehr mit Vorsicht zu geniessender, dabei ganz ungebildeter Mensch[194].« Da Busch im übrigen den Festspielen nicht nur demütig und bescheiden-vorbehaltlos nahte, sondern es wagte, Kritik an der Qualifizierung der Mitwirkenden zu üben, indem er nach besseren Sängern verlangte und sogar sein erneutes Engagement von der Erfüllung seiner Wünsche abhängig machen wollte[194a], konnte er bei Muck nicht auf Sympathie stoßen. Auch wenn Busch nicht von sich aus von seiner Mitwirkung bei den Festspielen zurückgetreten wäre, ist zu bezweifeln, daß es zu einer ausgedehnten und harmonischen Arbeit Buschs bei den Bayreuther Festspielen gekommen wäre. Busch stand der Festspieltradition und dem Bayreuther Stil fern, die Muck repräsentierte und rein und unangetastet bewahren wollte.

Der Wiederbeginn der Festspiele nach dem 1. Weltkrieg im Jahre 1924 setzte insofern Zeichen, als mit Fritz Busch zum ersten Male ein Dirigent verpflichtet wurde, der allein durch die allgemeine Anerkennung, die er genoß, und seine Wagner-Aufführungen außerhalb Bayreuths legitimiert war, nicht aber durch besondere Beziehungen zu den Festspielen, zu Haus Wahnfried oder zu Geist und Buchstabe des Bayreuther Stils.

191 G. Busch, Fritz Busch. Dirigent, Frankfurt/M. 1970, S. 40.
192 F. Busch, Aus dem Leben eines Musikers, Zürich 1949, S. 154.
193 G. Busch, Fritz Busch, Dirigent, a.a.O., S. 41.
194 Brief vom 29. 2. 1924 an W. Schuler in Bayreuth, RWA.
194a F. Busch, Aus dem Leben eines Musikers, a.a.O., S. 161—164.

Mucks Skepsis, die freilich auch der ausgeprägten Individualität Buschs galt, ist von daher zu verstehen. Gleichzeitig wurde jedoch in Willibald Kaehler ein Kapellmeister berufen, der der Bayreuther Schule entstammte und geeignet erscheinen mußte, die Festspiele im Sinne der Tradition weiterzuführen. Kaehler hatte von 1896 bis 1901 ununterbrochen als musikalischer Assistent bei den Bayreuther Festspielen mitgewirkt und war nach den überlieferten Zeugnissen von Cosima Wagner geschätzt worden[195]. Kaehler war indessen der letzte in dieser Weise legitimierte Dirigent der Festspiele.

* * *

In den Jahren von 1924 bis 1930 vollzog sich eine deutliche Wende in der Geschichte der Dirigenten bei den Bayreuther Festspielen. Mit Hans Richter und Franz Fischer, die 1916 bzw. 1918 starben, verlor die unmittelbare Tradition, die sich noch auf Wagner selbst berufen konnte, ihre Repräsentanten und Wahrer. Schüler Wagners, die die Festspiele hätten führen und prägen können, gab es fortan nicht mehr. Der Tod Cosima Wagners am 1. 4. 1930 war das äußere Zeichen für das Ende einer Ära. Jedoch nicht allein die Schüler-Generation, sondern auch die Generation ihrer Schüler trat ab. 1925 starb Michael Balling. Nach den Festspielen von 1930 gab Karl Muck sein Amt auf, nachdem am 4. 8. 1930 auch Siegfried Wagner, der Haupt-Repräsentant der Bayreuther Schule und Träger des Erbes, gestorben war. In seinem Brief an Winifred Wagner, der Witwe Siegfrieds, in dem er seinen Entschluß abzutreten begründete, schrieb Muck am 1. 9. 1930: »Nach reiflicher Überlegung bin ich zu dem festen und unabänderlichen Entschluß gekommen, meine Tätigkeit in Bayreuth als beendet zu betrachten. Ich gab 1908 Frau Cosima Wagner mein Wort, Siegfried beim Bayreuther Werk zu helfen, so lange es mir möglich sei. Dieses Wort habe ich gehalten, soweit es nur immer in meinen Kräften lag. Ich habe mein Wort gehalten nicht nur, weil ich es Frau Cosima verpfändet hatte, sondern auch, weil ich mich Siegfried in Freundschaft verbunden fühlte. Durch jahrelange gemeinsame Arbeit war mir ›Siegfried‹ und ›Bayreuther Werk‹ *ein* Begriff geworden — ein Begriff, der mir in allem Wechsel von Zeit und Ort als etwas Festes, Unverrückbares vor Augen stand — zu dem mich künstlerisches Gewissen und höchste Pflicht immer wieder zurückrief. — Nun hat ein grausames Geschick Siegfried seinem Werk entrissen. Bayreuth verlor seinen Führer. Das Werk muß neu ausgebaut werden; neue Kräfte müssen eingesetzt werden; junge Schultern müssen es sein, denen die ungeheure Last und Verantwortung auferlegt werden kann. In dieses neue Räderwerk passe ich ganz selbstverständlich nicht mehr hinein — ich, dessen künstlerische Anschauungen und Überzeugungen noch in dem Bayreuth des 19. Jahrhunderts wurzeln[196].«

Eine dritte Generation, eine Generation der Enkel-Schüler, folgte nicht. Muck, Balling und Siegfried Wagner hatten es versäumt, ihr Wissen und Können und ihr Verständnis der Tradition der Bayreuther Festspiele an junge, angehende Kapellmeister weiterzugeben. Die durch den 1. Weltkrieg notwendige zehnjährige Pause der Festspiele mag die Erfüllung dieser Aufgabe stark beeinträchtigt haben, indessen sprechen die erhaltenen Dokumente nicht dafür, daß ernsthaft der Versuch unternommen worden wäre, eine dritte Generation von Festspieldirigenten so heranzubilden, wie seinerzeit die zweite herangebildet worden war. Daß es an Dirigenten fehlte, die mit den Festspielen so vertraut waren wie Muck oder Balling, zeigt sich an den neuen Namen, die ab 1924 in den Dirigentenlisten stehen. Keiner von ihnen, Kaehler ausgenommen,

---

[195] Im RWA sind entsprechende Briefe Cosima Wagners an Kaehler erhalten.
[196] RWA. Gedruckt in: Allgemeine Musikzeitung, 58. Jg., 20. 2. 1931. An Eva Chamberlain schrieb Muck am 13. 4. 1931: »Das alte Bayreuth, das ich seit 1884 kannte, ging mit Siegfried dahin.« RWA.

war musikalischer Assistent bei den Festspielen gewesen, keiner kannte die Tradition aus unmittelbarer Bayreuther Erfahrung. Vielmehr kamen sie als gleichsam Fremde ans Pult des Festspielhauses. Damit trat eine für die Folgezeit kennzeichnende Situation ein, wie sie bis zur Gegenwart Gültigkeit besitzt: Einzig die jeweilige Aufführung und ihre individuelle Qualität und Eigenart legitimiert den Festspieldirigenten; er kann nicht mehr für sich in Anspruch nehmen, Vollzugsorgan einer Tradition zu sein, die außerhalb seiner selbst lebt. Berufung auf Tradition, so häufig sie seitdem geschehen ist, wird zunehmend fragwürdig und problematisch, weil die Tradition durch den Verlust der Kontinuität und der lebendigen Unmittelbarkeit ihre Verbindlichkeit eingebüßt hat.

Die Feststellung, die Generation Siegfried Wagners, Ballings und Mucks habe es versäumt, die nachfolgende Generation im Sinne einer Schule mit den Intentionen und Traditionen der Bayreuther Festspiele vertraut zu machen, ist selbstverständlich kein Vorwurf — als gehe es darum, Überkommenes um jeden Preis zu bewahren, Überliefertes, von dem man zudem nicht einmal genau weiß, woher es stammt, um des Überlieferns willen weiterzureichen. Die Feststellung gilt vielmehr der Tatsache, daß seit der Wende zwischen 1924 und 1930 nicht mehr vom Bestehen unmittelbarer, ungebrochen fortlebender Tradition gesprochen werden kann, obwohl der Gedanke der Schule und des Bayreuther Stils von einzelnen wie dem Chordirektor Hugo Rüdel und dem Ausbildungsleiter Carl Kittel mit großem Engagement weitergetragen worden ist.

Bestand die Schule nicht mehr, so wurde doch nach wie vor der Anspruch auf die Besonderheit der Bayreuther Festspiele erhoben, der die Mitwirkenden durch eine angemessene Haltung zu entsprechen hatten. Die Bayreuther Gesinnung lebte fort. Als 1925 Fritz Busch, der nach seinem Erfolg von 1924 abermals die Meistersinger dirigieren sollte, auf ärztliches Anraten hin kurzfristig absagte, verknüpfte Siegfried Wagner in seinem Antwortbrief sein Bedauern über die Absage mit einem unmißverständlichen Lob auf Karl Muck, das Vorbild für gelebte Bayreuther Gesinnung: »Man muß Dr. Mucks Art kennen! Er ist nun einmal aus der anderen Epoche, aus der Wagner-Liszt-Schule, die keine Konzessionen kannte, die nur das eine Ziel im Auge hatte: das Kunstwerk selbst und das Dienen einer großen Sache. Für ihn wie für mich und einige andere ist ›Bayreuth‹ nicht bloß ›Aufführungen‹, sondern ein Bekenntnis, doppelt notwendig in einer Zeit, wo der Kunstbolschewismus alle Traditionen, allen Sinn für Stil zu Grunde zu richten droht[197].« Mehr als Fritz Busch scheinen Franz von Hoeßlin und Karl Elmendorff diesem Ideal entsprochen zu haben. Beide leiteten im Jahre 1926 neben Siegfried Wagner die Aufführungen der vom »Bayreuther Bund der Deutschen Jugend« in Weimar veranstalteten Deutschen Festspiele, in deren Mittelpunkt das Opernschaffen Siegfried Wagners stand. In einem Brief an den Kritiker Ludwig Karpath lobte Siegfried Wagner die beiden Dirigenten, indem er schrieb, sie hätten sich zusammen mit dem Regisseur Spring »als Bayreuth-Schüler prächtig bewährt[198].« Da sie faktisch keine Bayreuth-Schüler waren, konnte Siegfried Wagner mit seiner Charakterisierung nur meinen, daß sie nach ihrer künstlerischen — und vermutlich auch politisch-weltanschaulichen — Einstellung den bei den Festspielen und im Hause Wahnfried herrschenden Grundsätzen und Vorstellungen entsprachen. Die Mitwirkung bei einer Veranstaltung des »Bayreuther Bundes der Deutschen Jugend« setzte eine deutlich konservative, ausgeprägt deutsch-nationale Haltung voraus. Siegfried Wagners Enthusiasmus für Hoeßlin und Elmendorff führte dazu, daß beide 1927 bei den Bayreuther Festspielen dirigierten.

1926 hatte Siegfried Wagner in einem Brief an die Frau von Fritz Busch erklärt, worin er die Aufgabe des Festspieldirigenten sah, und begründet, warum er Karl Muck

197 Z. v. Kraft, Der Sohn, a.a.O., S. 254.
198 Z. v. Kraft, Der Sohn, a.a.O., S. 264.

den Vorzug vor Fritz Busch, den er als Musiker zu schätzen schien, geben zu müssen meinte. (Vgl. S. 33) Er schrieb: »Wir müssen an leitenden Stellen Männer haben, die nicht bloss gute Musiker sind, sondern solche, die auch geistig unsre Sache zu vertreten wissen. Bayreuth ist eine hohe geistige Culturstätte, es handelt sich da nicht bloss um eine schöne Stimme, eine schöne Decoration etc. Es ist ein geschlossenes Ganzes, das nur dann seine Wirkung auf ein an Geistes- und Herzensbildung gleich starkes Publicum (und das ist das bayreuther Publicum, ein total anders zusammengestelltes, als das Abonnentenpublicum oder gar das grauenhafte Sensationspublicum einer modernen scheusslichen Opern-fausse-couche) ausüben wird, wenn die leitenden Männer von dieser Culturmission erfüllt sind. Und solch einer ist Dr. Muck[199].«

Konnte sich Hoeßlin darauf berufen, ein Schüler Felix Mottls zu sein, und galt Karl Elmendorff als vielversprechendes Kapellmeistertalent, so waren doch beide keine berühmten Dirigenten wie Furtwängler oder Toscanini, folglich als Anziehungspunkte für die Festspiele wenig geeignet. Die »Deutsche Allgemeine Zeitung« schrieb 1932, Bayreuth brauche eine »außergewöhnliche künstlerische Persönlichkeit«, die »eine über die Grenzen Europas hinaus wirkende Zugkraft ist[200].« Bayreuth mußte darauf bedacht sein, die Festspiele attraktiv zu erhalten. Starres Festhalten an Traditionen bzw. an dem, was man dafür hielt, war dazu ungeeignet, da — von Karl Muck und Siegfried Wagner abgesehen — die Persönlichkeiten fehlten, die die Authentizität verbürgen konnten. Die Festspiele brauchten neue Impulse, um der Gefahr zu entgehen, in Konventionen zu erstarren oder gar auf provinzielles Mittelmaß abzusinken. Die Frage, ob Franz von Hoeßlin und Karl Elmendorff in der Lage waren, diese Impulse zu geben und die Bayreuther Festspieltradition zu beleben, ist nicht eindeutig zu beantworten. Ein Indiz dafür, daß sie es nicht waren, könnte man darin erblicken, daß Siegfried Wagner für die Festspiele von 1930 Arturo Toscanini nach Bayreuth einlud, den berühmtesten Dirigenten der Zeit, und das gegen den massiven Widerstand derer, die meinten, am Pult des Bayreuther Festspielhauses dürfe kein Ausländer stehen, die deutsche Kunst Richard Wagners müsse deutschen Dirigenten vorbehalten bleiben. Als Fritz Busch 1924 vorgeschlagen hatte, Toscanini für 1925 nach Bayreuth zu verpflichten, hatte er zur Antwort bekommen, ein Ausländer passe nicht nach Bayreuth[201]. Siegfried Wagner, an dessen deutsch-nationaler Einstellung es keinen Zweifel gibt, entschloß sich schließlich im Interesse des Fortbestandes der Festspiele doch dazu, Toscanini, der darauf brannte, im Bayreuther Festspielhaus zu dirigieren, einzuladen. Die Einladung verfehlte ihr Ziel nicht. Toscanini erwies sich als »Publikumsmagnet[202].« Im Publikum wurden, wie Ernest Newman in der »Sunday Times« im August 1930 schrieb, sogar Stimmen laut, die im Hinblick auf 1931 mehr Aufführungen und mehr Befugnisse für Toscanini verlangten. Dem wurde freilich nicht entsprochen. Ob Siegfried Wagner, wäre er am Leben geblieben, Toscanini mehr Einfluß eingeräumt hätte, muß dahingestellt bleiben. Fest steht jedoch, daß im Winter 1930/1931 der Öffentlichkeit von der Verwaltung der Festspiele mitgeteilt wurde, ab 1933 übernehme Heinz Tietjen, der Generalintendant der Preußischen Staatstheater und nebenher auch Dirigent, die künstlerische und Wilhelm Furtwängler die musikalische Oberleitung der Festspiele. Damit wurden zwei für Bayreuth völlig neue Persönlichkeiten den bei den Festspielen bereits tätigen Dirigenten entgegengestellt. Der Eindruck, daß mit dieser Maßnahme vor allem einer größeren Einflußnahme Toscaninis ein Riegel vorgeschoben werden sollte, ist nicht zu verwischen.

[199] Siehe Anmerkung 145.
[200] »Was wird mit Bayreuth?«, Deutsche Allgemeine Zeitung, 22. 6. 1932.
[201] F. Busch, Aus dem Leben eines Musikers, a.a.O., S. 158.
[202] Z. v. Kraft, Der Sohn, a.a.O., S. 313.

Newman hatte in seinem Bericht geargwöhnt, die Deutschen würden es nicht zulassen, daß ein Ausländer bei den Bayreuther Festspielen eine leitende Position bekäme. Die »Deutsche Allgemeine Zeitung« schrieb 1932: »Ohne Frage bedürfen die Festspiele in der nächsten Zeit einer sehr starken und zielbewußten Führung; eine solche kann nur durch erfahrene Persönlichkeiten von unantastbarer Autorität und internationaler Geltung ausgeübt werden — wobei es sich wohl von selbst versteht, daß diese Persönlichkeiten *Deutsche* sein müssen[203].«

Nachdem es bereits 1930 unverkennbare Spannungen und Animositäten gegeben hatte, ausgelöst nach dem, was überliefert ist, auch durch Temperament und Verhaltensweise Toscaninis, kam es im Festspielsommer 1931 zum offenen Konflikt. Äußerer Anlaß für seinen Ausbruch war ein Konzert, das am 4. 8. 1931 zum Gedächtnis der im Jahr zuvor gestorbenen Cosima und Siegfried Wagner im Festspielhaus stattfand. Die Aufteilung der dabei aufgeführten Werke auf die Festspieldirigenten ließ keinen Zweifel daran, wer den Primat inne hatte. Das Konzert begann mit Wagners Faust-Ouvertüre, geleitet von Toscanini; dann folgten, unter der Leitung von Karl Elmendorff, Liszts Orpheus und das Vorspiel zu Siegfried Wagners Oper »Die heilige Linde«; im zweiten Teil dirigierte Wilhelm Furtwängler Beethovens Eroica. Während also Furtwängler, der zukünftige musikalische Oberleiter der Festspiele, das Hauptwerk des Konzerts leitete, fiel Toscanini der kleinste Anteil, die Ouvertüre, zu und das, obwohl er im Gegensatz zu Furtwängler, eine persönliche Beziehung zu Siegfried Wagner, zu dessen Gedächtnis das Konzert u. a. veranstaltet wurde, gehabt hatte. Toscanini mußte gekränkt sein, und es verwundert nicht, daß es bei der Generalprobe zu dem Konzert zum Eklat kam. Toscanini verließ demonstrativ das Podium und lehnte es ab, weiterzudirigieren. Dem Zuspruch verschiedener Personen, u. a. auch Furtwänglers, gelang es, Toscanini dazu zu bewegen, doch — wie vorgesehen — in dem Konzert mitzuwirken. Später gab Toscanini als Grund für sein Verhalten Mangel an Probenzeit an[204]; wie es scheint, fühlte er sich in diesem Punkt gegenüber seinen Kollegen zurückgesetzt. Es läßt sich nicht mehr feststellen, ob Toscaninis Klage berechtigt war oder nicht. Gewiß ist aber, daß von einer »Beeinträchtigung der künstlerischen Bewegungsfreiheit Toscaninis[205]« gesprochen wurde. Furtwängler freilich behauptete 1932 in einem Zeitungsartikel[206], davon könne nicht die Rede sein, und er erklärte diese Beeinträchtigung für ein Gerücht. Nach Furtwänglers Darstellung wurden »Programm, Anzahl und Zeiten der Proben im Einverständnis mit Toscanini und nach seinem Wunsch festgesetzt«, was denn doch sehr unwahrscheinlich klingt, zumal Furtwängler die Erklärung für das »Zerwürfnis zwischen Toscanini und Bayreuth«, das er nicht leugnen konnte, in seinem Artikel gänzlich schuldig blieb. Daß allein der »unglückselige Zwischenfall« bei der Generalprobe des Gedächtniskonzerts, den Furtwängler als einziges mögliches Motiv anführte und den er — bezeichnenderweise — ohne jede eingehendere Erklärung ließ, zu Toscaninis Zerwürfnis mit Bayreuth geführt haben soll, ist unglaubwürdig und wird durch Toscaninis eigene Aussagen Eva Chamberlain gegenüber widerlegt. Diese leider nur indirekt, in einem Brief Eva Chamberlains an Heinz Tietjen überlieferten Klagen betreffen den schon erwähnten Mangel an Probenzeit für das Gedenkkonzert, vor allem aber folgende fünf Punkte: Toscanini beklagte, daß erstens keine Beratung mit ihm in der Frage des für 1931 zu engagierenden weiteren Dirigenten (Furtwängler) stattgefunden hatte; daß zweitens Furtwängler öffentlich als musikalischer Oberleiter der

203 »Was wird mit Bayreuth?«, a.a.O.
204 Brief Eva Chamberlains an Heinz Tietjen vom 21. 8. 1931, RWG.
205 W. Furtwängler, Um Bayreuths Zukunft, Vossische Zeitung, Berlin, 28. 6. 1932. Abend-Ausgabe.
206 Ebda.

Festspiele angekündigt worden war; daß drittens keine über das Musikalische hinausgehende Einflußnahme geduldet zu werden schien — Bemerkungen Toscaninis über szenische Inkorrektheiten im Parsifal blieben unbeachtet —; daß viertens kein Kontakt zur Festspielleitung d. h. zu Winifred Wagner bestand, und daß fünftens die Festspielleitung ihn nicht gegenüber der Presse, durch die er sich, wie es scheint, angegriffen fühlte, unterstützte[207]. Auch wenn man die Mitteilungen dieses Briefes mit Rücksicht darauf liest, daß zwischen Eva Chamberlain und Winifred Wagner erhebliche Differenzen bestanden, und Eva Chamberlain vorbehaltlos die Partei Toscaninis vertrat, den sie sehr verehrte — das gleiche gilt für ihre Stiefschwester Daniela Thode —, dann bleiben immer noch genügend stichhaltige Gründe für Toscaninis Verärgerung übrig. Allem Anschein nach hatte Toscanini tatsächlich, wenn auch nicht offen ausgesprochen, den Anspruch auf mehr künstlerischen Einfluß erhoben, den Ernest Newman in seinem zitierten Bericht als Votum eines Teils des Publikums erwähnte. Toscanini mochte sich dabei allgemein auf sein großes Renommé berufen und auf seinen Enthusiasmus für Wagner und sein Werk sowie auf seine besondere Verehrung für die Festspiele und Haus Wahnfried. Insbesondere aber nach dem großen Erfolg seiner Mitwirkung bei den Festspielen von 1930 konnte er sich für legitimiert halten, an der zukünftigen Gestaltung der Festspiele einflußreich mitzuwirken. Vor diesem Hintergrund muß das Verhalten, dem Toscanini bei den Festspielen 1931 begegnete, den Eindruck erwecken, als sollte eine größere Einflußnahme durch ihn verhindert werden. Daß insbesondere die Berufung Tietjens und Furtwänglers für ihn eine Kränkung bedeutete, leuchtet ein; denn Toscanini sollte als der ältere, noch durch Siegfried Wagner berufene und durch seinen Bayreuther Erfolg von 1930 ausgewiesene Dirigent sich der musikalischen Oberleitung Wilhelm Furtwänglers anbequemen, der sehr viel jünger und in Bayreuth ein Neuling war.

Toscanini war nicht bereit, länger bei den Bayreuther Festspielen mitzuwirken. Er schrieb einen Abschiedsbrief an Winifred Wagner, aus dem zwei Sätze, zumindest sinngemäß, durch die Presse gingen. Sie lauteten in der Version der Vossischen Zeitung: »Ich verlasse Bayreuth, angewidert und erbittert. Ich kam dorthin mit dem Gefühl, mich einem wahren Heiligtum zu nähern, und ich verließ ein banales Theater[208].«

Machen die Tatsachen auch den unmißverständlichen Eindruck, daß die Bereitschaft, Toscanini mehr Einfluß in der künstlerischen Gestaltung der Festspiele einzuräumen, ihm jenen Einfluß zu gestatten, der seiner künstlerischen Potenz und seinem Ansehen entsprochen hätte, nicht bestand, so sollte er doch andererseits Festspieldirigent bleiben. An sein Ausscheiden dachte die Festspielleitung gewiß nicht. Furtwängler schrieb in dem zitierten Artikel 1932: »ich war stets der Ansicht, daß Toscanini Bayreuth erhalten bleiben müsse«[209], und Heinz Tietjen erklärte 1931, daß alles daran gesetzt werden müsse, »den gottbegnadeten Maestro für Bayreuth wiederzugewinnen[210].« Zahlreiche aufwendige Versuche — meist mit Daniela Thode als Mittlerin — wurden unternommen, Toscanini für die Festspiele von 1933 nach Bayreuth zurückzuholen. Tietjen sprach davon, daß er »nie anders als mit ausschlaggebender Mitarbeit Toscaninis rechne«[211], und Winifred Wagner erklärte sich zur Versöhnung bereit, da Toscaninis Wirken in Bayreuth »das größte Vermächtnis Siegfrieds«[211] bedeute. Augenscheinlich sollte Tosca-

[207] Brief Eva Chamberlains an Heinz Tietjen vom 21. 8. 1931, RWG.
[208] Vossische Zeitung, Berlin, 19. 6. 1932. Nach Daniela Thode lautete die Passage, abgekürzt: »da er glaubte, in einen Tempel gekommen zu sein und in ein ganz gewöhnliches Theater geraten sei«, Bayreuth seit 1930, handschriftliches Manuskript, RWG.
[209] W. Furtwängler, Um Bayreuths Zukunft, a.a.O.
[210] Brief an Eva Chamberlain vom 12. 9. 1931, RWG.
[211] Brief an Daniela Thode vom 4. 2. 1932, RWG.

nini nun mehr Einflußnahme zugebilligt werden. Die Rückkehr Toscaninis war für die Festspiele im übrigen auch deshalb besonders wichtig, weil Furtwängler 1932, noch bevor er sein Amt als musikalischer Oberleiter der Festspiele aktiv übernahm, von dieser Position zurücktrat, für 1933 also gleich zwei namhafte Dirigenten ausfielen, mit deren Anziehungskraft man gerechnet hatte. Toscanini scheint sich zunächst ablehnend verhalten zu haben, zumindest war er unschlüssig, ob er zurückkehren sollte oder nicht. Dann scheint er den Bitten nachgegeben zu haben. Nach einer Pressemeldung vom 19. 6. 1932 sagte Toscanini für 1933 die Leitung der Meistersinger und des Parsifal zu[212], und bis zum Juni 1933 war in der Presse immer erneut die Rede von Toscaninis Mitwirkung bei den Festspielen von 1933. Schließlich sagte Toscanini aber doch ab.

Es duldet keinen Zweifel, daß Toscaninis Absage politische Gründe hatte. Die Tatsachen sprechen dagegen, daß es die enttäuschenden Erfahrungen des Festspieljahres 1931 oder private Differenzen mit dem Hause Wahnfried gewesen wären, die zu Toscaninis Entscheidung geführt hätten, wie bisweilen behauptet wird. Nach der Darstellung Friedelind Wagners, Winifred und Siegfried Wagners ältester Tochter, erhielt Winifred Wagner Anfang April 1933 von Toscanini die Nachricht, »that he could not return to Bayreuth after the treatment his Jewish colleagues had received in Germany[213].« Vorausgegangen war die Kampagne gegen Juden und andere den Nationalsozialisten nicht genehme Personen, die ihren ersten Höhepunkt in einem allgemeinen Boykott am 1. 4. 1933 hatte. Im Bereich des Musiklebens kulminierte die nationalsozialistische »Reinigungsaktion« im Verbot und in der Verhinderung von Konzerten Bruno Walters und Otto Klemperers[214]. Insbesondere die Vorgänge um Bruno Walter erregten weltweites Aufsehen, und es steht außer Frage, daß Toscanini auf diese Affäre mit seiner Absage reagierte[215]. Nach Friedelind Wagner schaltete Winifred Wagner sogleich Adolf Hitler ein, der zunächst ein Telegramm, dann einen Brief an Toscanini gesandt haben soll. Die Antwort darauf ist erhalten. Toscanini schrieb am 29. 4. 1933 u. a.: »You know how closely I feel attached to Bayreuth and what deep pleasure it gives me to consecrate my ›something‹ to a genius like Wagner whom I love so boundlessly. Therefore it would be a bitter disappointment to me if any circumstances should interfere with my purpose to take part in the coming Festival Plays, and I hope that my strength, which the last weeks here taxed severely, will hold out[216].« Es verwundert, daß in diesem Brief nicht von Absage gesprochen, vielmehr so getan wird, als sei Toscaninis Mitwirkung bei den Bayreuther Festspielen 1933 eine Selbstverständlichkeit. Der Hinweis freilich auf »Umstände«, die diese Mitwirkung verhindern könnten, mußte für Hitler unmißverständlich sein; denn zur gleichen Zeit richteten in den USA lebende

[212] Vossische Zeitung, Berlin, 19. 6. 1932.
[213] F. Wagner und P. Cooper, Heritage of Fire. The Story of Richard Wagner's Granddaughter, New York—London 1945, S. 88.
[214] Am 16. 3. 1933 war ein Konzert des Leipziger Gewandhausorchesters, das unter der Leitung von Bruno Walter stehen sollte, vom Sächsischen Ministerium des Innern ohne Begründung verboten worden (vgl. die Meldung in der Deutschen Allgemeinen Zeitung vom 17. 3. 1933). Von der Leitung der für den 19. und 20. 3. angesetzten Konzerte in der Berliner Philharmonie mußte Walter massiver Drohungen wegen zurücktreten (B. Walter, Thema und Variationen. Erinnerungen und Gedanken, Frankfurt/M 1960, S. 389 f. — Vgl. das Interview mit Hans Hinkel, dem Preußischen Landesführer des nationalsozialistischen Kampfbundes für deutsche Kultur in der Deutschen Allgemeinen Zeitung am 6. 4. 1933). Walter verließ danach Deutschland. Ebenfalls im März 1933 wurde Otto Klemperer an der Durchführung von Konzerten gehindert (Gespräche mit Klemperer, geführt und hg. v. P. Heyworth, Frankfurt/M. 1974, S. 123 f.).
[215] Vgl. die Darstellung in »Bayreuth im Dritten Reich«, Hamburg 1933, S. 30.
[216] RWG.

Musiker, an ihrer Spitze Toscanini[217], ein offizielles Schreiben an Hitler, in dem sie gegen die Behandlung jüdischer und anderer Musiker in Deutschland protestierten[218]. Toscanini machte seine Mitwirkung in Bayreuth — wie es scheint — von der Reaktion Hitlers auf diesen Protest abhängig. Der freundliche Ton und die verklausulierte Ausdrucksweise seines Briefes hatten den Sinn, eine vorzeitige negative Entscheidung auszuschließen; denn augenscheinlich war Toscanini sehr daran gelegen, bei den Bayreuther Festspielen zu dirigieren. Seine freilich höchst unrealistische Hoffnung, durch den Protest so etwas wie die Wiederherstellung der früheren Verhältnisse im deutschen Musikleben zu erreichen, erfüllte sich nicht. Toscanini war Hitler selbstverständlich nicht so wichtig, daß er seinetwegen und um seiner Mitwirkung bei den Bayreuther Festspielen willen auf die Durchsetzung seiner antisemitischen Politik verzichtet hätte. Die Kampagne gegen jüdische Musiker ging weiter. Toscanini sagte deshalb Ende Mai endgültig ab. Sein Brief vom 28. 5. 1933 an Winifred Wagner lautet: »Gli avvenimenti dolorosi che hanno ferito il mio sentimento d'uomo e d'artista non hanno finora subito, contro ogni mia speranza, alcun cambiamento. È mio dovere quindi di rompere oggi il silenzio imposto mi da due mesi ed avvertirvi che per la mia tranquillità, la vostra e di tutti, è meglio non pensare più alla mia venuta a Bayreuth[219].«

Man geht nicht fehl, wenn man annimmt, daß das Engagement Toscaninis 1930 von Einfluß auf den Rücktritt Karl Mucks gewesen ist. Abgesehen davon, daß es schwerfällt zu glauben, Muck sei mit der Berufung Toscaninis voll und ganz einverstanden gewesen — nach Friedelind Wagners Behauptung versuchte Muck, Toscaninis Engagement zu verhindern[220] —, scheinen Toscaninis Tannhäuser- und Tristan-Aufführungen Mucks Parsifal-Interpretation derart in den Hintergrund des Interesses gedrängt zu haben, daß Muck — bis dahin die ebenso führende wie prägende Persönlichkeit unter den Dirigenten der Festspiele — notwendig das Gefühl bekommen mußte, überflüssig zu sein. Im Brief an Eva Chamberlain vom 13. 4. 1931 steht der vieldeutige Satz: »Ich sah, daß unter den Menschen, die auftauchten, noch bevor Siegfried die Augen geschlossen hatte, kein Platz mehr für mich war[221].« Daß Muck sich hinsichtlich seiner eigenen Aufführungen durch Toscaninis Mitwirkung beeinträchtigt fühlte, veranschaulicht ein Brief an Siegfried Wagner, geschrieben am 14. 7. 1930, in dem Muck darum bat, nicht auch noch auf den Sänger Graarud als Parsifal verzichten zu müssen: »Ich will alle bitteren Commentare zur heurigen Probenzeit ungesagt sein lassen; aber — in aller Güte und Freundschaft —: wenn Du Graarud aus dem ›Parsifal‹ nimmst, so bin ich gerne bereit, mit Elmendorff den ›Parsifal‹ durchzugehen und dann ganz still zu verschwinden[222].« Augenscheinlich wurde alles getan, um Toscaninis Aufführungen mit guten oder den besten Sängern zu versehen, und dabei scheute man auch nicht davor zurück, sie den anderen Dirigenten wegzunehmen. Ernst Schliepe schrieb 1932 unter der Überschrift »Was wird mit Bayreuth?«: »Ohne die augenfällige — auch persönliche — Bevorzugung Toscaninis wären manche Mißhelligkeiten nicht eingetreten, wäre auch vielleicht Karl *Muck* Bayreuth erhalten geblieben[223].« In den folgenden Jahren wurde Mucks Fehlen bei den Festspielen wiederholt bedauert. In der Zeitschrift »Die Musik« hieß es noch 1939, Karl Muck sei noch nicht ersetzt[224], obwohl nach Mucks Ausscheiden mit Furt-

217 H. Taubman, Toscanini. Das Leben des Maestro, Bern 1951, S. 211.
218 Zeitschrift für Musik, Mai 1933, S. 528.
219 RWG.
220 F. Wagner und P. Cooper, Heritage of Fire, a.a.O., S. 55.
221 RWA.
222 RWA.
223 Deutsche Allgemeine Zeitung, 22. 6. 1932.
224 Die Musik, Oktober 1939, S. 28.

wängler und Toscanini die bedeutendsten und anerkanntesten Dirigenten der Zeit am Pult des Festspielhauses gestanden hatten. Der Rücktritt Karl Mucks war mehr als das bloße Ausscheiden eines Festspieldirigenten; er bezeichnete das Ende einer Epoche.

Im Jahre 1922, als es um die Berufung der Dirigenten für die Wiedereröffnung der Festspiele nach dem 1. Weltkrieg ging, hatte Karl Muck — nachdem Arthur Nikisch, den man hatte einladen wollen, gestorben war — deutlich gegen Furtwängler Stellung bezogen[225]. Dann scheint er seine Meinung geändert zu haben. Drei Jahre später nämlich, als Fritz Busch absagte, war es nach seiner eigenen Aussage ebenfalls Muck, der Furtwängler als Nachfolger Buschs vorschlug[226]. Furtwängler war jedoch — nach Muck — nicht bereit einzuspringen, und so dirigierte Muck selbst die Meistersinger-Aufführungen des Jahres 1925. Nach Mucks Mitteilung war wiederum er es, der im September 1930 — nach dem Tode Siegfrieds — im Interesse der Zukunft der Festspiele für die Berufung Furtwänglers plädierte[226]. Dabei mag allerdings auch mitgespielt haben, daß Muck um eine allzu große Einflußnahme durch Toscanini besorgt war.

Als Furtwängler die musikalische Oberleitung der Festspiele übertragen wurde, war er der wohl berühmteste deutsche Dirigent. Sein Name war gewiß von ähnlicher Anziehungskraft wie der Toscaninis, und das Festspieljahr 1931 konnte als besonderer Höhepunkt in der Festspielgeschichte gelten, da Furtwängler und Toscanini, zwei der berühmtesten Dirigenten überhaupt, gemeinsam dabei mitwirkten. Diese Gemeinsamkeit war von kurzer Dauer, da Toscanini — wie erwähnt — bereits im September 1931 absagte, und Furtwängler im Sommer 1932 von seinem Amt als musikalischer Oberleiter der Festspiele vorzeitig zurücktrat. Furtwängler begründete seinen Schritt in einem Artikel »Um Bayreuths Zukunft«, der am 28. 6. 1932 in der Vossischen Zeitung in Berlin erschien. Nach Furtwänglers Darstellung beanspruchte Winifred Wagner, im Widerspruch zu den ursprünglichen Vereinbarungen, »in künstlerischen Dingen jeder Zeit die *letzte Entscheidung*«, die Furtwängler ihr zuzugestehen jedoch nicht bereit war. Er sah keine Basis für seine Arbeit, da seine »Verantwortung als Musiker« durch »einseitigen Machtspruch einer Persönlichkeit, die in musikalischen Dingen kein Fachmann« sei, »jeder Zeit illusorisch gemacht werden« könne. Furtwängler hatte schon vor Beginn der Festspiele von 1931 zurücktreten wollen, da die Differenzen zwischen seinen Vorstellungen und der Festspielwirklichkeit groß und nicht zu überbrücken waren[227]. In einem Brief an seinen Freund Ludwig Curtius schrieb Furtwängler aus Bayreuth: »Ob und wieweit ich auf die Dauer hier mitmache, ist mir inzwischen problematisch geworden. Wie überall, so spielen auch hier die besonderen menschlichen Verhältnisse eine übergroße Rolle[228].«

Nach dem, was bekannt ist, wurde kein Versuch unternommen, Furtwängler — nach seiner Absage vom Juni 1932 — umzustimmen oder, wenn es schon nicht möglich war, ihn erneut zur Übernahme der musikalischen Oberleitung zu bewegen, ihn wenigstens als Dirigenten einiger Aufführungen für 1933 zu gewinnen. Das geschah vermutlich nicht zuletzt mit Rücksicht darauf, daß Toscanini für die Festspiele von 1933 wiedergewonnen werden sollte. Es mußte alles unterbleiben, was Toscaninis Engagement hätte gefährden können. Nachdem sich Toscanini darüber beklagt hatte, in der Frage des für 1931 heranzuziehenden weiteren Dirigenten seinerzeit nicht konsultiert worden zu sein, mußte vermieden werden, seinen Unwillen erneut zu erregen; Furtwängler aber dürfte in dieser Hinsicht ein besonders heikler Name gewesen sein. Furtwängler scheint indes-

225 Vgl. den zitierten Brief an Siegfried Wagner vom 25. 8. 1922.
226 Brief an Eva Chamberlain vom 13. 4. 1931, RWA.
227 B. Geissmar, Musik im Schatten der Politik. Erinnerungen, Zürich 1945, S. 76.
228 W. Furtwängler, Briefe, hg. v. F. Thiess, Wiesbaden 1965, S. 74.

sen auch nicht gefragt worden zu sein, nachdem Toscanini abgesagt hatte. Vielleicht geht man zu weit, wenn man vermutet, daß dabei die politischen Umstände von Einfluß gewesen sind. Am 12. 4. 1933 war in der »Deutschen Allgemeinen Zeitung« ein Brief Furtwänglers an den Minister für Propaganda und Volksaufklärung Joseph Goebbels veröffentlicht worden, in dem Furtwängler kritisierte, daß »der Trennungsstrich zwischen *Juden* und *Nichtjuden*, auch wo die *staatspolitische Haltung* der Betreffenden *keinen Grund* zu klagen gibt, mit geradezu theoretisch unerbittlicher Schärfe gezogen wird«. Furtwängler wollte demgegenüber nur den Trennungsstrich »*zwischen guter und schlechter Kunst*« anerkennen. Er schrieb: »Es muß deshalb klar ausgesprochen werden, daß Männer wie *Walter*, *Klemperer*, [Max] *Reinhardt* usw. auch in Zukunft in Deutschland mit ihrer Kunst zu Worte kommen können müssen.« Zugleich mit der Veröffentlichung des Furtwängler-Briefes wurde eine Entgegnung verbreitet, in der Joseph Goebbels Furtwängler in ebenso höflich-vorsichtiger wie bestimmter Weise widersprach. Goebbels stellte, wenn auch verklausuliert und in verbindlich-freundlichem Ton, Furtwängler als einen Künstler hin, der zu Unrecht unpolitisch sei und die Zeichen der Zeit nicht erkannt habe. Die Rüge fiel zwar vergleichsweise milde aus, — vermutlich weil es sich um den repräsentativsten deutschen Dirigenten handelte, den zu verlieren sich das nationalsozialistische Regime nach der Bruno Walter-Affäre nicht leisten konnte —, sie dürfte jedoch deutlich genug gewesen sein, um Furtwängler als politisch unzuverlässig erscheinen zu lassen[229]. In dieser Situation hielt man es in Bayreuth möglicherweise nicht für ratsam, Furtwängler um seine Mitwirkung bei den Bayreuther Festspielen zu bitten, und damit das Risiko einer Belastung des freundschaftlichen Verhältnisses zwischen dem Hause Wagner und Adolf Hitler einzugehen.

Furtwängler blieb zunächst unzuverlässig. Er war nicht bereit, sich den kulturpolitischen Forderungen des nationalsozialistischen Staates bedingungslos zu fügen. Zeugnis dessen ist sein Artikel zur Verteidigung Paul Hindemiths, der am 25. 11. 1934 in der »Deutschen Allgemeinen Zeitung« in Berlin erschien[229a]. Die Konsequenz der darauf folgenden Auseinandersetzung mit Goebbels und Hitler war Furtwänglers Rücktritt von seinen Ämtern, als Leiter des Berliner Philharmonischen Orchesters, als Direktor der Berliner Staatsoper, als Vizepräsident der Reichsmusikkammer. Das geschah Anfang Dezember 1934[230]. Bis Ende April 1935 dirigierte Furtwängler nicht. Seinem Wiederauftreten als Dirigent am 25. 4. 1935 in einem Konzert des Berliner Philharmonischen Orchesters gingen eine Besprechung mit Goebbels am 28. 2. und ein Gespräch mit Hitler am 10. 4. in der Reichskanzlei voraus. In der Märznummer der Zeitschrift »Die Musik« wurde unter der Überschrift »Furtwängler bedauert« als Resultat der Besprechung mit Goebbels mitgeteilt: »Dr. Furtwängler erklärte, daß er seinen bekannten *Artikel über Hindemith* vom 25. November 1934 als musikalischer Sachverständiger lediglich in der Absicht geschrieben habe, eine *musikalische Frage* vom Standpunkt der Musik aus zu behandeln. Er *bedauere* die Folgen und Folgerungen politischer Art, die an seinen Artikel geknüpft worden seien, um so mehr, als es ihm völlig ferngelegen habe, durch diesen Artikel in die Leitung der Reichskunstpolitik einzugreifen, die auch nach seiner Auffassung selbstverständlich *allein vom Führer und Reichskanzler* und dem von ihm beauftragten Fachminister bestimmt würde[230a]. «Furtwängler strebte die vollständige Trennung von Kunst und Politik an. Das scheint er auch in dem Gespräch mit Hitler, über dessen Inhalt nichts bekannt ist, deutlich gemacht zu haben; denn danach erklärte er sich bereit, seine Tätigkeit als Dirigent wiederaufzunehmen, unter der Bedingung, kein

---

[229] Vgl. die Zuschrift »Hier irrt Furtwängler!« in der »Zeitschrift für Musik«, Juni 1933, S. 625.
[229a] Der Fall Hindemith.
[230] Am 6. 12. 1934 meldete die Deutsche Allgemeine Zeitung: »Furtwängler zurückgetreten«.
[230a] Die Musik, März 1935, S. 437.

öffentliches Amt mehr bekleiden zu müssen. In seiner Rechtfertigung vor der Berliner Spruchkammer gab Furtwängler 1947 folgende Darstellung: »Ich stellte die Bedingung — sie wurde auch akzeptiert —, daß ich nur noch als freier unpolitischer Künstler tätig sei. Ich bin seit dieser Zeit keinerlei vertragliche Bindungen mit dem Staat mehr eingegangen, ich habe keine Stellung mehr angenommen. Ich war nur noch als Gast tätig, ohne jedes Amt[231].« Wahrscheinlich glaubte Furtwängler, auf diese Weise der Gefahr, mit dem nationalsozialistischen Staat identifiziert zu werden, entgehen zu können. Als nach der Wiederholung des Konzerts vom 25. 4. der anwesende Adolf Hitler Furtwängler vor dem Publikum die Hand reichte, meinte Furtwängler vermutlich, das lediglich als Ausdruck des Danks eines begeisterten Zuhörers verstehen zu dürfen. Daß dieser Zuhörer der erste Repräsentant des nationalsozialistischen Staates war, dürfte ihm daneben gänzlich unwichtig gewesen sein. Ungeachtet aber der Einschätzung der Angelegenheit durch Furtwängler selbst erschien das Bild dieses Handschlags in zahlreichen Zeitungen und wurde allgemein als Zeichen der Aussöhnung Furtwänglers mit dem Regime aufgefaßt. Im gleichen Sinne hatte im übrigen auch schon der Text des Kommuniqués der Besprechung mit Goebbels gewirkt. An dem Eindruck dieser Aussöhnung war dem nationalsozialistischen Staat sehr gelegen. Furtwängler als bedeutendster und berühmtester Repräsentant der deutschen Musik war innen- wie außenpolitisch von Nutzen, wenn er in Deutschland blieb und an repräsentativer Stelle in Deutschland dirigierte. Zu diesen repräsentativen Orten gehörte vor allem Bayreuth. Schon im Juli 1932, kurze Zeit nach Furtwänglers Rücktritt von der musikalischen Oberleitung der Festspiele, hatte Hitler in einem Gespräch mit Furtwängler in Berlin erklärt, Furtwängler »müsse unbedingt nach Bayreuth zurückkehren[232].« Unmittelbar nach der erwähnten Unterredung mit Hitler am 10. 4. 1935 kam es zur Einladung Furtwänglers nach Bayreuth[233], eine Berufung, die sich nicht nur auf das Jahr 1936, sondern auf mehrere Jahre bezog. Furtwängler nahm die Einladung an, vermutlich in dem Glauben, daß die Stätte Richard Wagners nicht die Stätte Adolf Hitlers sein könne. Die Festspiele von 1936 standen indessen mehr als die vorangegangenen und die folgenden im Licht der Öffentlichkeit; denn sie waren unzweideutig auf die Olympischen Spiele in Berlin bezogen, die sie — in zwei Abschnitte aufgeteilt — umrahmten. Sie repräsentierten das kulturelle Deutschland im Dritten Reich, so wie die Olympischen Spiele das sportliche. Furtwänglers Mitwirkung gab den Festspielen das besondere Renommé, zumal in keinem Festspielsommer so viele Aufführungen von ihm dirigiert wurden wie in diesem. Hitler und die Spitzen des nationalsozialistischen Staates wohnten den Aufführungen bei, als Repräsentanten dieses Staates, als solche auftretend, als solche behandelt, und nicht etwa als private Festspielbesucher. Ein Unbehagen an der Situation mag Furtwängler gespürt haben. 1937 schrieb er aus Bayreuth: »Es war nicht möglich, diesem nochmaligen Bayreuther Sommer auszuweichen[234].« 1947 deutete Furtwängler an, daß auch Druck auf ihn ausgeübt worden sei. In der Rechtfertigung vor der Berliner Spruchkammer sagte er: »Den Versuchen, meine Kunst zu Zwecken der Nazipropaganda politisch mißbrauchen zu lassen, habe ich äußerste Widerstände entgegengesetzt, soweit dies im autoritären Staat überhaupt möglich war. Zwei erzwungenen offiziellen Veranstaltungen innerhalb Deutschlands im Verlauf der letzten zehn Jahre stehen über 60 Absagen gegenüber[235].« Zu welchen Veranstaltungen Furtwängler gezwungen worden ist, wissen wir

231 K. Höcker, Wilhelm Furtwängler. Dokumente, Berichte und Bilder, Aufzeichnungen, Berlin 1968, S. 96.
232 C. Riess, Furtwängler. Musik und Politik, Bern 1953, S. 129.
233 Vgl. Furtwänglers Brief an seine Mutter vom 7. 5. 1935, Briefe, a.a.O., S. 81.
234 Briefe, a.a.O., S. 92.
235 K. Höcker, Wilhelm Furtwängler. Dokumente . . ., a.a.O., S. 96.

nicht. Fest steht nur, daß er nach 1936 und 1937 in den Jahren 1943 und 1944 erneut bei den Bayreuther Festspielen mitwirkte. Er rechtfertigte das später (1947) mit zwei Argumenten. Das erste lautete: »Die Sorge, vom Nationalsozialismus für seine Propaganda mißbraucht zu werden, mußte für mich zurücktreten vor der größeren Sorge, die deutsche Musik, soweit es ging, in ihrem Bestand zu erhalten, mit deutschen Musikern für deutsche Menschen weiterhin Musik zu machen[236].« Das zweite Argument beschrieb Furtwängler folgendermaßen: »Es ist die politische Funktion der Kunst — gerade in unserer Zeit —, überpolitisch zu sein. Wenn ich daher als nicht-politischer, überpolitischer Künstler in Deutschland blieb, so habe ich schon dadurch aktive Politik gegen ein System getrieben, das nur eine zum Mittel der Politik degradierte Kunst anerkannte[237].«

Furtwängler sah die Zeit, in der er lebte, als Endzeit, als Zeit des Niedergangs der deutschen Kultur[238], und er mochte sich gleichsam als Kapitän des sinkenden Schiffes betrachten, dessen Ehre und Pflicht es ist, das Schiff nicht zu verlassen, mit ihm zugrunde zu gehen. Furtwängler schrieb 1946 an seinen Freund Ludwig Curtius: »wenn ich — im Vergleich eben mit Dir — einem Deutschtum und Menschentum angehöre, das zu Grunde geht oder schon gegangen ist, so ist das eben nicht zu ändern[239].« Furtwängler sah keinen Weg, dem zu entgehen, dem entgegenzuwirken. Emigration und Auslandsarbeit erschienen ihm untauglich, wenn nicht gar als Verrat. Ausübung der Kunst im Lande selbst dagegen faßte er als Akt der Rettung, zumindest der Linderung, auf. Die Kunst, die er als Manifestation der Humanität ansah, war ihm a priori ein Gegner jeder Diktatur, ein Feind aller Unmenschlichkeit; ihre Ausübung verstand er als Opposition[240]. Als total verinnerlichte mußte diese freilich politisch wirkungslos bleiben. Wirksam dagegen, wenn auch nur äußerlich, war die Verbindung der Kunstausübung mit dem nationalsozialistischen Staat, dem der Schein für seine Propaganda genügte. Für die Öffentlichkeit repräsentierte Furtwängler nicht nur die deutsche Musik, sondern ebenso sehr deren Pflege im Dritten Reich. Insbesondere sein Wirken in Bayreuth mußte in diesem Sinne aufgefaßt werden. Ungeachtet seiner eigenen Einstellung, die gewiß eher die der Opposition als die des Einverständnisses war, konnte Furtwängler nicht verhindern, daß er mit dem nationalsozialistischen Staat identifiziert wurde, daß ihm vorgeworfen wurde, er habe durch seine Tätigkeit an einer vom herrschenden Regime besonders herausgestellten Institution, wie es die Bayreuther Festspiele im Dritten Reich waren, zwangsläufig dieses Regime bestätigt und zu seinem Fortbestand beigetragen.

Furtwängler, der nach der Aussage seiner langjährigen Sekretärin Berta Geissmar »zu dem Festspielhügel wie zur Gralsburg[241]« aufgesehen haben soll, hatte dennoch im Unterschied zu Karl Muck, und der Bayreuther Tradition, von der sich auch Toscanini in diesem Punkt nicht unterschied, eine eher kritisch zu nennende Einstellung zu Wagner und zu den Bayreuther Festspielen. In dem schon zitierten Brief aus dem Jahre 1931 an Ludwig Curtius schrieb Furtwängler — während der Festspiele — aus Bayreuth: »Ich muss auch selbst gestehen — gerade wie ich nun hier das alles so vor mir sehe — dass mir die

236 ebda.
237 ebda.
238 Briefe, a.a.O., S. 148.
239 Brief vom 16. 8. 1946, Briefe a.a.O., S. 148.
240 Das von Curt Riess mitgeteilte Gespräch zwischen Furtwängler und Toscanini 1937 in Salzburg, von dem freilich nicht sicher ist, ob es in dieser Form und mit diesem Inhalt stattgefunden hat, bestätigt diese Interpretation (C. Riess, Furtwängler, a.a.O., S. 225 f.). Vgl. auch B. Geissmar, Musik im Schatten der Politik, a.a.O., S. 333.
241 B. Geissmar, Musik im Schatten der Politik, a.a.O., S. 233.

Opposition gegen die Wagnerei — nicht gegen Wagner selber — nur allzu verständlich ist und dass bei aller ungeheuerlichen Genialität des Wagner'schen Werkes auch Elemente dabei sind, die sensible Naturen mit Notwendigkeit zu einer Art Gegenwehr zwingen. Insbesondere bei einer Theateraufführung, wo durch die Darstellung und das drum und dran das was Wagner eigentlich im Sinn hatte, oft bis zur Unkenntlichkeit entstellt wird. (Leider auch hier)[242].« Wie anders Furtwänglers Verhältnis zu Bayreuth war, geht auch aus einem Zeitungsartikel hervor, den Furtwängler unter dem Titel »Der verkannte Wagner« in der »Zeitschrift für Musik« während der Festspielzeit 1931 publizierte. Während dem Namen des Autors Furtwängler der Hinweis »z. Z. Bayreuth« folgte, kam der Name Bayreuths im Text selbst gar nicht vor. Stattdessen war zu lesen: »Es gibt augenblicklich wenig Sänger, die den Anforderungen Wagners gewachsen sind, wenig Dirigenten, die das natürliche Format für seine Werke besitzen (anerzogen kann das — leider — nicht werden) und verschwindend wenig Regisseure, die eine klare Vorstellung davon haben, worauf es im Wagnerschen Gesamtkunstwerk ankommt[243].« Dem Anspruch gegenüber, den die Bayreuther Festspiele bis dahin stets erhoben und die Mitwirkenden nie angezweifelt hatten, mußte diese Haltung despektierlich, wenn nicht feindselig erscheinen. Furtwänglers Artikel war alles andere als ein Zeugnis Bayreuther Gesinnung, wie sie von Karl Muck gelebt worden war und noch in Toscaninis äußerst devoter Einstellung zum Ausdruck kam. Furtwängler hatte denn auch seine Schwierigkeiten in Bayreuth. Bei der Verwirklichung seiner künstlerischen Ideen stieß er wiederholt auf Widerstände. Von Anbeginn an gab es Differenzen mit Heinz Tietjen, von denen freilich übereinstimmend behauptet wird, sie seien in der Verschiedenheit der Temperamente beider Künstler begründet gewesen[244]. Furtwängler lebte indessen nicht nur sein anders strukturiertes Temperament aus, sondern wollte die Bayreuther Festspielwirklichkeit im Sinne seiner Vorstellungen von der Art, wie die Werke Wagners aufzuführen seien, verändern. Nach Liselotte Schmidt, der Sekretärin Winifred Wagners, wollte er nach seinen eigenen Worten »eine musikalische Tradition in Bayreuth begründen[245].« Furtwängler meinte damit vermutlich das, was er später einmal mit dem Satz beschrieben hat: »Das ›Ganze‹ der Oper, ihre Struktur und ihr Sinn, wird aber durch die Musik bestimmt, der daher auch der Primat innerhalb der Oper zufällt[246].« Diese Einstellung widersprach der Festspieltradition und dem Bayreuther Stil diametral, grundsätzlich (vgl. das Kapitel über den Bayreuther Stil). Der Vorwurf, Furtwängler stelle alles auf den Kopf[247], hatte daher von Bayreuther Warte aus Berechtigung, und es fügt sich bruchlos ins Bild, daß Liselotte Schmidt im Festspielsommer 1936 feststellte: »Furtwängler macht uns viel Sorge und zerstört viel schöne Regiearbeit mit seiner willkürlichen Musiziererei[248].« Nach der Darstellung von Liselotte Schmidt wurde Furtwängler deswegen nach den Festspielen von 1937 »ausgebootet«: »Der Führer ist mit allem einverstanden und Frau Wagner kann sich also diesen Streich leisten. Damit wären wir wieder ein fremdes, störendes Element los und einen Schritt weiter zur Reinerhaltung Bayreuths[249]!« Die Kräfte, die dieser Reinerhaltung dienten, waren Heinz Tietjen, Karl Elmendorff und Franz von Hoeßlin, die sich augenscheinlich mehr als Furtwängler den

242 W. Furtwängler, Briefe, a.a.O., S. 74.
243 Zeitschrift für Musik, August 1931, S. 687.
244 B. Geissmar, Musik im Schatten der Politik, a.a.O., S. 159 — Z. v. Kraft, Der Sohn, a.a.O., S. 320/326.
245 Brief an die Eltern vom 2. 7. 1937, RWA.
246 O. Erhardt, Wilhelm Furtwängler als Operndirigent, in: Wilhelm Furtwängler im Urteil seiner Zeit, hg. v. M. Hürlimann, Zürich—Freiburg i. B. 1955, S. 236.
247 Brief L. Schmidts an ihre Eltern vom 2. 7. 1937, RWA.
248 Brief an die Eltern vom 10. 7. 1936, RWA.
249 Brief L. Schmidts an ihre Eltern vom 8. 10. 1937, RWA.

Maximen des Bayreuther Stils anpaßten und dem traditionellen Bild vom Festspieldirigenten entsprachen. Franz von Hoeßlin, der mit einer jüdischen Sängerin verheiratet war, mit ihr seit 1936 in Florenz lebte und im nationalsozialistischen Staat gewiß nicht zu den personae gratae zählte, wurde nach der Darstellung Winifred Wagners[250] sogar gegen den erklärten Willen des Regimes erneut nach Bayreuth berufen. Ähnlich Furtwängler scheint Hoeßlin seine Mitwirkung bei den Festspielen als unpolitischen Akt betrachtet zu haben. Darauf deutet jedenfalls eine Passage in einem Brief aus dem Jahre 1946, in dem Hoeßlin Winifred Wagner von dem Vorwurf der Konspiration mit dem Nationalsozialismus zu entlasten versuchte. Hoeßlin schrieb: »Alle müßten doch sehen, wie unendlich gut Du zu aller Welt warst, und wenn Du was verkehrt gemacht hast, hast Du's doch aus idealen Gründen zu tun geglaubt ... Die ganze Welt ist mitschuldig an dem, was geschehen ist[251].«

Die Berufung Heinz Tietjens nach Bayreuth war die Verpflichtung des mächtigsten und einflußreichsten Mannes im Bereich des deutschen Musik-Theaters jener Jahre. Seine Mitwirkung an leitender Stelle erschloß und sicherte den Festspielen den gesamten Fundus an Künstlern und technischem Personal, den Tietjen als Generalintendant der Preußischen Staatstheater leitete. Ob nach dem ursprünglichen Plan, der durch das vorzeitige Ausscheiden Furtwänglers durchkreuzt wurde, Tietjen in Bayreuth auch dirigieren sollte oder wollte, ist fraglich, läßt sich zumindest nicht eindeutig klären. Die Tatsache, daß neben ihm als künstlerischem Leiter Furtwängler als »musikalischer Oberleiter« verpflichtet wurde, deutet eher darauf, daß sein Auftreten als Festspieldirigent zunächst nicht vorgesehen war. Berufen wurde Tietjen jedenfalls nicht primär als Dirigent, sondern als Regisseur und künstlerischer Leiter der Festspiele. Daß er eine Einstellung zu Bayreuth und den Festspielen hatte, die an die Ergebenheit der Wagner-Schüler und der ihnen folgenden Generation erinnerte, dürfte seine Verpflichtung erleichtert haben. Schon 1908 hatte Tietjen nach der von ihm inszenierten und dirigierten Trierer Erstaufführung des Rings an Cosima geschrieben, daß es sein Herzenswunsch sei, in Bayreuth bei den Festspielen mitzuwirken[252]. Die Vorstellung von der Festspieltätigkeit als absolutem Gipfelpunkt der künstlerischen Arbeit kehrt später, in einem Brief an Eva Chamberlain, wieder, in dem Tietjen schrieb, »wie ehrenvoll und wie schön es sei, für Bayreuth seine ganze Kraft und Persönlichkeit einsetzen zu dürfen[253]«, und er fuhr fort: »Nur dort ist ewige Erneuerung, alles Andere aber ist vom Übel.«

Ein aus der Sicht der Festspieltradition und des Bayreuther Stils wesentlicher Gesichtspunkt mußte sein, daß Tietjen zugleich Dirigent und Regisseur war. Als solcher mußte er insbesondere für die Nachfolge Siegfried Wagners prädestiniert erscheinen. Das Vertrauen und die Hoffnung, die Winifred Wagner in Tietjen setzte, kommen in einem Brief zum Ausdruck, den sie am 4. 8. 1933 an Tietjen schrieb: »Als mir durch Siegfrieds Tod die ungeheure Last der Verantwortung für die Fortführung der Festspiele wurde, beschäftigte mich Tag und Nacht die eine brennende Frage: ›Wo finde ich den Kapellmeister-Regisseur, der imstande ist durch restlose Beherrschung der Partitur, der Dichtung und der Inszenierungsabsichten des Meisters die künstlerische Seele Bayreuths zu vertiefen? Wo finde ich den selbstlosen Helfer, um meiner Aufgabe gerecht werden zu können?‹ Sie, mein lieber Herr Tietjen, hatten bereits in jahrzehntelanger künstlerischer Arbeit bewiesen, daß Sie diese allseitige Befähigung zum Werk besitzen und die erste

250 Z. v. Kraft, Der Sohn, a.a.O., S. 308.
251 Brief vom 30. 6. 1946, Neue Zeitschrift für Musik, Mainz 1971, S. 6.
252 Brief vom 5. 3. 1908, Bayreuther Festspielführer 1936, S. 47 f.
253 Brief vom 12. 9. 1931, RWG.

Fühlungnahme mit Ihnen brachte die beglückende Erkenntnis, daß Sie nicht nur die künstlerischen Qualitäten besitzen, sondern auch die menschliche Größe haben, die erforderlich ist, um sich restlos *hinter* das Werk zu stellen und ihm zu dienen. Das Werden der diesjährigen Festspiele hat mir bestätigt, daß Sie der Berufene sind. Helfen Sie mir in treuer Zusammenarbeit weiter und führen Sie meinen Sohn Wieland allmählich seiner Lebensaufgabe zu: Der würdige Nachfolger seines Vaters im Dienst am Bayreuther Werk zu sein[254].« Dieser Brief, der geprägt ist vom Gedankengut des Bayreuther Stils wie der Bayreuther Gesinnung, wurde nach den Festspielen von 1933 im Faksimile veröffentlicht. Er war als Bekenntnis zu Tietjen gemeint. Vor diesem Hintergrund und natürlich ebenso angesichts der Tatsache, daß Tietjen der mächtige Generalintendant der Preußischen Staatstheater war, ist verständlich, warum die Differenzen, die zwischen Tietjen und Furtwängler im Temperament wie vor allem in den künstlerischen Zielen bestanden zu haben scheinen, zum Ausscheiden Furtwänglers und nicht zum Rücktritt Tietjens geführt haben. Tietjen nahm in der Folgezeit augenscheinlich auch direkten Einfluß auf die Auswahl der Dirigenten. Der Dirigent der Aufführungen des Fliegenden Holländers im Jahre 1942, Richard Kraus, z. B. wurde nach seinem eigenen Zeugnis von Tietjen nach Bayreuth eingeladen.

Nachdem Toscanini seine Mitwirkung für die Festspiele 1933 abgesagt hatte, bot sich Richard Strauss an, für Toscanini einzuspringen[255]. In den Jahren 1933 und 1934 dirigierte er den Parsifal, den er schon 1892 hatte leiten wollen. Dieses Einspringen stieß vor allem im Ausland auf Kritik, zumal Strauss es gewesen war, der das Berliner Konzert Bruno Walters vom 19. und 20. 3. 1933 anstelle Walters geleitet hatte. Strauss verteidigte sich gegen die Vorwürfe in einem Brief an seinen Textdichter Stefan Zweig: »Wer hat Ihnen denn gesagt, daß ich *politisch so weit* vorgetreten bin? Weil ich für [...] Bruno Walter ein Conzert dirigiert habe? Das habe ich dem Orchester zuliebe — weil ich für andern ›Nichtarier‹ Toscanini eingesprungen bin — das habe ich Bayreuth zuliebe getan. Das hat mit Politik nichts zu tun[256].« Nach den Festspielen von 1933 hatte Strauss auf einen Dankesbrief Winifred Wagners geantwortet: »meine bescheidene Hilfe für Bayreuth war nur ein ehrfurchtsvolles Tilgen der großen Dankesschuld, die ich dem großen Meister gegenüber im Herzen trage[257].« Strauss scheint der Meinung gewesen zu sein, Kunst und Politik seien zwei voneinander unabhängige Bereiche, deren Trennung nach Belieben vollzogen werden könne. Die Huldigung an Richard Wagner und die Bayreuther Festspiele, als welche er sein Einspringen für Toscanini verstand, fand indessen im Dritten Reich statt, dessen Repräsentanten offiziell den Aufführungen beiwohnten, und in einer Zeit, in der jüdische Musiker verfolgt wurden. Mochte Strauss sein Tun noch so sehr als »Tilgen einer Dankesschuld«, als Akt der Devotion gegenüber Richard Wagner von der Politik trennen, vor der Öffentlichkeit mußte er zwangsläufig als ein Mann erscheinen, der dem Appell an die Humanität, als welchen Toscanini seine Absage gemeint hatte, in den Rücken fiel.

* * *

Die Berichterstattung über die Festspieljahre seit 1951 hat ihre besonderen Probleme. Es gibt allgemein wenig Dokumente, da Absprachen und Vereinbarungen heute per Telephon, nicht mehr brieflich getroffen werden. Außerdem ist die jüngste Vergangenheit noch nicht Geschichte. Ihre Aktualität beeinflußt die Aussagen, befrachtet sie mit Rücksichtnahmen auf Personen wie auf die Institution der Festspiele allgemein. Urheber-

254 Bayreuth im Dritten Reich, Hamburg 1933, S. 13 (Faksimile).
255 F. Wagner und P. Cooper, Heritage of Fire, a.a.O., S. 92.
256 R. Strauss / S. Zweig, Briefwechsel, hg. v. W. Schuh, Frankfurt/M. 1957, S. 141 f.
257 Brief vom 23. 9. 1933, Der Strom der Töne trug mich fort, a.a.O., S. 347.

und Persönlichkeitsrecht sind zu beachten und verhindern die Veröffentlichungsfreigabe von Zeugnissen, die meist nicht einmal zugänglich sind.

Mehr noch als 1924 war die Wiedereröffnung der Bayreuther Festspiele nach dem 2. Weltkrieg ein Wagnis. Der unverkennbare Bruch mit der Tradition, wie ihn die Inszenierungen Wieland Wagners vollzogen, dürfte auch den Grund gehabt haben, sich im Interesse der damals keineswegs sicheren Zukunft der Bayreuther Festspiele von der unmittelbaren Vergangenheit — Bayreuth im Dritten Reich — deutlich und unmißverständlich zu distanzieren. Bezeichnend ist der Text eines Anschlags, der 1951 im Festspielhaus hing: »Im Interesse einer reibungslosen Durchführung der Festspiele bitten wir, von Gesprächen und Debatten politischer Art auf dem Festspielhügel freundlichst Abstand nehmen zu wollen. Hier gilt's der Kunst[258].« Die Wahl der Dirigenten für die ersten Festspieljahre scheint den Bruch mit der Vergangenheit zu bestätigen. Außer Furtwängler, dem allerdings zunächst sogar die Leitung der Festspiele angeboten wurde[259], trat niemand auf, der zuvor schon in Bayreuth dirigiert hatte und mit dem alten Bayreuth hätte identifiziert werden können. Radikal war der Bruch indessen nicht. Außer Furtwängler, der 1951 und 1954 Beethovens IX. Symphonie dirigierte, wurde 1959 Heinz Tietjen nochmals zum Lohengrin eingeladen, und im gleichen Jahr war Karl Elmendorff als Festspieldirigent im Gespräch, ohne allerdings noch einmal nach Bayreuth zurückzukehren. Ob, abgesehen davon, die Festspiele von 1951 musikalisch ein Neubeginn waren, erscheint zumindest in einer Hinsicht zweifelhaft. Hans Knappertsbusch, der 1951 Hauptdirigent war und 1959 von Wieland Wagner als »Chefdirigent der Bayreuther Festspiele seit 1951[260]« bezeichnet wurde, verstand sich als Hüter der Tradition und war weder fähig noch bereit, die Schritte mitzuvollziehen, die die Wagner-Enkel in ihren neuen Inszenierungen taten. Bezeichnend ist eine auch der Öffentlichkeit zugänglich gemachte Äußerung Knappertsbuschs über Bayreuth aus dem Jahre 1953: »Es gibt nur eine Möglichkeit, die Größe und die deutsch-kulturelle Bedeutung Bayreuths und seiner Festspiele zu erhalten — und diese liegt in der Reinhaltung des großen Vermächtnisses, das Richard Wagner mit der Bayreuther Idee in der Stiltreue der Aufführung sah[261].« Knappertsbusch hatte seit 1906 die Bayreuther Festspiele regelmäßig besucht, und in den Jahren 1911 und 1912 soll er unter Siegfried Wagner und insbesondere Hans Richter als musikalischer Assistent bei den Festspielen gearbeitet haben, wenngleich die offiziellen Künstlerverzeichnisse seinen Namen nicht enthalten. Jedenfalls fühlte sich Knappertsbusch als Schüler und Nachfahre Richters, für den er große Bewunderung hegte. Nach einer — seiner Meinung nach — gelungenen Aufführung soll Knappertsbusch gesagt haben: »heute wäre Hans Richter mit mir zufrieden gewesen«. Daß Knappertsbusch — obwohl vor 1951 als Festspieldirigent nie in Betracht gezogen — Wagners Werke ganz im Sinne des Bayreuther Stils und in der Tradition der Bayreuther Festspiele verstand, veranschaulicht ein Zeitungsartikel, den Knappertsbusch 1932 im »Neuen Wiener Journal« veröffentlichte. Unter der Überschrift »Opernfragen der Gegenwart« schrieb Knappertsbusch u. a.: »Die Sucht einzelner in aller Welt wohlbekannter Opernregisseure, sich durch besondere Eigenart hervorzutun, verleitet sie zu Mißgriffen, die man nicht scharf genug zurückweisen muß, als eine Ungehörigkeit oder als einen bodenlosen Krampf! Kann man sich eine schlimmere Stillosigkeit denken als den Wotan ohne Bart?! [...] Die zehn Jahre Schließung des Festspielhauses in Bayreuth haben leider diese traurigen

[258] W. Seifert, Die Stunde Null von Neubayreuth (II. Teil), Neue Zeitschrift für Musik, Mainz 1971, S. 75.
[259] Brief Furtwänglers an G. v. Einem vom 6. 4. 1950, W. Furtwängler, Briefe, a.a.O., S. 207.
[260] Brief vom 28. 8. 1959, Bayreuther Festspiele.
[261] Brief vom 13. 4. 1953, Bayreuther Festspiele.

Früchte gezeitigt, sie haben einer krankhaft ›modernen‹ Richtung Vorschub geleistet, die mit dem Wagner-Stil gar nichts mehr gemein hat. Oft kommt es mir vor, als hätte die Welt die großen, ich möchte sagen, die fundamentalen Regietaten Siegfried Wagners [. . .] vollständig vergessen. Und Siegfried Wagner war ein Regisseur ganz großen Formats. Diese leider verlorenen zehn Jahre Bayreuth sind eine schwere Gefahr für den Nachwuchs gewesen, deren Folgen sich jetzt zeigen[262].« Danach verwundert es nicht, daß Knappertsbusch zu den Unterzeichnern des »Protestes der Richard-Wagner-Stadt München« gehörte, der am 16./17. 4. 1933 in den »Münchner Neuesten Nachrichten« erschien und Wagner gegen seine angebliche »Verunglimpfung« und »Herabsetzung« durch Thomas Mann zu verteidigen suchte[263]. Die Kritik der Protestunterzeichner richtete sich u. a. dagegen, daß Thomas Mann Wagners Werk mit Freuds Psychoanalyse in Zusammenhang gebracht hatte — gewiß auch später in Wieland Wagners Inszenierungen ein Stein des Anstoßes für Knappertsbusch. Vor allem sprachen die Unterzeichner Thomas Mann das Recht ab, Wagner, den sie als »wertbeständigen deutschen Geistesriesen« apostrophierten, zu kritisieren, weil Mann seine »nationale Gesinnung bei der Errichtung der Republik« »mit einer kosmopolitisch-demokratischen Auffassung« vertauscht, sich also als »unzuverlässig und unsachverständig« erwiesen habe. Knappertsbusch unterschrieb den Protest gewiß nicht, um sich bei den Nationalsozialisten anzubiedern, auf deren Machtübernahme der erste Satz des Protestes — »nachdem die nationale Erhebung Deutschlands festes Gefüge angenommen hat« — unmißverständlich anspielte. Bekanntlich erhielt Knappertsbusch im Dritten Reich wegen seiner Unangepaßtheit Dirigierverbot. Im Grundtenor dürfte der Protest jedoch seiner Einstellung nahe gewesen sein, wie der Vergleich mit der Äußerung von 1953 nahelegt, und Knappertsbusch hat, auch als ihm endlich die lange ersehnte Ehre zuteil wurde, bei den Bayreuther Festspielen dirigieren zu dürfen, von dieser Einstellung immer wieder Zeugnis abgelegt. Wie 1933 so verstand er sich auch in den fünfziger und sechziger Jahren als Verteidiger ehrwürdiger Tradition gegen »moderne« Neuerungen. Es war nur zu verständlich, daß es zu Auseinandersetzungen zwischen Knappertsbusch und den Wagner-Enkeln, insbesondere Wieland, kam. Der folgende Brief an Wieland Wagner veranschaulicht die unveränderte Haltung Knappertsbuschs: »Mit dem Holländer dieses Jahres haben Sie den ersten Schritt getan. Jetzt gehen Sie noch einige Schritte weiter bei den Meistersingern — bringen Sie mir auch mal ein Opfer, so wie ich es bei Ihnen seit 1951 getan habe —, und schenken Sie mir eine Meistersingerinszenierung, die sich streng an Wagners Vorschriften halten muß. Damit sind meine Bedingungen auf den Nenner gebracht. Zeigen Sie mir einmal, daß Sie das auch können, was Ihr Vater gekonnt hat. Und Sie können's!! Natürlich verlange ich eine Festwiese so, wie sie vorgeschrieben ist. Der Aufzug der Zünfte muß wieder hergestellt werden — die Bühnentrompeten gehören auf die Bühne — daher ihr Name. Beckmessers Cancan-Tanz ist stilwidrig. Um auf den Nenner zurückzukommen: ich verlange eine Inszenierung, die sich streng realistisch an Richard Wagner anlehnt, und die mir der hochbegabte Enkel nicht vorenthalten sollte[264].« Wieland Wagner war jedoch zu grundsätzlichen Konzessionen nicht bereit; Knappertsbusch aber blieb, vom Jahre 1953 abgesehen, dennoch den Festspielen treu. Seine Devise dabei mochte sein, auszuhalten, um zu retten, was zu retten sei.

262 zitiert nach: Die Musik, April 1933, S. 550.

263 Th. Mann hatte im Februar 1933 in Amsterdam, Brüssel und Paris Vorträge über Wagner anläßlich seines 50. Todestages gehalten, deren Inhalt mit dem im April 1933 niedergeschriebenen Essay »Leiden und Größe Richard Wagners« übereingestimmt haben dürfte. Mitunterzeichner des Protestes waren auch Alexander Berrsche, Olaf Gulbransson, Siegmund von Hausegger, Wilhelm Matthes, Hans Pfitzner und Richard Strauss.

264 Brief vom 11. 11. 1959, Bayreuther Festspiele.

Im Unterschied zu Knappertsbusch, der auch über die Bewahrung aller mit der Akustik des Festspielhauses zusammenhängenden Einrichtungen streng wachte, versuchte Herbert von Karajan von Anfang an, mit den Gegebenheiten des Festspielhauses zu experimentieren. Er veränderte die Sitzordnung des Orchesters, um seine Klangvorstellung besser verwirklichen zu können. Erfolg hatte er damit freilich nicht, insbesondere nicht bei Wieland Wagner, und die Wagner-Enkel, die Karajan das Experiment um der eventuellen künstlerischen Bereicherung willen zugestanden hatten, sahen sich gezwungen, auf der Wiederherstellung der alten Sitzordnung zu bestehen. Vermutlich hat die Auseinandersetzung um die Orchesteraufstellung mit dazu beigetragen, daß Karajan nach 1952 nicht mehr in Bayreuth dirigiert hat.

In Interviews sprach Wieland Wagner von seiner Vorliebe für »lateinische Dirigenten[265],« zu denen er neben Toscanini, de Sabata und Boulez auch Clemens Krauss und Karl Böhm zählte. Im gleichen Zusammenhang sagte er: »Ziel der heutigen Wagner-Interpretation sollte sein: weniger Pedal, weniger Pathos, kein Schrei, Entfettung und subtile Klangmischung. Das gelingt lateinischen Dirigenten besonders gut. Auch Karl Böhm möchte ich zu dieser Gruppe Dirigenten zählen, die das dunkle Werk Wagners durch mittelmeerische Clarté des Geistes aufhellen[265].« An anderer Stelle erklärte er, es sei ihm recht, wenn er Dirigenten fände, »die die gefühlsgeladene Musik Wagners nicht noch mehr mit eigenem Gefühl aufladen. Im ›Parsifal‹ ist eine solche Aufladung schon gar nicht am Platze[266].« Es braucht nicht eigens betont zu werden, daß diese Zielsetzung einer Absage an die traditionelle Wagnerpflege, insbesondere die der Bayreuther Festspiele, gleichkommt, wie sie u. a. von Hans Knappertsbusch vertreten wurde, von dem der Kritiker Johannes Jacobi 1951 schrieb, er habe »den großen Wagnerstil noch im Blut und im Griff[267].« Es hat daher den Anschein, als habe die Parsifal-Inszenierung von 1951 erst im Jahre 1966 die von Wieland Wagner intendierte musikalische Entsprechung erhalten, als nämlich Pierre Boulez die Leitung des Parsifal übernahm. In einem Interview erklärte Wieland Wagner 1966: »Ich suche zum Beispiel auf dem musikalischen Sektor — nach der sog. szenischen Revolution — den neuen Klang. Was hilft es, auf der Bühne neue Wege zu gehen, wenn aus dem Geist des vorigen Jahrhunderts heraus musiziert wird[268]?« Wieland Wagner schrieb 1966 an Boulez, es habe sich durch das bisherige Tempo viel Zeitlupen-Heiligkeit in die Inszenierung eingeschlichen, die ursprünglich nicht beabsichtigt gewesen sei[269], und unmittelbar vor der ersten Aufführung schickte er Boulez die folgenden Zeilen: »Die Tatsache, daß der für mich größte lebende Komponist sich des Parsifal annimmt und damit dieses Werk wieder im Sinne Richard Wagners als lebendiges Kunstwerk dirigiert, ist für mich eine besondere Freude und besonderes Glück. Denken Sie immer an Ihren Kollegen Richard Strauss, der mir gesagt hat: ›Nicht ich bin im Parsifal schneller, sondern ihr in Bayreuth seid immer langsamer geworden. Glaubt mir, es ist wirklich alles falsch, was ihr in Bayreuth macht‹[270].« Richard Strauss hatte 1933 mit schnellen Tempi und merklich leichterem Ton versucht, der Bayreuther Parsifal-Interpretation eine Wende zu geben, war damit jedoch auf allgemeinen Widerstand gestoßen. Sein vom Bayreuther Stil und der Mottl-Nachahmung gelöstes Dirigieren, von dem seine Schallplattenaufnahmen einen treffenden Eindruck vermitteln, war Vorbild für zwei andere Dirigenten, die im neuen Bayreuth

[265] A. Goléa, Gespräche mit Wieland Wagner, Salzburg 1968, S. 11.
[266] ebda., S. 21.
[267] Rheinische Post, 1. 8. 1951.
[268] Christ und Welt, 24. 6. 1966.
[269] Brief vom 28. 6. 1966, Bayreuther Festspiele.
[270] Brief vom 25. 7. 1966, Bayreuther Festspiele.

von nachhaltiger Wirkung waren, Clemens Krauss und Karl Böhm, beide eng mit Strauss befreundet und als Dirigenten von ihm besonders geschätzt. Die Annahme ist berechtigt, daß sie gerade dieser Beziehungen und Eigenschaften wegen nach Bayreuth berufen worden sind. Krauss' Parsifal-Aufführungen wurden in der Presse übereinstimmend mit denen von Richard Strauss in Parallele gesetzt.

Zu den »lateinischen« Dirigenten gehörten auch Igor Markevitch, der 1954 den Tannhäuser dirigieren sollte, und André Cluytens, über den Wieland Wagner 1955 schrieb: »ich habe in Herrn Cluytens endlich den Dirigenten gefunden, den ich als ideale Ergänzung für meine szenische Arbeit gesucht habe — ich habe den Mann gefunden, von dem ich *weiß*, daß er die Meistersinger so dirigieren wird, wie ich es fühle [. . .] das Werk akustisch so realisieren wird, wie ich es mir vorstelle[271].« Wie sich Wieland Wagner die akustische Realisierung des Tannhäuser dachte, formulierte er im Herbst 1953 in einem Brief an Igor Markevitch folgendermaßen: »Ich freue mich besonders, lieber Herr Markevitch, daß der liebe Gott Sie nach Bayreuth geschickt hat — gerade rechtzeitig, damit mit dem Tannhäuser genau dasselbe geschieht, oder etwas Ähnliches, wie dies Toscanini im Jahr 1930 getan hat: ein neues Werk, frisch poliert, entkitscht, entopert, entpathetisiert, ohne mißverstandenes Deutschtum, dafür aber aufregend, glutvoll, psychologisch interessant und so rhythmisch, daß es die nichtsahnenden Zuhörer von den Stühlen hebt[272]!« Entpathetisierung war im neuen Bayreuth ein zentraler Begriff. Dirigenten, die ausufernde Breite durch zügiges Musizieren ersetzten, feierliches Zelebrieren vermieden und auf das traditionelle heroische Pathos verzichteten, wurden bevorzugt. Clemens Krauss entsprach diesem neuen Bild vom Festspieldirigenten ebenso wie Herbert von Karajan, in dessen Meistersinger-Aufführungen 1951 man kammermusikalische Klarheit und ans Italienische gemahnendes Parlando fand. Karajan hatte einen italienischen Souffleur mit nach Bayreuth gebracht, der den Sängern die Einsätze zu geben hatte, während Karajan auswendig dirigierte. Entpathetisierung erhoffte man sich von Dirigenten, die nicht in der Theaterarbeit täglich mit Wagners Werken und deutschen Opern zu tun hatten, sondern überwiegend oder ausschließlich italienische und französische Opern dirigierten, im Bereich der italienischen oder französischen Musik aufgewachsen, ausgebildet und heimisch waren wie etwa Alberto Erede oder Thomas Schippers, oder eine besondere Affinität zu ihr hatten wie z. B. Herbert von Karajan. Entpathetisierung schienen auch Dirigenten zu garantieren, die nicht als Wagner-Dirigenten galten, sondern als Spezialisten für Komponisten ganz anderen Temperaments, ganz anderer Struktur, wie z. B. Mozart. Man stellte sich vor, daß der Mozart-Dirigent Spezifika seiner streng auf Mozart konzentrierten und aus dem Wesen der Mozartschen Musik entwickelten Interpretation in die Bayreuther Wagner-Aufführungen einbringen, Wagner gleichsam aus der Sicht Mozarts darstellen werde. Karl Böhm, einem berühmten Interpreten Mozarts, wurde nach seinen Ring-Aufführungen 1965 nachgesagt, er habe Wagner durch Mozart geläutert. Wie es scheint, beschrieben die Rezensenten damit die Intention, die zum Engagement Böhms geführt hatte.

Wichtige Argumente für die Verpflichtung von Pierre Boulez waren nach der Aussage von Boulez[273] vor allem noch zwei Gesichtspunkte: Boulez war nicht durch den Opernbetrieb vorbelastet, der die Dirigenten prägt und auch gegen ihren Willen formt und beeinflußt, und er konnte, da er zuvor noch nie ein Bühnenwerk Wagners geleitet hatte, nicht durch Traditionen voreingenommen sein. Entsprach die Freiheit vom Einfluß des Opernbetriebs vollauf der Bayreuther Überlieferung, so wurde andererseits im Unter-

271 Brief vom 10. 8. 1955, Bayreuther Festspiele.
272 Brief vom 16. 9. 1953, Bayreuther Festspiele.
273 Interview mit P. Boulez in der Pause der Parsifal-Aufführung am 24. 7. 1966, Bayerischer Rundfunk, Bandaufnahme in der RWG.

schied zu ihr gerade auch die Freiheit vom Bayreuther Stil und von der Festspieltradition als optimale Voraussetzung für den neuen Festspieldirigenten angesehen. Wieland Wagner ging es um »frische Ideen über Parsifal«, darum, »einen neuen Klang in den Parsifal zu bringen«, um die Entdeckung neuer Aspekte, neuer Momente im Werk Wagners[274]. Boulez' tiefe Skepsis gegenüber der Tradition, die ihm als meist nicht konkret formulierte zu irrational, zu unobjektiv, zu unkontrollierbar erscheint, und der er den ausschließlichen Blick auf die Partitur, die Komposition entgegensetzt[275], entsprach Wieland Wagners Absichten. Noch mehr aber wäre er mit einer Äußerung einverstanden gewesen, die Boulez in einem Gespräch mit Erich Rappl 1967 machte: »Man darf Kontinuität nicht bewußt anstreben. Man muß provokativ sein[276]!« Das Motiv der Provokation dürfte auch bei der Einladung Otto Klemperers, 1959 in Bayreuth die Meistersinger zu dirigieren, eine Rolle gespielt haben. Klemperer war 1929 der Dirigent der vielbeachteten, aber noch viel mehr geschmähten Aufführung des Fliegenden Holländers an der Krolloper in Berlin gewesen, und auch sein Tannhäuser, der 1933 in der Berliner Staatsoper herauskam, war seinerzeit als Provokation aufgefaßt worden. Daß es 1959 Proteste gegen Klemperers Verpflichtung nach Bayreuth gab, die sich auf die genannten Berliner Aufführungen bezogen, bestätigt die These von der Tendenz zur Provokation, die eine Tendenz zur Abkehr vom Überkommenen war[276a].

Der Bruch mit der Tradition gehörte seit 1951 gleichsam zum Programm der Festspiele und der Festspielleitung, zumindest in der Absicht und in der Tendenz. Über den Neubeginn sagte Wolfgang Wagner: »Für uns stand damals folgendes fest: [. . .] Wir müssen den Festspielen nicht nur durch Neuinszenierungen, sondern auch in Wort und Schrift eine Form geben, die von vornherein erkennen läßt, daß unser Bemühen hier auf dem Hügel einer steten Auseinandersetzung mit dem Werke Richard Wagners dient, also nicht irgendwelchen Traditionen, sondern praktisch der dauernden, lebendigen Auseinandersetzung[277].« Viele Dirigenten scheinen deshalb nach Bayreuth eingeladen worden zu sein, weil ihnen die Tradition der Festspiele fremd war, und man von ihnen eine neue, andere Interpretation der Wagnerschen Werke erwarten zu können hoffte. Das gilt für André Cluytens ebenso wie für Lovro von Matacic, für Lorin Maazel wie für Thomas Schippers, für Alberto Erede wie für Silvio Varviso und Hans Zender, ebenso für Christoph von Dohnányi (1967) und Carlo Maria Giulini (1964), die allerdings wegen Krankheit absagen mußten. Der häufige Wechsel der Dirigenten legt allerdings den Verdacht nahe, daß sich die Hoffnung nicht immer erfüllt hat.

Der Gedanke, das Wagnersche Werk und die Bayreuther Festspiele in neuem Licht zu zeigen, dürfte auch hinter dem Versuch gestanden haben, angesehene Komponisten des 20. Jahrhunderts als Dirigenten nach Bayreuth einzuladen. Als Wieland Wagner 1953 Paul Hindemith darum bat, im Bayreuther Festspielhaus Beethovens IX. Symphonie zu dirigieren, tat er es in der »Idee, Bayreuth sozusagen nach rückwärts und vorwärts zu verankern[278].« Hindemith leitete keine Wagner-Aufführungen, so daß der erste Versuch, die Festspiele und das Werk Wagners mit der Musik des 20. Jahrhunderts zu konfrontieren bzw. in Kontakt zu bringen, gleichsam auf halbem Wege stehen blieb. Fortgesetzt wurde der Versuch mit der Berufung von Boulez, der über seine Wagner-Interpretation im Gespräch mit Erich Rappl sagte: »Ich kenne Wagners Musik seit über dreißig Jahren. Und ich kam zu ihm zurück dadurch, daß ich sehr viel Debussy und

[274] ebda.
[275] ebda.
[276] Abend-Zeitung, München, 5./6. 8. 1967.
[276a] Klemperer sagte 1959 wegen Krankheit ab.
[277] W. Seifert, Die Stunde Null von Neubayreuth (II. Teil), a.a.O., S. 72.
[278] Brief an Paul Hindemith, Bayreuther Festspiele.

vor allem Alban Berg dirigierte, der ihm sehr nahesteht[279].« Die Konfrontation der Musik Wagners mit einem Dirigenten, der zugleich ein Komponist avantgardistischer Musik des 20. Jahrhunderts ist, wurde mit der Einladung Hans Zenders 1975 zumindest andeutungsweise weitergeführt. Freilich war Zender, sofern er in der Tat neue Wege gehen wollte, zum Kompromiß gezwungen, da er sich mit Horst Stein in die Leitung des Parsifal zu teilen hatte und Stein überdies deutlich den Primat besaß. 1976 soll Pierre Boulez den Ring des Nibelungen aus der Sicht der Neuen Musik darstellen. Daß Boulez, der wiederholt äußerst vehement und radikal seine Ablehnung des Opernbetriebs und der Opernhäuser geäußert hat, in Bayreuth dirigiert, entspringt seiner Ansicht, daß das Bayreuther Festspielhaus kein Opernhaus sei: »Die Bedingungen, unter denen man in Bayreuth arbeiten kann, sind außergewöhnlich. Bayreuth hat nichts mit dem normalen Opernbetrieb zu tun[280].«

Trotz der unverkennbar vorherrschenden Tendenz zu »lateinischen« Dirigenten und solchen Kapellmeistern, die der Bayreuther Tradition fernstehen, gab es bei den Bayreuther Festspielen — außer Knappertsbusch — dennoch auch wiederholt Dirigenten, die versuchten, an die Festspieltradition anzuknüpfen, oder ihr nahestanden. Joseph Keilberth scheint sich, zumindest teilweise, an Felix Mottl orientiert zu haben, dessen Wagner-Interpretationen in Karlsruhe, wo Keilberth lange gewirkt hatte, noch lebendig gewesen waren. Eugen Jochum und Robert Heger vertraten die Wagner-Tradition der deutschen Opernhäuser, die wesentlich von den Bayreuther Festspielen geprägt war und ist. Horst Stein, der im Jubiläumsjahr 1976 als Dirigent des Parsifal und des Tristan vorgesehen ist, sagte 1975 in einem Interview: »Ich müßte mich selbst belügen, wollte ich um irgend eines neuen Eindrucks willen Traditionen über Bord werfen[281].« Auch wenn man annehmen darf, daß Stein nicht primär Bayreuther Traditionen gemeint hat, ist doch deutlich, daß Stein bewahren will, was er für gesichert und erprobt hält. Daß sein Vorbild Hans Knappertsbusch ist, machte ein Fernsehfilm über Knappertsbusch deutlich, in dem Stein als Zeuge und Gewährsmann über Knappertsbusch und seine Arbeit bei den Bayreuther Festspielen berichtete[282], die er von 1952 bis 1955 als musikalischer Assistent miterlebt hatte. Über diese Zeit sagte Stein 1969: »Zu Knappertsbusch haben wir aufgeblickt wie zum Kölner Dom[283].« Stein ist heute der einzige Dirigent in Bayreuth, der die Festspielarbeit von Grund auf kennt und — gäbe es sie noch — als aus der Bayreuther Schule hervorgegangen charakterisiert werden müßte.

Seitdem es nicht mehr für jeden Kapellmeister, sei er berühmt oder nicht, als Ehre gilt, in Bayreuth dirigieren zu dürfen, ist das Engagement von Dirigenten zur oft schwierigen diplomatischen Angelegenheit geworden. Im Falle von Krankheit oder genereller Absage springen nur höchst selten prominente Kollegen ein. Der eingetretene Wandel wird auch daran deutlich, daß man es heute einem Dirigenten, der für einen anderen, berühmteren, Proben geleitet hat, nicht mehr zumuten kann, nicht auch eine oder mehrere Aufführungen zu dirigieren. Im Jahre 1888 war es selbstverständlich, daß der Kapellmeister Joseph Sucher — damals gewiß kein unbekannter Provinzkapellmeister — keinen Anspruch auf die Direktion einer Aufführung erhob, und ebenso selbstverständlich war es, daß man ihm keine Aufführungen anbieten mußte, damit er sich als Probendirigent zur Verfügung stellte. Der Ehrgeiz, nach der Probenmühe auch den Lohn

279 Bayreuther Tageblatt, 22. 6. 1966.
280 Interview mit P. Boulez, in: Der Spiegel, Hamburg 1967, Nr. 40.
281 Horst Stein im Gespräch, Information Teldec Klassik, Hamburg, Juli 1975, S. 2.
282 Bayerisches Fernsehen, Studienprogramm, 25. 10. 1975.
283 mitgeteilt von H. Schnoor, Westfalenblatt, Bielefeld, 30. 7. 1969.

der Aufführung zu bekommen, bestand auch seinerzeit, wie zahlreiche Beispiele zeigen, doch war es aufgrund des spezifischen Bayreuther Renommés und im Zeichen der Ideologie des Bayreuther Stils und des Bayreuther Geistes seinerzeit weder üblich noch notwendig, dem zu genügen.

Daß ein Dirigent seine Mitwirkung bei den Bayreuther Festspielen als Höhepunkt seiner gesamten Laufbahn empfindet, wie es Josef Krips, der 1961 die Meistersinger dirigierte, tat [283a], mochte in den Jahren bis zum 2. Weltkrieg noch die Regel sein. Danach war es eher die Ausnahme. Bayreuth ist zur Festspielstadt unter Festspielstädten geworden. Im Sinne einer Idee, wie einst, als Hans Richter es als die heiligste Aufgabe seines Lebens bezeichnete, in Bayreuth zu dirigieren[283b], existiert Bayreuth nicht mehr. Unvorstellbar, daß ein Dirigent heute schriebe: »Wie oft habe ich nicht das Gefühl gehabt, welches Sie beim Anblick des Festhauses neulich ergriff: Bist du würdig hier schaffen zu dürfen! Und die Gnade, die aus diesen Hallen spricht, hat mir dann die Reinheit geschenkt, die mir den Muth stärkte[284]!« Ältere Dirigenten wie Knappertsbusch und Furtwängler mochten sich noch als demütige »Diener am Werk«[285] empfinden, jene totale und rücksichtslose Konzentration aber auf den Dienst am Werk, wie sie insbesondere Cosima Wagner gefordert und auch durchgesetzt hat, gibt es nicht mehr. Das Engagement neuer Dirigenten ist dadurch nicht leichter geworden.

[283a] Brief Krips' vom 31. 8. 1961, Bayreuther Festspiele.
[283b] Brief vom 24. 6. 1897 an Cosima Wagner, RWA.
[284] Felix Mottl an Cosima Wagner, Karlsruhe, 6. 11. 1892, RWA.
[285] Furtwängler im Brief an Wieland Wagner vom 2. 3. 1950, Bayreuther Festspiele.

2. Zur Situation des Dirigenten im Bayreuther Festspielhaus

Im Bayreuther Festspielhaus sind Orchester und Dirigent dem Publikum unsichtbar. Der versenkte und verdeckte Orchesterraum bedingt besondere Verhältnisse, die die Musiker, zumindest zum Teil, vor schwierige Aufgaben stellen. Das ist allgemein wenig bekannt. Der ungestört-unmittelbare Kontakt zwischen Darstellern und Zuschauern und die totale Konzentration der Aufmerksamkeit aufs Bühnengeschehen als Folge der Unsichtbarkeit des Orchesters auf der einen, der gedämpfte, unaufdringliche Orchesterklang und die weitreichende Klangmischung als Folge des indirekten, vielfach gebrochenen Schalls auf der anderen Seite sind stets derart bewundert und gelobt worden, daß darüber die anderen Konsequenzen vergessen oder gering geachtet worden sind. Das entspricht durchaus Wagners Intention, über die das nächste Kapitel ausführlicher informieren wird. Wagner war augenscheinlich bereit, der Verwirklichung einiger seiner Ideen zuliebe diese Konsequenzen in Kauf zu nehmen. Andererseits konnte Wagner selbst nur wenige Erfahrungen mit dem Orchesterraum seines Festspielhauses machen. Es ist daher nicht auszuschließen, daß er Veränderungen, auch solche eingreifender Art, vorgenommen hätte, wären ihm weitere Erfahrungen möglich gewesen. Bedenkenswert ist auch, daß die Einrichtung des unsichtbaren Orchesters — vom Münchner Prinzregententheater abgesehen — in keinem anderen Theater eingeführt worden ist. Das verdeckte Orchester hat sich nicht durchgesetzt, auch wenn einige seiner Eigenschaften bis in die Gegenwart hinein von namhaften Musikern als vorbildlich gerühmt worden sind und noch werden[1]. Im Münchner Prinzregententheater hat man schließlich sogar die Versenkung des Orchesters wieder rückgängig gemacht, nach der Meinung von Zeugen als Konsequenz der Tatsache, daß sich nicht jene vielgepriesene ideale Akustik einstellen wollte, die das Bayreuther Festspielhaus auszeichnet und berühmt gemacht hat. Diese Akustik wiegt vermutlich einige Schwierigkeiten auf, die sich aus der Versenkung des Orchesters ergeben.

In seinen Gesprächen mit Antoine Goléa im Juni 1966 sagte Wieland Wagner über die Situation des Dirigenten im Festspielhaus: »der Dirigent hört am schlechtesten[2].« Und er fuhr fort: »Bedenken Sie, daß der Blechbläserklang sich bricht, bevor ihn der Dirigent überhaupt zu hören bekommt. Und mit den Sängern auf der Bühne ist es noch viel schlimmer. Von manchen Stellen der Bühne aus kommt der Klang des Sängers auf den Dirigenten überhaupt nicht zu. Merkwürdigerweise ist das bei den Chören viel mehr der Fall als bei den Solisten. So hat mir Knappertsbusch immer versichert, er höre den Mannenchor in der ›Götterdämmerung‹ gar nicht, ebensowenig wie die Gralsritter-Chöre oder den Schwanenchor im ›Lohengrin‹, er müsse alles von den Lippenbewegungen ablesen[3].« Andere Festspieldirigenten wie Richard Kraus, Lorin Maazel, Horst Stein und Hans Wallat haben diese Aussagen gegenüber dem Verfasser bestätigt, Horst Stein auch öffentlich in einem Rundfunkgespräch am Tage der Parsifal-Premiere 1975[4].

---

[1] P. Boulez, Divergenzen: vom Wesen zum Werk, in: H. Barth, D. Mack, E. Voss, Wagner. Sein Leben, sein Werk und seine Welt in zeitgenössischen Bildern und Texten, Wien 1975, S. 8.

[2] A. Goléa, Gespräche mit Wieland Wagner, a.a.O., S. 13.

[3] ebda., S. 14.

[4] Bayerischer Rundfunk, 25. 7. 1975.

Indessen geben die Festspieldirigenten im allgemeinen die Probleme und Schwierigkeiten, mit denen sie im Bayreuther Festspielhaus konfrontiert werden, nicht zu, sei es,
daß sie über der Faszination durch die legendäre Akustik des Festspielhauses oder —
allgemeiner — durch die vielgerühmte Atmosphäre der Bayreuther Festspiele die auf-
führungstechnischen Probleme vergessen, nicht wahrnehmen oder bagatellisieren, sei es,
daß sie fürchten, Rezensenten und Hörer könnten von den Schwierigkeiten bei der Aufführung auf Mängel der Interpretation schließen. Das ändert jedoch nichts daran, daß
der Standort des Dirigenten im Festspielhaus äußerst problematisch ist.

Zwei Faktoren, die im angeführten Wieland-Wagner-Zitat enthalten sind, bestimmen
die Situation des Dirigenten. Zum einen hört er das Orchester nicht so, wie es im
Zuschauerraum klingt, da er den Klang überwiegend direkt aufnimmt, während der
Hörer im Zuschauerraum ihn indirekt erhält. Auf eine kurze und einfache Erklärung
gebracht, ist der akustische Vorgang dieser: Der aus dem Orchesterraum aufsteigende
Klang wird durch einen gewölbten Schalldeckel reflektiert, der über der Trennwand
zwischen Orchester- und Zuschauerraum angebracht ist. Dieser Schalldeckel lenkt den
Klang auf die Bühne. Von deren Begrenzungsflächen, insbesondere der Rückwand, wird
er erneut zurückgeworfen und gelangt nun, vermischt mit den Stimmen der Sänger und
vielfach gebrochen, in den Zuschauerraum. Der Dirigent kann also nicht beurteilen,
wie das, was er hört, im Zuschauerraum erscheint. Furtwängler soll deshalb verschie-
dentlich, während das Orchester spielte, in den Zuschauerraum gegangen sein, um das
klangliche Resultat zu prüfen und dann mit dem Höreindruck am Dirigentenpult in
Korrelation zu bringen. Es steht außer Frage, daß diese wenn auch sehr schwierige
Korrelation herzustellen ist, aber es dürfte auch deutlich sein, daß dazu sehr viel Erfahrung, Ausdauer und selbstverständlich viel Probenzeit gehören, und es hilft erklären,
warum viele Dirigenten bei den Bayreuther Festspielen nicht zu reüssieren vermochten
oder gescheitert sind. Wie berichtet hatte Karl Muck 1892 Schwierigkeiten, und Rudolf
Kempe sagte über sein erstes Bayreuth-Engagement 1960, daß er »nach den ersten
Orchesterproben im Magischen Abgrund am liebsten wieder abgereist wäre[5].« Wie
Wilhelm Bopp, Korrepetitor und musikalischer Assistent bei den Festspielen 1888,
berichtet hat, hatten Felix Mottl und Joseph Sucher als Probendirigenten bei der Erst-
einstudierung der Meistersinger große Schwierigkeiten mit den akustischen Verhältnissen: »trotz allen eifrigen Bemühens wollte es zu keiner klanglichen Deutlichkeit
kommen, die vielfältigen bewegten Figuren der Meistersingerpartitur, die klingende
›Gotik‹ dieser Musik verlor sich in einem unentwirrbaren Tongemenge, Undeutlichkeit
und Verschwommenheit war das Zeichen jener fruchtlosen Bemühungen[6].« Dem erfah-
renen Hans Richter war es dann nach Bopps Schilderung vorbehalten, Ordnung in das
Chaos zu bringen. Joseph Sucher aber dürften die beschriebenen Erfahrungen mit dem
verdeckten Orchester für seine Bayreuther Festspielkarriere hinderlich gewesen sein;
jedenfalls wurde er nie Festspieldirigent. Ähnliche Erfahrungen wie Sucher machte
1954 Igor Markevitch bei der Einstudierung des Tannhäuser.

Zur irritierenden Differenz des Klangeindrucks zwischen dem Standort des Dirigenten und dem des Hörers kommt die Unmittelbarkeit, mit der der Klang auf den Dirigenten eindringt. Die akustischen Verhältnisse bedingen eine Konzentration des Klangs
auf den Schalldeckel, unter dem der Dirigent sitzt. Im Fortissimo wird er vom Klang
geradezu überwältigt, der Schwall betäubt ihn, und es ist unwahrscheinlich, daß er in

5 W. Bronnenmeyer, Chronik der Bayreuther ›Ring‹-Dirigenten (II), Festspielnachrichten des
›Nordbayerischer Kurier‹, Der Ring des Nibelungen. Siegfried-Götterdämmerung, Bayreuth
1969.
6 W. Bopp, Die Meistersinger und Parsifal in Bayreuth. Persönliche Erinnerungen, Der Merker, VI, 1. 1. 1915, S. 21.

dieser Situation tatsächlich noch alles wahrzunehmen in der Lage ist, was der Kontrolle bedarf.

Aus Unmittelbarkeit und Konzentration des Klangs erwächst der andere Faktor der problematischen Situation des Dirigenten im Bayreuther Festspielhaus. Oft vermag der Dirigent die Sänger nicht zu hören; er ist, wie es Knappertsbusch und viele andere beschrieben haben, auf die Lippenbewegungen als Kontrollmittel für die Übereinstimmung von Instrumentalisten und Sängern angewiesen. Die Koordination zwischen Bühne und Orchester ist ein außerordentliches Problem im Bayreuther Festspielhaus. Wieland Wagner glaubte sogar Schlüsse daraus auf die Tempi ziehen zu können. Coléa gegenüber sagte er: »Daher kommt zu einem großen Teil auch das Schleppen hier in Bayreuth. Der eine wartet mehr oder weniger unbewußt auf den andern und entschließt sich erst dann weiterzugehen, wenn er ihn zu hören meint[7].« Die bestmögliche Verwirklichung von Oper und Musikdrama ist also im Bayreuther Festspielhaus schwieriger als in anderen Theatern, denen freilich dafür Klangdämpfung und -mischung in der Bayreuther Ausprägung abgehen.

Zu den Eigenheiten des Orchesterraums im Bayreuther Festspielhaus gehört die sich vom Landläufigen unterscheidende Sitzordnung des Orchesters. Charakteristischstes Merkmal ist, daß die 1. Violinen nicht, wie üblich, links, sondern rechts vom Dirigenten sitzen, die 2. Violinen entsprechend auf der gegenüberliegenden Seite. Charakteristisch war früher auch die Teilung der Violoncelli, wie sie eine Zeichnung Hermann Levis dokumentiert (Abbildung 3), und wie sie von Wolfgang Sawallisch aufgrund seiner eigenen Erfahrung als Bayreuther Besonderheit hervorgehoben worden ist[8]. Wie Horst Stein in einem Interview mit Wolf Eberhard von Lewinski 1975[9] mitteilte, besteht diese Teilung nicht mehr; sie betrifft allein noch die Gruppe der Kontrabässe. Dieser offizielle Hinweis auf Veränderungen der Sitzordnung ist wichtig, da im allgemeinen behauptet wird, die Sitzordnung sei seit 1876 unverändert beibehalten worden. In einer Beschreibung des mit Wagner befreundeten Musikschriftstellers Richard Pohl aus dem Jahre 1876 wird bestätigt, daß auf der obersten der sechs Stufen des Orchesterraums (Abbildung 2) die Violinen, auf der untersten »die stärksten Blechinstrumente und die Schlaginstrumente« ihren Platz hatten[10]. Dann heißt es bei Pohl jedoch: »Auf den vier Zwischenstufen waren sodann die übrigen Instrumente so vertheilt, daß (von oben nach unten steigend) die Altviolen zunächst folgten, welche wiederum in einer Linie, parallel mit den Violinen aufgestellt, über die ganze Breite des Hauses sich hinzogen; sodann folgten die Violoncelle, rechts und links flankirt von den Contrabässen; dann die Holzbläser, wiederum in einer Linie und von den Harfen flankirt, und hierauf ebenso die kleineren Blechinstrumente[11].« Nach Pohl gab es 1876 also keine Teilung der Violoncelli, und die Holzbläser saßen nebeneinander, während sie nach Hermann Levis Skizze von 1887 überwiegend hintereinander plaziert waren. Abbildung 4, die eine Zeichnung aus dem Jahre 1882 wiedergibt, bestätigt Levis Angaben, zeigt auch die Teilung der Violoncelli. Daß die Umdisposition allein aufgrund der unterschiedlich großen Orchester im Ring und im Parsifal erfolgt wäre, leuchtet nicht ein; denn grundsätzlich kann ein kleineres Orchester in der gleichen Ordnung sitzen und spielen wie ein größeres. Die Sitzordnung von 1876 hätte also, wäre sie ideal gewesen, beibehalten werden

7 A. Goléa, Gespräche mit Wieland Wagner, a.a.O., S. 14.
8 Brief W. Sawallischs an den Verfasser.
9 Horst Stein im Gespräch, a.a.O., S. 3.
10 R. Pohl, Bayreuther Erinnerungen. Freundschaftliche Briefe, Neue Zeitschrift für Musik, 20. 10. 1876, S. 421.
11 ebda.

können. Daß sie geändert worden ist, beweist, daß sie augenscheinlich nicht ideal war und daß es keine von Anfang an festgelegte und unumstößliche Sitzordnung gegeben hat. Es ist vielmehr anzunehmen, daß mit der Sitzordnung experimentiert worden ist, zum einen grundsätzlich, zum anderen in Bezug auf die aufzuführenden Werke. Es ist leicht einzusehen, daß der Musik des Rings eventuell eine andere Sitzordnung angemessener ist als der des Parsifal. So betrachtet ist keineswegs gewiß, ob Wagner die Sitzordnung in späteren Festspieljahren und für andere Werke nicht abermals abgewandelt hätte. Grund zu Veränderungen gab es, wie die Hinweise dieses Kapitels auf die Probleme der Dirigenten im Bayreuther Festspielhaus zeigen. Es gab auch stets Kritiker, die den Klang im Festspielhaus für verbesserungswürdig gehalten haben[12]. Dennoch scheint die Sitzordnung von 1882 konserviert worden zu sein, wie z. B. Levis Zeichnung von 1887 veranschaulicht, und in späteren Jahren kam der Gedanke an eine Veränderung einem Tabubruch gleich. Noch Herbert von Karajan bekam das 1951 und 1952 bei seinen heftig kritisierten Experimenten mit der Orchesteraufstellung, insbesondere beim Tristan von 1952, zu spüren, auch wenn die Gründe für die Kritik nach der Auskunft derer, die dabei waren, sachlicher Natur gewesen sein sollen. Bezeichnend jedoch ist, daß Wieland Wagner Karajan die Rückkehr zur althergebrachten Sitzordnung mit dem Hinweis darauf nahelegte, die Dirigenten früherer Festspiele seien mit den Gegebenheiten des Festspielhauses zurecht gekommen, ohne sie zu verändern. Damit hatte er vermutlich durchaus Recht. Unbeachtet blieb aber — und darin steckt ein Stück Bayreuther Tradition —, daß Karajans Intention möglicherweise dahin ging, Eigenschaften der Tristan-Musik, Merkmale der Partitur zu verdeutlichen, die sich mit der herkömmlichen Sitzordnung im Bayreuther Festspielhaus nicht verdeutlichen ließen. Diese Intention ist legitim; nur ist fraglich, ob sie sich durch die Veränderung der Sitzordnung überhaupt verwirklichen läßt, ob die Grundvoraussetzungen — Dämpfung des Klangs und gesteigerte Klangmischung — derartige Tendenzen nicht prinzipiell ausschließen. Von den ersten Festspieljahren an ist von Dirigenten wie von Rezensenten immer wieder festgestellt worden, daß von allen Werken Wagners allein der Parsifal sich mit den Bedingungen des Festspielhauses in voller Kongruenz befinde. Die Meinung, daß das verdeckte Orchester weder Wagners frühen Opern noch den Meistersingern ganz angemessen sei, zieht sich wie ein roter Faden durch die Berichte über die Bayreuther Festspiele. Noch bevor die Meistersinger zum ersten Male im Bayreuther Festspielhaus erklungen waren, schrieb Hermann Levi an Cosima Wagner: »Auch glaube ich, daß das verdeckte Orchester uns bei diesem Werke Schwierigkeiten bereiten wird[13].« Levi glaubte zwar, diese Schwierigkeiten »durch viele Proben« beseitigen zu können, doch hat die Erfahrung gelehrt, daß die musikalische Darstellung der Meistersinger im Bayreuther Festspielhaus auch nach ausreichenden Proben noch problematisch bleibt. »Von dem unendlichen Reichtum der Partituren geht doch in Bayreuth viel verloren; ich brauche nur an die ›Meistersinger‹ zu erinnern«, schrieb Richard Strauss um 1940 und plädierte deshalb für das offene Orchester und den sichtbaren Dirigenten[14]. Schon 1876

[12] z. B. »Ich habe in frühern Jahren schon ausgeführt, daß ich zwar die Verdeckung des Orchesters bei solchem Anlaß und solchem Kunstwerk für angezeigt halte, daß mir die Akustik von Bayreuth aber sehr verbesserungsbedürftig erschien. Ich weiß nicht, was in der Anordnung des Orchesters geschehen ist: das Blech klang etwas zu blechern und ihm fehlte die Vornehmheit des Klanges, und die Holzbläser klangen, wenn man so sagen darf, nicht so pathologisch empfindsam, wie es bei normalen Orchesteraufstellungen, ein gutes Orchester vorausgesetzt, zu geschehen pflegt. Dies Urteil wurde mir von einem auf einem ganz andern Platze sitzenden zuständigen Beurteiler bestätigt«. Kölnische Zeitung Nr. 792, 25. 7. 1906.
[13] Brief vom 17. 8. 1887, Bayerische Staatsbibliothek München.
[14] R. Strauss, Bemerkungen zu Richard Wagners Gesamtkunstwerk und zum Bayreuther Festspielhaus, in: R. Strauss, Betrachtungen und Erinnerungen, hg. v. W. Schuh, Zürich—Freiburg i. B. 1949, S. 82.

hatte Camille Saint-Saens angemerkt: »In Bayreuth wird mit der musikalischen Kunst eine große Verschwendung getrieben. Viele interessante Details verflüchten sich in dem großen Orchesterraum, dem Riesenschlund, der wie Fafner die Bühne bewacht[15].« Strauss und Saint-Saens urteilten als Komponisten, aus genauer Kenntnis der Partituren. Da sie im übrigen Parteigänger Wagners waren, ist ihnen ein fundiertes und gerechtes Urteil, frei von hämischem Übelwollen, zuzutrauen. Daß in den letzten Jahren bauliche Veränderungen am Bayreuther Orchesterraum vorgenommen worden sind mit dem Ziel, aufgrund neuester akustischer Erkenntnisse den Instrumenten optimale Klangentfaltung zu ermöglichen, zielte u. a. darauf, den von Strauss und Saint-Saens beanstandeten Mangel zu beheben. Nach wie vor scheint jedoch die Deutlichkeit der kompositorischen Struktur, die Hörbarkeit aller Details ein Problem zu sein. Das veranschaulicht sowohl die Schallplattenaufnahme vom Ring des Nibelungen aus den Jahren 1966 bis 1969 als auch die Tatsache, daß Zeugen der von Karl Böhm geleiteten Tristan-Aufführungen der Wiener Staatsoper und der Bayreuther Festspiele berichteten, die Wiener Aufführungen seien in Bezug auf die Präsenz aller Einzelheiten und die Deutlichkeit der Kompositionsstruktur denen der Bayreuther Festspiele überlegen gewesen. Es läßt sich demnach die Behauptung wagen, daß Wagner mit dem unsichtbaren Orchester seiner Musik Unrecht tut. Der Musikdramatiker unterdrückt den Komponisten. Richard Strauss schrieb um 1940, Wagner sei »mehr um das Drama und sein In-Erscheinung-treten besorgt« gewesen »als um sein Orchester«[16]. Dirigenten, denen die Komposition ebenso wichtig ist wie das Drama auf der Bühne oder gar wichtiger, haben es in Bayreuth ganz besonders schwer.

Aber nicht nur gegen das Zukurzkommen der Komposition richtete sich die Kritik am verdeckten Orchester, sondern auch gegen die Dämpfung des Klangs, die ja nicht nur ein dynamischer Effekt ist, sondern vor allem auch ein klangfarblicher. Schon Felix Weingartner vermißte »den Glanz des offenen Orchesters«, das »unmittelbare Leuchten des Klanges«[17], und Wilhelm Furtwängler gab die folgende Charakterisierung: »Man hört die Stimmen sehr deutlich, man kann jedes Wort verstehen, wenn's richtig aufgeführt wird, aber der sinnliche Klang und Glanz des Orchesters, der eigentlich in der Intention des Komponisten lag, der kommt nicht ganz zur Geltung[18].« Die erwähnten baulichen Veränderungen im Orchesterraum hatten vor allem den Sinn, der klangfarblichen Dämpfung entgegenzuwirken, durch Steuerung der Klangreflexion (u. a. Veränderung der Reflexionswinkel) die hohen Frequenzen zu erhalten und durch klangdurchlässige Blenden weniger Reflexion und mehr Direktheit des Klangs zu ermöglichen. Diese Tendenz zur Aufhellung und stärkeren Präsenz des Klangs korrespondiert auch Klangidealen, wie sie Rundfunk und Schallplatte entwickelt und weitgehend durchgesetzt haben.

Im Jahre 1876 schrieb der Berliner Kritiker Gustav Engel: »Wer nicht selbst im Wagner'schen Orchester gesessen hat, muß sich auf das Zeugniß derer verlassen, welche mitwirkend waren; und da haben wir denn mehrfach die Klage gehört, daß diejenigen, die weiter nach hinten und nach unten saßen, also namentlich die Vertreter der Blasinstrumente, sich als Maschinen, nicht als Musiker vorkamen; sie hörten und sahen nichts von den Sängern, wenig von den Musikern, sie wußten nicht, wann sie ein Solo zu blasen hatten; sie spielten eben ihre Stimme ab, ohne ein Bewußtsein, welche Bedeutung diese Stimme für das Ganze hatte. Das ist sehr schlimm und darf

15 C. Saint-Saens, Bayreuth und der Ring des Nibelungen, in: Die Musik I, 10 (1902), S. 883.
16 R. Strauss, Bemerkungen . . ., a.a.O., S. 82.
17 F. Weingartner, Bayreuth, a.a.O., S. 19.
18 Wilhelm Furtwängler spricht über Musik, in: K. Höcker, Wilhelm Furtwängler. Dokumente . . ., a.a.O., S. 123.

nicht so bleiben; auch wenn ein so ausgezeichneter Kapellmeister, wie Hans *Richter* aus Wien, vorhanden ist, von dessen Erfahrung, Sicherheit, Umsicht und Liebenswürdigkeit alle Musiker nur mit der höchsten Begeisterung sprechen, darf es nicht so bleiben; von dem Ohr und dem Arm eines einzigen Mannes kann nicht Alles abhängen. Vielleicht aber ist es möglich, das Wagner'sche Orchester mit der Zeit in sich selber so zu verbessern, daß die erwähnten Übelstände beseitigt werden; denn für die dramatische Illusion ist die Unsichtbarkeit des Orchesters ein eben so großer Vorteil, als für den akustischen Eindruck und für das deutliche Hervortreten der Gesangstimmen der gedämpfte und gemilderte Klang[19].« Hier zeigt sich das beschriebene Dilemma des unsichtbaren Orchesters von einer anderen Seite, der der Orchestermusiker. Engels Zeugen haben nicht übertrieben. Daß die Musiker sich häufig, in manchen Konstellationen sogar in der Regel gegenseitig nicht hören, und daß ihnen die musikalischen Vorgänge auf der Bühne, aber auch die dramatischen, nahezu total entgehen, kann jeder bestätigen, der einmal eine Aufführung im Orchesterraum des Bayreuther Festspielhauses erlebt hat. Ein Musizieren, das von der Idee ausgeht, daß die Musizierenden — und zu ihnen gehören selbstverständlich auch die Sänger — aufeinander hören und dementsprechend aufeinander eingehen, ist im Bayreuther Festspielhaus kaum möglich. Für die Verbindung zwischen den Musikern sorgt während der Aufführung allein der Dirigent. Mehr als andernorts sind die Musiker auf ihn angewiesen. Er ist ihr Koordinator und Leiter, der allein in der Lage ist, ihnen zu sagen, wie sie zu spielen haben, ob sie zu laut sind oder zu leise, ob ihre Phrasierung der des Kollegen entspricht oder nicht usw. Den Musikern ist damit ein Großteil ihrer Eigenverantwortlichkeit und Selbständigkeit entzogen, und der von Engel mitgeteilte Eindruck einiger Musiker, sie seien sich als Maschinen, nicht als Musiker vorgekommen, trifft, so überspitzt formuliert er erscheinen mag, etwas Richtiges. Der Aussage der Orchestermusiker entspricht im übrigen der Eindruck des Musikwissenschaftlers Hermann Kretzschmar, der in seinen »Bayreuther Briefen« unter dem 18. 8. 1876 über das Orchester mit polemischem Unterton schrieb: »Das klingt Alles, als wäre die Mechanik die des Klaviers (auch eine unreine Taste war hin und wieder zu hören)[20].« Die Beobachtung ist im Prinzip richtig. Bei Wagner ist das Orchester das Instrument des Dirigenten. Das von Robert Schumann überlieferte Wort vom Orchester als einer Republik gilt nicht. In Wagners »Entwurf zur Organisation eines deutschen National-Theaters für das Königreich Sachsen«, geschrieben in Dresden 1848, heißt es: »Ein vollendetes Orchesterspiel kann nur dann erzielt werden, wenn sämtliche Musiker unter sich wie zu einem unteilbaren Körper verwachsen[21].« Akzentuiert wird die Unterordnung unter das Ganze, voran steht das Sicheinfügen in den größeren Zusammenhang, nach dem Vorbild der Teile des Körpers, der Organe im Organismus, die eine klar definierte und notwendige Tätigkeit ausüben, ohne aber zu wissen, was sie tun und welche Funktion sie mit ihrem Tun erfüllen, ohne die Vorgänge auch nach ihrem Willen und in ihrem Sinne beeinflussen zu können. Übersehen oder vernachlässigt wird die Eigenständigkeit der Musiker, die eben doch mehr sind als bloß Organe im Organismus, als Teile eines Körpers. Das gilt sowohl für das zitierte Wort Wagners als auch für dessen praktische Entsprechung, die Situation der Musiker im Orchesterraum des Bayreuther Festspielhauses. Schumanns Idee dagegen integriert den Musiker als freie und ihrer selbst bewußte Persönlichkeit, die selbst in der Lage ist, die eigene Rolle im musikalischen Geschehen zu erkennen und — im Zusammenwirken mit den anderen Musikern — zu gestalten. Nach Schumanns Vorstellung kann das Orchester auf den Dirigenten fast verzichten, es braucht nur einen primus

[19] G. Engel, Das Bühnenfestspiel in Bayreuth. Kritische Studie, Berlin 1876, S. 70 f.
[20] Musikalisches Wochenblatt, 22. 8. 1876, S. 472.
[21] R. Wagner, Sämtliche Schriften und Dichtungen, Volksausgabe, Leipzig o. J., Bd. 2, S. 264.

inter pares; Wagners Orchester hingegen, wie es im Bayreuther Festspielhaus in Erscheinung tritt, kommt ohne den Dirigenten nicht aus.

Diese Aufwertung des Dirigenten ist freilich nicht gleichbedeutend mit mehr Autorität und Freiheit in Bezug auf die Gestaltung der Aufführung, auf das, was man Interpretation nennt. Im Bayreuther Festspielhaus ist der Dirigent — wie gesagt — stärker als andernorts in der Rolle des Koordinators. Durch die größere Bindung an technische Aufgaben wird ein Teil seiner Kraft und seiner Aufmerksamkeit dem entzogen, was man allgemein unter Interpretation versteht und als das Wesentliche an seiner Rolle aufzufassen gewohnt ist. Zu dieser notwendigen Konzentration auf die richtige Realisierung der Noten kommt die durch die beschriebenen akustischen Verhältnisse bedingte Problematik des Klangs, dessen Veränderung für den Dirigenten weitgehend unkontrollierbare Folgen hat. Spontanen Einfällen während der Aufführung nachzugeben, ist riskant, zumindest riskanter als in den meisten Opernhäusern. Der Dirigent wird vom Interpreten, der — zumindest der Idee nach — in jedem Augenblick der Aufführung frei über die Art und Weise der Gestaltung entscheiden kann, zum technischen Helfer, der in erster Linie dafür verantwortlich ist, daß der Ablauf der Vorstellung ordnungsgemäß vor sich geht. Dem korrespondiert, daß der Dirigent unsichtbar ist. Er bedarf keiner Haltung dem Publikum gegenüber — bestimmt etwa durch Frack und feierlich-zeremonielles Betragen —, das ihn von seiner Aufgabe ablenken könnte. Er kann sich indessen auch nicht einer solchen Haltung hingeben, um durch sie das Publikum zu beeinflussen. Nach der bis 1930 gehandhabten Praxis erschien der Name des Dirigenten nicht auf dem Theaterzettel. Der Dirigent blieb anonym, wie der Orchestermusiker und der Bühnenarbeiter. Zwar war es im 19. Jahrhundert allgemein üblich, den Namen des Kapellmeisters nicht zu nennen, anonym blieb der Dirigent indessen nicht; denn er war ja während der Aufführung zu sehen und gegebenenfalls zu identifizieren. Die Situation im Bayreuther Festspielhaus ist also eine prinzipiell andere, und Wagner hätte, wäre ihm die Anonymität des Dirigenten nicht wichtig gewesen, sicher die gängige Praxis durchbrochen.

Im Bayreuther Festspielhaus erscheint der Dirigent stärker als andernorts an die Partitur gebunden. Es könnte sein, daß Wagner, der in vielfältiger Weise mit seinen kompositorischen Maßnahmen der Aufführung vorgriff und die Musiker von vornherein festzulegen bestrebt war, es so gewollt hat.

3. Der Bayreuther Stil

Die Bayreuther Festspiele haben sich — mit Ausnahme vielleicht der Jahre seit 1951 — nie als eine Institution verstanden, deren Ziel es gewesen wäre, das ganze Spektrum der Möglichkeiten der Wagner-Interpretation auszuleuchten oder die Mannigfaltigkeit der real gegebenen Wagner-Deutungen vorzuführen. Einen Pluralismus der Auffassungen und Meinungen hat es nie gegeben. Dem standen einerseits die erwähnten Voraussetzungen des Bayreuther Festspielhauses, vorab das verdeckte Orchester, entgegen, andererseits ein ausgeprägter Stilwille, der — wenn vielleicht auch nur schwach und unterirdisch — bis heute spürbar ist.

Richard Wagner baute sein Festspielhaus und gründete die Bayreuther Festspiele in der Absicht und mit dem Vorsatz, »die vollendete Ausbildung eines bisher gänzlich mangelnden *deutschen Stiles* auf dem Gebiete des lebendigen Dramas[1]« zu ermöglichen und — wie es in einem Brief an Ludwig II. vom 21. 10. 1876 heißt — »zur Begründung und Pflege einer originalen deutschen musikalisch-dramatischen Kunst als Vorbild zu dienen[2].« Diesem »deutschen Stil« gab Wagner folgende Definition: »unter diesem Stil verstehen wir die *vollkommen erreichte und zum Gesetz erhobene Übereinstimmung der theatralischen Darstellung mit dem dargestellten wahrhaft deutschen Dichterwerke[3].*« Gefordert wurde also ein Aufführungsstil, der spezifisch deutschen Kunstwerken — und als solche verstand Wagner vor allem seine eigenen Werke — angemessen war, eine Aufführungspraxis, die sich nicht am italienischen oder französischen Musiktheater orientierte und nicht Stileigentümlichkeiten der Großen Oper, der opéra comique oder anderer Opernarten auf den Fidelio, den Freischütz oder gar den Tristan anwendete. Vor allem aber wollte Wagner einen Aufführungsstil, der seinem Musikdrama gerecht zu werden vermochte. Fast alle Faktoren, die im Folgenden zur Sprache kommen, sollten diesem Zweck dienen.

Daß das spezifisch Deutsche am Bayreuther Stil nicht nur den bezeichneten sachlichen Aspekt hatte, sondern ebensosehr Züge, die zu einem irrationalen Nationalismus und zum Chauvinismus tendierten, ist allgemein bekannt (vgl. das erste Kapitel).

In einem in den »Bayreuther Blättern« 1880 veröffentlichten programmatischen Aufsatz mit dem Titel »Was ist Stil?« bezeichnete Hans von Wolzogen das verdeckte Orchester als notwendige Voraussetzung für die Verwirklichung der den musikdramatischen Werken Richard Wagners entsprechenden Aufführungspraxis, die er kurzerhand den »Stil« nannte[3a]. Wagner selbst ließ nie einen Zweifel daran, daß die Unsichtbarkeit des Orchesters ein wesentlicher Bestandteil seines Konzepts vom Musiktheater sei. In seinem »Vorwort zur Herausgabe der Dichtung des Bühnenfestspiels ›Der Ring des Nibelungen‹«, verfaßt im Januar 1863 in Wien, ging er bei der Formulierung seiner Vorstellungen von der angemessenen Aufführung der Ring-Tetralogie auch auf die Stellung des Orchesters ein. Wagner schrieb: »Zur Vollendung des Eindruckes einer solchermaßen vorbereiteten Aufführung würde ich dann noch besonders die Unsichtbarkeit

---

[1] R. Wagner, Deutsche Kunst und deutsche Politik, Sämtliche Schriften und Dichtungen, a.a.O., Bd. 8, S. 122.
[2] Königsbriefe, Bd. 3, S. 96.
[3] R. Wagner, Deutsche Kunst und deutsche Politik, a.a.O., S. 122.
[3a] Bayreuther Blätter 1880, S. 13 f.

des Orchesters, wie sie durch eine, bei amphitheatralischer Anlage des Zuschauerraumes mögliche, architektonische Täuschung zu bewerkstelligen wäre, von großem Werte halten. Jedem wird die Wichtigkeit hiervon einleuchten, der mit der Absicht, den wirklichen Eindruck einer dramatischen Kunstleistung zu gewinnen, unseren Operneinführungen beiwohnt, und durch den unerläßlichen Anblick der mechanischen Hilfsbewegungen beim Vortrage der Musiker und ihrer Leitung unwillkürlich zum Augenzeugen technischer Evolutionen gemacht wird, die ihm durchaus verborgen bleiben sollen, fast ebenso sorgsam, als die Fäden, Schnüre, Leisten und Bretter der Theaterdekorationen, welche, aus den Kulissen betrachtet, einen bekanntlich alle Täuschung störenden Eindruck machen. Hat man nun je erfahren, welchen verklärten, reinen, von jeder Beimischung des, zur Hervorbringung des Tones den Instrumentisten unerläßlichen, außermusikalischen Geräusches befreiten Klang ein Orchester bietet, welches man durch eine akustische Schallwand hindurch hört, und vergegenwärtigt man sich nun, in welche vorteilhafte Stellung der Sänger zum Zuhörer tritt, wenn er diesem gleichsam unmittelbar gegenübersteht, so hätten wir hieraus nur noch auf das leichte Verständnis auch seiner Aussprache zu schließen, um zu der vorteilhaftesten Ansicht über den Erfolg der von mir gemeinten akustisch-architektonischen Anordnung zu gelangen[4].« Wagner wollte die totale Konzentration auf die Bühne im Rahmen einer Vorstellung vom Theater, die nach der Abhandlung »Über Schauspieler und Sänger« als »Kunst der erhabenen Täuschung[5]« zu beschreiben ist. Nichts darf vom Geschehen auf der Bühne ablenken, nichts die Illusion stören. Der Zuschauer soll wie durch Zauber bis zur Selbstvergessenheit gefesselt werden[6]. Der Sänger hat Schauspieler und Darsteller zu sein; er soll und muß unmittelbar verstanden werden, nicht erst auf dem Umweg über das Mitlesen im Textbuch, das die Illusion ebenso beeinträchtigt wie der Anblick der vor der Bühne agierenden Musiker. Im übrigen hat Wagner das Mitlesen des Textes dadurch unmöglich gemacht, daß er den Zuschauerraum während der Aufführung abdunkelte, auch dies ein Mittel zur Erhöhung der Illusion, zur Entfaltung derjenigen Qualitäten des Theaters und der Musik, die geeignet sind, die Hörer und Zuschauer zu faszinieren und jenseits ihres Intellektes zu bewegen. Das Orchester klinge »zauberisch schön«, schrieb Hermann Levi 1875 über das Festspielorchester[7] und bezeichnete damit eine Eigenschaft, auf die es Wagner ankam. Wagner selbst pflegte den verdeckten Orchesterraum den »mystischen Abgrund« zu nennen[8]. Vor dem Hintergrund dieser Funktion leuchtet ein, daß Präludieren und das Einstimmen der Instrumente vor Beginn der Aufführungen im Orchesterraum des Festspielhauses untersagt war (vgl. die Verbotstafel auf der Abbildung 5). Die Verbotstafel, die noch auf einem Bild mit Hans Knappertsbusch am Pult zu sehen ist (Abbildung 6), wurde später entfernt. Im Bayreuther Festspielhaus wird heute, vor allem wohl auch der präzisen Einstimmung der Instrumente zuliebe, vor Beginn der Aufführungen ebenso gestimmt und präludiert wie in Opernhäusern und Konzertsälen. Um die »zauberischen« Wirkungen und den »mystischen Abgrund« geht es heute nicht mehr. Die Änderung vollzog sich indessen erst im neuen Bayreuth seit 1951. Siegfried Wagner dagegen führte die Bayreuther Festspiele noch ganz im Sinne seines Vaters, indem er »das Dämonische der Bühne« als zentrale Kategorie des Theaters verstand, der die Musik sich einzufügen und die sie zu unterstützen hatte[9].

4 R. Wagner, Sämtliche Schriften und Dichtungen, a.a.O., Bd. 6, S. 275.
5 R. Wagner, Sämtliche Schriften und Dichtungen, a.a.O., Bd. 9, S. 221.
6 ebda., S. 182.
7 Brief an den Vater vom 30. 8. 1875, RWG.
8 R. Wagner, Das Bühnenfestspielhaus in Bayreuth, Sämtliche Schriften und Dichtungen, a.a.O., Bd. 9, S. 337.
9 Bayreuth 1896, a.a.O., S. 28.

Die Versenkung des Orchesters bedeutet die Unsichtbarmachung der Arbeit, die die Musiker tun. Der gewölbte, den Klang zur Bühne hin reflektierende Schalldeckel ist das Pendant dazu: er reinigt den Klang von den Spuren seiner Hervorbringung, macht also — pointiert formuliert — die getane Arbeit unhörbar. Der Klang wird schöner, vollkommener — »verklärt« und »rein«, wie Wagner es genannt hat. Diese Idealisierung des Klangs ist immer wieder als besonderes Charakteristikum der Bayreuther Festspielaufführungen beschrieben und gerühmt worden. Wenn der Bayreuther Stil je Wirklichkeit war, dann in der Wirkung des verdeckten Orchesters, dem »veredelten« Klang, wie ihn der Kritiker Alexander Berrsche 1933 nannte[10].

Eine damit eng verwandte Eigenschaft, die Wagner sehr wichtig sein mußte, bezeichnete der Berliner Kritiker Gustav Engel 1876, als er ausführte, die Grundmotive der Musik seien sehr deutlich hervorgetreten, »ohne jemals durch ein Übermaß von Klangfülle zu belästigen«. Der Gesamtklang habe auch im äußersten Fortissimo »nicht die Grenzen des Wohlklangs« überschritten[11]. Musik, die aufdringlich wirkt, durch die Sprengung der Grenzen des Angenehmen als belästigend empfunden wird, zieht Aufmerksamkeit auf sich, die ihr nach Wagners Theaterkonzept nicht zukommt. Sie lenkt ab von der Konzentration auf das Drama und stört die Wirkung des Geschehens auf der Bühne, auf die es allein ankommt. Klangfülle verhindert im übrigen die Verständlichkeit dessen, was die Sänger-Darsteller singend sagen. Um Verständlichkeit des Textes war es Wagner indessen, wie schon deutlich wurde, sehr zu tun. Bei den Proben zur Uraufführung des Tristan gab er das Münchner Residenztheater, das ihm wegen seiner Intimität besonders angemessen erschien, auf, weil es sich akustisch als untauglich erwies. Wagner schrieb darüber an Ludwig II.: »Der materielle, sinnlich geräuschvolle Schall des Orchesters, welchen ich durch keine Vorrichtung dämpfen kann, und gegen welchen alle Vortragsbemühungen sich unmächtig erweisen, treibt mich mit meinen lieben Sängern aus diesem kleinen lärmenden Saale in das große Theater [das Hoftheater] zurück. [...] oh, mein unsichtbares, tiefer gelegenes, — verklärtes Orchester im Theater der Zukunft[12]!«

Die Dämpfung des Klangs — ermöglicht durch die Einrichtung des verdeckten Orchesters — diente der unmißverständlichen Deutlichkeit und der überzeugend-überwältigenden Wirkung der dramatischen Darstellung. Die damit vollzogene Rückstufung der Musik, die Minderung ihrer Eigenständigkeit und künstlerischen Gleichberechtigung, der Wagners eigene Kompositionen unverkennbar widersprechen, war ein Opfer, das zu bringen, Wagner augenscheinlich bereit war.

Die akustischen Konsequenzen des verdeckten Orchesters legten es den Dirigenten nahe, sich nicht so sehr auf die Komposition und ihre bis in alle Einzelheiten genaue und deutliche Darstellung zu konzentrieren. Indessen — das dürfte längst klar sein — gehörte es nicht zu den Maximen und Prinzipien des Bayreuther Stils, den Akzent auf die Musik zu legen. Den Primat hatte stets das Drama. Alle Berichte über die von Richard Wagner geleiteten Festspiele bestätigen das. Cosima Wagner formulierte es programmatisch in einem Brief an Felix Mottl: »Die Wendung unserer Kunst geht vom Drama aus. Die Bayreuther Bühne bringt uns das durch die Musik verklärte Drama[13].« Houston Stewart Chamberlain sah das »echt Bayreuthische« in der »ausdrücklichsten Betonung des Dramatischen«, in der »Hervorhebung des Dramas«, der

[10] zitiert nach: A. Berrsche, Trösterin Musika. Gesammelte Aufsätze und Kritiken, München 1942, S. 256.
[11] G. Engel, Das Bühnenfestspiel in Bayreuth, a.a.O., S. 69.
[12] Königsbriefe, Bd. 1, S. 90.
[13] Brief vom 8. 4. 1888, Du Moulin Eckart, Bd. 2, S. 198.

»Deutlichkeit der dramatischen Handlung[14].« Diese Dominanz bestand bis ins neue Bayreuth. Wieland Wagner schrieb im Juli 1954 während der Tannhäuser-Proben an Igor Markevitch, den Tannhäuser-Dirigenten, es gehe in Bayreuth um die Verwirklichung des Dramas Richard Wagners, dem sie sich alle unterzuordnen hätten[15]. Die Konsequenz für den Dirigenten hat Siegfried Wagner am unmißverständlichsten ausgesprochen: »der Dirigent spielt in Bayreuth die 2. Rolle. Das hat mein Vater von jeher ausgesprochen, indem die Dirigenten nur seine Befehle auszuführen hatten[16].« Auch wenn zu berücksichtigen ist, daß Richard Wagner nicht nur als Regisseur, sondern auch als Komponist und Autor Instruktionen erteilt hat, braucht man an der grundsätzlichen Richtigkeit der Aussage Siegfried Wagners nicht zu zweifeln. Als 1924 Fritz Busch Vorschläge zur Sängerbesetzung seiner Bayreuther Meistersinger-Aufführungen machte, antwortete ihm Siegfried Wagner: »Das *bayreuther* Publikum hat in den langen Jahren der Bayreuther Festspiele gelernt dass es bei *dramatischen* Werken in erster Linie darauf ankommt, glaubhafte Gestalten auf der Bühne zu finden. Allein schön singende KEHLEN haben *hier* nie Erfolg gehabt. [...] Ohne auf das Einzelne Ihres Briefes einzugehen, möchte ich Ihnen daher den Vorschlag machen [:] Hören Sie sich doch hier erst einmal die Proben an und sehen Sie erst einmal, worauf es in erster Linie hier ankommt. Sie waren nie in Bayreuth. Von Ihrem Standpunkt als absoluter Musiker verstehe ich ja, dass Ihnen in erster Linie nur an dem Gesanglichen liegt. *Wir* müssen aber auch an das Drama, an die Glaubhaftigkeit der Gestalten denken[16a].«

Aus der Forderung nach Vorherrschaft des Dramas mußten sich für die Dirigenten zwei Folgerungen ergeben. Zum einen die rigorose Zurücknahme der Lautstärke, damit der sprachliche Anteil am dramatischen Geschehen zur optimalen Deutlichkeit gelangen konnte. Zum anderen der totale und ständige Bezug der Musik auf die Handlung.

»Die Sänger sind die Hauptsache. Das Orchester akkompaniert nur, etwa wie im ›schwarzen Domino‹ [Auber]«, sagte Wagner in einer Probe zur Götterdämmerung 1876[17]. Für die Nornenszene empfahl er: »Bei der orchestralen Begleitung dieser Szene durchwegs auf die möglichste Deutlichkeit der gesungenen Worte zu achten! (forte = mezzoforte)[18].« Dieser Aufforderung zur Reduktion der Dynamik entspricht eine von Heinrich Porges überlieferte Anweisung Wagners aus einer Siegfried-Probe: »Um die Rede der Darsteller stets als Hauptsache hervortreten zu lassen, mahnte der Meister wiederholt: als Grundlage der Tonstärke das piano festzuhalten und die kleinen crescendi nur wie unmerklich auszuführen[19].« Schließlich noch ein Zitat aus den von Heinrich Porges in den »Bayreuther Blättern« veröffentlichten Berichten »Die Bühnenproben zu den Festspielen des Jahres 1876«: »Bei den Proben des Nibelungenringes stellte es sich nämlich als eine Notwendigkeit heraus, an vielen Stellen die dynamischen Bezeichnungen der Tonstärke zu ermäßigen, öfter an die Stelle eines fortissimo ein forte, an die Stelle eines forte ein mezzoforte usw. zu setzen. Dies geschah aus dem Grunde, um vor Allem Wort und Ton des Sängers zu deutlichem Vernehmen gelangen zu las-

---

14 Ein Brief Chamberlains über die Bayreuther Ringaufführungen von 1896, Bayreuther Festspielführer 1924, S. 105 f. Vgl. auch B. Diebold, Der Fall Wagner. Eine Revision, Frankfurt/M 1928, S. 39 f.

15 Bayreuther Festspiele.

16 Bayreuth 1896, a.a.O., S. 28.

16a Brief vom 24. 5. 1924, Brüder-Busch-Archiv, Hilchenbach, Archiv-Nr. B 2280.

17 Klavierauszug der Götterdämmerung (K. Klindworth) mit handschriftlichen Eintragungen von H. Porges, F. Mottl, H. Levi, S. 48, RWA.

18 ebda., S. 3. Vgl. Siegfried-Klavierauszug des Verlages Peters (Mottl), S. 251.: »Sofort mit dem Einsatze des Wanderers das Orchester sehr dämpfen.« (3. Aufzug, 1. Szene).

19 Siegfried-Klavierauszug (Klindworth) mit handschriftlichen Eintragungen von H. Porges, F. Mottl, H. Levi, S. 42, RWA.

sen; denn wir sollen eben keinen Moment vergessen, daß wir einer dramatischen Aufführung, die durch die überzeugende Gegenwärtigkeit einer dem wirklichen Leben nachgebildeten Handlung zu wirken hat, beiwohnen, und nicht etwa ein Werk der rein symphonischen Kunst aufzunehmen haben[20].« Die durch den Schalldeckel erzielte Dämpfung der Lautstärke genügte Wagner offensichtlich nicht, und er setzte deshalb die schon bei der Uraufführung des Tristan 1865 in München eingeführte Rückstufung der dynamischen Werte, über die u. a. die im Münchner Nationaltheater aufbewahrte Uraufführungspartitur Aufschluß gibt[21], im Bayreuther Festspielhaus fort. Die zitierten, von Heinrich Porges, Felix Mottl und Hermann Levi notierten Probenanweisungen von 1875/76 wurden später in Klavierauszüge eingetragen, die den Proben zu den Ring-Aufführungen 1896 zugrunde gelegen haben. Die Forderungen zur Reduktion der Dynamik wurden also tradiert. Ausgesprochen wurden sie freilich meist nur indirekt, da sie ja nicht Selbstzweck waren, sondern der Verständlichkeit der Sänger galten. In der immer erneut gestellten Forderung nach Deutlichkeit der Aussprache war stets unausgesprochen die Forderung nach Reduktion der Lautstärke enthalten. In dem bereits zitierten Brief Cosima Wagners an Felix Mottl (8. 4. 1888) heißt es, das erste Organ des Dramas sei die Sprache[22], und an Richard Strauss schrieb Cosima 1889: »Wollen auch Sie, mein lieber Freund, Ihr Hauptaugenmerk auf die deutliche Sprache lenken, was allüberall noch fehlt. In München z. B. [bei einer Aufführung der Götterdämmerung unter Franz Fischer] nebst dem, daß man keinen Ton hörte, verstand man keine Silbe[23].« Wie wichtig Wagner selbst die Verständlichkeit der Sänger war, machen die bereits zitierten Aussagen deutlich. In einem Brief an Ludwig II. rühmte er die »ungemein deutliche Aussprache«[24] des Sängers Heinrich Vogl, die »immense Deutlichkeit und Lebhaftigkeit seines Gesanges[25].« Auf sie kam es ihm an. Welches Gewicht der deutlichen Aussprache in der Folgezeit beigemessen wurde, erhellt aus der akribischen Aussprache-Systematik, die bei den Bayreuther Festspielen, ausgehend von der 1892 gegründeten Stilbildungsschule unter Julius Kniese über Carl Müller (Leiter der musikalischen Vorbereitung), Hugo Rüdel (Chordirektor) zu Carl Kittel (Leiter der musikalischen Vorbereitung) entwickelt worden ist und über die Kittels Aufsätze wie z. B. »Vom Bayreuther Stil. Das Sprachliche[26]« und »Lehrjahre bei Cosima Wagner[27]« Auskunft geben. Diese Aussprache-Systematik — häufig als Konsonantenspuckerei diffamiert — ist im neuen Bayreuth nicht weitergeführt worden. Es wäre eine Übertreibung, wollte man behaupten, daß die Textverständlichkeit im neuen Bayreuth noch die Bedeutung habe, die sie einst besaß. Immerhin sagte aber noch Wilhelm Furtwängler 1941 über den Text der Musikdramen: »Er muß aber verstanden werden, muß in jedem Moment verstanden werden, soll der Hörer den vollen Eindruck, den vollen Genuß

[20] Bayreuther Blätter 1880, S. 150. Bernhard Diebold rühmte 1928 die »immerwährende Dämpfung des Klangs« als Spezifikum der Bayreuther Festspielaufführungen und als den Intentionen Wagners einzig angemessen, Der Fall Wagner, a.a.O., S. 40.
[21] Am 31. 10. 1901 schrieb Felix Mottl an Cosima Wagner über den Tristan: »Bitte Freund Beidler zu sagen, daß die Verminderung der Tonstärken nach mündlicher Angabe Bülows, nicht aber nach seiner Partitur, vorgenommen wurden. Es wurde ihm in München der direkte Auftrag zu diesen Veränderungen zuteil! Wir haben auch 1886 einiges davon in Anwendung bringen müssen, da sich die Orchesterwucht als zu drückend auf die Deutlichkeit des Gesangsvortrages herausstellte«. RWA.
[22] Du Moulin Eckart, Bd. 2, S. 198.
[23] Brief vom 12. 10. 1889, Der Strom der Töne trug mich fort, a.a.O., S. 48.
[24] Brief vom 17. 5. 1881, Königsbriefe, Bd. 3, S. 208.
[25] ebda., S. 209.
[26] Bayreuther Festspielführer 1933, S. 215—223.
[27] Bayreuther Festspielführer 1937, S. 69—77.

haben[28].« Daß der Verständlichkeit der Worte manches Detail der Musik zum Opfer fallen muß, scheint in Bayreuth nicht als Problem oder Dilemma empfunden worden zu sein. Im Gegenteil: Bei einer Rheingold-Probe sagte Wagner 1876: »Wenn der Sänger etwas zu sagen hat, hat sich sofort das Orchester unterzuordnen, und wenn es die schönsten Sachen zu spielen hat[29].« Bei Porges ist zu lesen: »Es ist überhaupt ein Grundgesetz stilgemäßer Ausführung und ermöglicht nur dies ein wirkliches Ineinanderaufgehen von Drama und Musik, wenn die bei Wagner in den mannigfaltigsten Verschlingungen auftretenden Erinnerungs- oder Vorahnungs-Motive stets den im Vordergrunde stehenden szenischen Vorgängen untergeordnet werden[30].« Chamberlain lobte 1896 an den Ring-Aufführungen die Lebendigkeit des Dialogs, »wodurch eine ganze Menge musikalischer Einzelheiten, wie die Ornamente an einem gotischen Dome, auf die ihnen vom dramatischen Standpunkt aus zukommende untergeordnete Rolle zurückgewiesen werden[31].« Im gleichen Zusammenhang wurde es begrüßt, daß die Musiker bei den Festspielen weniger als andernorts in der Schönheit der Musik schwelgten[32]. Dieses asketische Ideal hat heute freilich keine Gültigkeit mehr.

Um die für die Textverständlichkeit jeweils notwendige Reduktion der Lautstärke durchführen zu können, muß der Dirigent ständig und nachhaltig auf die Sänger konzentriert sein. Konzentration auf die Bühne war aber erst recht deshalb notwendig, weil die Musik, Takt für Takt, auf das dramatische Geschehen bezogen und genau mit ihm in Übereinstimmung sein sollte. Diese Forderung erhob Wagner, als er an Franz Liszt im Jahre 1850 schrieb: »jeder Takt einer dramatischen Musik ist nur dadurch gerechtfertigt, daß er etwas auf die Handlung oder den Charakter des Handelnden Betreffendes ausdrückt[33].« Wagner war der Meinung, daß die Musik, sofern sie kein szenisch-dramatisches Pendant habe, sinnlos sei und damit unverständlich. Volle Verständlichkeit sah er erst in der peinlich genauen Übereinstimmung von Musik und Handlung. »Die rechte Übereinstimmung zwischen Orchester und Bühne gab es nur erst in Bayreuth: und *das war Stil*«, schrieb Hans von Wolzogen in seinem erwähnten Aufsatz »Was ist Stil[34]?« Über die Proben der von Wolzogen gemeinten ersten Festspiele 1876 berichtete Felix Mottl in seinen »Bayreuther Erinnerungen«: »Die Genauigkeit und Aufmerksamkeit, mit welcher Wagner diese Proben leitete, läßt sich nicht beschreiben. Jeder musikalischen Phrase des Orchesters mußte nach seiner Anweisung eine Aktion auf der Bühne entsprechen, so daß schon auf den ersten Proben dem aufmerksamen Schüler klar wurde, worauf es bei der Wiedergabe des Wagnerschen Bühnenwerkes eigentlich ankommt. Der szenische Vorgang ist und bleibt die Hauptsache; durch ihn wird die Vortragsweise des begleitenden Orchesters bedingt. Die Beschleunigung oder Zurückhaltung des musikalischen Zeitmaßes hängt von ihm ab. Wenn bei der Aufführung rein-symphonischer Werke einzig und allein der musikalische Gehalt ausschlaggebend ist, so hat sich bei dramatischen Vorführungen die Musik dem Inhalte des Dramas in einem höheren Sinne gleichsam unterzuordnen und die dichterische Absicht zu unterstützen. Der Dirigent, welcher der Wagnerschen Kunst auf rein-musikalischem Wege begegnen wollte, würde gewaltig irre gehen; wie wir dies denn so oft

---

28 W. Furtwängler, Der Fall Wagner, frei nach Nietzsche, in: Ton und Wort, 5. Aufl., Wiesbaden 1955, S. 166.
29 Rheingold-Klavierauszug (Klindworth) mit handschriftlichen Eintragungen von H. Porges, F. Mottl, H. Levi, S. 63, RWA.
30 H. Porges, Die Bühnenproben zu den Festspielen des Jahres 1876, Bayreuther Blätter 1896, S. 156.
31 Ein Brief Chamberlains über die Bayreuther Ringaufführungen von 1896, a.a.O., S. 106.
32 ebda.
33 Brief vom 8. 9. 1850.
34 Bayreuther Blätter 1880, S. 14.

erlebt haben, daß es höchst verdienstvollen und ehrlich denkenden Musikern der älteren Schule niemals gelungen ist, sich in ein verständnisvolles Verhältnis zu diesem Kunstwerk zu setzen[35].« Im gleichen Sinne äußerte sich Anton Seidl in seiner Abhandlung »Über das Dirigieren[36]«, und Hans von Wolzogen schrieb zum Thema »Das Theater von Bayreuth und seine Kapellmeister« (1899): »Überall aber, und abgesehen von jedem besonderen Berufe, wird der begabte Wagner-Dirigent seine Kunst darin bewähren, daß er sein Orchester immer als Teil eines Dramas zur Geltung bringt. Es soll das Drama in allen Einzelheiten musikalisch mitleben, als die ›musikalische Gebärde‹, welche sich an die mimische Gebärde auf der Bühne anschließt[37].« Auch als Cosima Wagner die Festspiele leitete und Regie führte, stand die akribische Verknüpfung von Musik und szenischem Geschehen im Mittelpunkt der Arbeit[38], und 1914 — mittlerweile war Siegfried Wagner Festspielleiter — bezeichnete Richard Sternfeld sie als »wesentliches Moment des Bayreuther Stils[39].« Daran scheint sich bis hin zur Ära Heinz Tietjens (1933—1944) grundsätzlich kaum etwas geändert zu haben[40]. Seit 1951 freilich gibt es dieses Grundelement des Bayreuther Stils nicht mehr. Die Gestaltung der Musik, die selbstverständlich — das liegt in der Natur der Sache — nicht ohne einen Bezug zum Geschehen auf der Bühne sein kann, wurde unabhängiger. Die Dirigenten hatten mehr Freiheit. Der gewandelte Regiestil machte eine stärkere Hinwendung zur Musik, zur Komposition möglich. Dieser Aufwertung der Musik korrespondierte freilich auch die Möglichkeit der stärkeren und gegebenenfalls störenden Ausprägung der Individualität des einzelnen Dirigenten.

Besondere Aufmerksamkeit für die Musik war nach den Maximen des Bayreuther Stils nicht gefragt, weder für Dirigenten noch für Zuhörer. Das Ideal war eine Aufführung, über deren dramatischer Eindringlichkeit und Überzeugungskraft der Zuschauer vergaß, daß er Musik hörte. In seinem »Rückblick auf die Festspielproben in Bayreuth« berichtete Heinrich Porges über eine Stelle im Rheingold: »Wenn irgendwo so hat R. Wagner hier vollkommen sein Ziel erreicht, daß, wie er sagt, die allerreichste Orchestersprache gewissermaßen gar nicht gehört, gar nicht beachtet werden, sondern mit dem Drama organisch zu einem Ganzen verwachsen solle[41].« Ganz ähnlich äußerte sich Cosima Wagner. Sie schrieb an Hermann Levi: »Ich kann mir nun einmal nicht helfen; gutes Orchester, gute Chöre hin und her, wenn die Handlung auf der Bühne nicht alles andere vergessen läßt, ist eben die Aufführung verfehlt, und wenn sie sängen und geigten wie die Engel im Himmel[42]!« Die Meistersinger-Aufführungen unter Hans Richter, zumindest diejenigen der Jahre 1911 und 1912, scheinen diesem Prinzip entsprochen zu haben. Richard Sternfeld rühmte sie in der »Vossischen Zeitung« am 27. 7. 1911 folgendermaßen: »Für den Bayreuther Stil ist aber gerade dieses Orchester unter Richter bezeichnend; nie scheint es um seiner selbst willen da zu sein oder gar sich vorzudrängen, sondern es steht einzig im hingebenden Dienst der Handlung; man vergißt hier völlig die ›Oper‹ und meint, einer in idealer Ferne aber mit kräftigstem Realismus sich abspielenden Komödie mehr zuzuschauen, als zuzuhören. Hier ist kein ›Ohren-

35 Der Merker, II (Juli 1911), S. 785.
36 Bayreuther Blätter 1900, S. 291—308.
37 Bayreuther Blätter 1899, S. 276.
38 Vgl. D. Thode-von Bülow, »Was liegt an mir?« Cosima Wagner, Festspielleiterin von 1886 bis 1906, a.a.O., S. 29.
39 R. Sternfeld, Bayreuther Kunst und Bayreuther Künstler, Niehrenheims Wegweiser für Besucher der Bayreuther Festspiele 1914, Teil II, S. 64.
40 Vgl. S. v. Hausegger, Tradition und Erneuerung, Bayreuther Festspielführer 1934, S. 19 f. — C. Kittel, Vom Bayreuther Stil: Das Darstellerische, Bayreuther Festspielführer 1936, S. 69.
41 Neue Zeitschrift für Musik, 7. 4. 1876, S. 149.
42 M. Millenkovich-Morold, Cosima Wagner, a.a.O., S. 404.

schmaus‹, man soll nicht ganz Ohr, vielmehr ganz Auge, ganz Herz sein«. Und Wilhelm Furtwängler erzählte über eine 1912 erlebte Aufführung unter Richter: »Da war diese Oper ganz so, daß man überhaupt nicht merkte, daß man in einer Oper saß. Man hatte den Eindruck ... es ist ein Konversationsstück; man hörte die Pointen alle, so wie in einem Theaterstück, einem gesprochenen Theaterstück. Es kam gar nicht zum Bewußtsein, daß Musik dabei war. Dabei war das Ganze doch derartig in einer musikalischen Atmosphäre drin, daß das eine ganz kolossale Wirkung machte[43].« 1943, in einem Interview anläßlich der von ihm geleiteten Bayreuther Meistersinger-Aufführungen, sagte Furtwängler: »Man muß daher Wagners Oper durchaus als Sprechdrama hören. Die Musik muß man ›nicht merken‹, aber sie gibt dem Ganzen die Patina, die Farbe und das Leben; die Dichtung stellt sozusagen das Gerüst dar[44].« Furtwängler äußerte damit nichts anderes als alte Bayreuther Idealvorstellungen. Der Einsicht des Denkers scheinen freilich die Ansprüche des Musikers entgegen gestanden zu haben; denn, wie im ersten Kapitel angedeutet, zielten Furtwänglers Aufführungen eher auf eine Betonung der Musik.

In seinen Erinnerungen an Hermann Levi schrieb Ernst von Possart: »*er war der Regisseur am Dirigentenpult,* der dem Regisseur auf der Bühne in glücklicher Weise in die Hände arbeitete«[45], und: »*er war der schauspielerisch mitfühlende Träger des musikalischen Dramas*[46].« Levi entsprach damit — sofern richtig ist, was Possart geschrieben hat — exemplarisch Wagners Vorstellungen vom Dirigenten. Anton Seidl berichtete, Wagner habe ihm oft gesagt: »Lieber Freund, achten Sie mehr auf die Bühne, verfolgen Sie meine szenischen Bemerkungen, und Sie werden dann auch untrüglich das Richtige in der Musik treffen[47].« So wie Wagner auf der Bühne singende Schauspieler verlangte — und um des überzeugenden und intensiven Spiels willen Mängel des Gesangs in Kauf zu nehmen bereit war —, so forderte er für das Orchester regieführende Dirigenten oder gar dirigierende Regisseure. Gute Musiker allein jedenfalls konnten ihm nicht genügen[48]. Es ist bezeichnend, daß Felix Mottls Tristan-Partitur, aus der Mottl 1886 die Bayreuther Aufführungen dirigiert hat, fast ausschließlich Hinweise zur Regie enthält, so als hätte ein Regisseur und nicht ein Kapellmeister damit gearbeitet. Als Cosima Wagner 1890 rügend an Felix Mottl schrieb: »Von Ihrer Tannhäuser-Aufführung erfuhr ich nun [durch Engelbert Humperdinck], daß Sie sich nichts aus der Bühne machten« und Mottl deshalb spöttisch als »echten deutschen Musiker« bezeichnete[49], antwortete Mottl entrüstet: »Über den Witzbold Humperdinck habe ich mich geärgert! Was ist das für ein dummer Klatsch von ihm, ich kümmerte mich den Teufel um die Bühne, wenn 's nur im Orchester recht glatt ginge! Ist ja unglaublich, so was zu sagen! Ich denke ja an nichts als an die Bühne beim Dirigieren und Einstudieren und müßte ein riesiger Esel sein, wenn ich noch immer nicht gelernt hätte, um was es sich eigentlich handelt! [...] Aber warum glauben Sie auch so was von mir? Haben Sie mich in der langen Zeit als einen so bühnenblinden Musikanten kennen gelernt[50]?« Den »bühnenblinden Musikanten«, als welche in Bayreuth nicht etwa nur die Konzertdirigenten, sondern im allgemeinen auch alle Opernkapellmeister galten, stellt ein von Anton

43 Wilhelm Furtwängler spricht über Musik, K. Höcker, Wilhelm Furtwängler. Dokumente ..., a.a.O., S. 123.
44 Ostdeutsche Morgenpost, Beuthen, 9. 8. 1943, nach einem Exemplar im RWA.
45 E. v. Possart, Hermann Levi. Erinnerungen, München 1901, S. 46 f.
46 ebda., S. 47.
47 A. Seidl, Über das Dirigieren, a.a.O., S. 294.
48 Vgl. das erste Kapitel S. 13 f.
49 Du Moulin Eckart, Bd. 2, S. 321.
50 Brief vom 14. 1. 1890, RWA.

Seidl überliefertes Wort Siegfried Wagners das Bayreuther Ideal entgegen. Siegfried Wagner sagte, »daß der Dirigent von der Bühne herab geboren werden muß, und nicht vom Orchester hinauf[51]!« Die Personalunion von Regisseur und Dirigent, wie sie von Siegfried Wagner und später von Heinz Tietjen zeitweise verwirklicht worden ist, mochte angesichts dieser Forderung als bestmögliche Lösung erscheinen, doch sah die Realität anders aus. Siegfried Wagner mußte — wie schon sein Vater (vgl. das erste Kapitel) — einsehen, daß sich Regieführen und Dirigieren auf die Dauer nicht mit gleichem Engagement durchführen ließen, schon gar nicht vor dem Hintergrund Bayreuther Perfektionsforderungen. Die Teilung der Aufgaben erwies sich als arbeitsökonomische Notwendigkeit, und die Personalunion von Regisseur und Dirigent blieb die seltene Ausnahme, wurde nicht zur Regel.

Zwei Wege wurden beschritten. Waren »geborene« Bühnendirigenten, um Siegfried Wagners Wort auf eine Formel zu bringen, selten, so mußten sie erzogen werden. Im Rahmen der Bayreuther Festspiele und der Stilbildungsschule wurde versucht, Dirigenten in diesem Sinne auszubilden. Bis hin zum Neubeginn nach dem 1. Weltkrieg hat bei den Festspielen kein Kapellmeister — mit Ausnahme Karl Mucks — Aufführungen geleitet, der sich nicht zuvor als Assistent mit Theorie und Praxis des Bayreuther Stils von Grund auf hatte vertraut machen müssen. Der andere Weg war die Setzung eindeutiger Prioritäten. Siegfried Wagner machte unmißverständlich deutlich, daß sich in Bayreuth der Dirigent dem Regisseur unterzuordnen und seine Befehle auszuführen habe[52]. Der Mindestanspruch galt einem tüchtigen Kapellmeister, einem guten Musiker mit solidem handwerklichem Können, der fähig und bereit war, dem Regisseur widerstandslos, ohne eigene Ansprüche zu folgen. Dirigenten mit eigenen Vorstellungen von der Musik und der Art ihrer Verwirklichung stießen notwendig auf Ablehnung. Die im ersten Kapitel zitierten Vorbehalte Karl Mucks gegen Furtwängler richteten sich zum einen gegen den Konzertdirigenten, der Muck selbstverständlich als »bühnenblinder Musikant« verdächtig war, zum anderen aber gegen die ausgeprägte Persönlichkeit Furtwänglers, seine Individualität, von der Muck mit sicherem Instinkt annahm, daß sie die Unterordnung unter den Willen des Regisseurs nicht ohne Auseinandersetzung hinnehmen würde. Mit Fritz Busch (1924), Arturo Toscanini (1930) und Wilhelm Furtwängler (1931) kamen Dirigenten nach Bayreuth, die dem Bild vom Festspieldirigenten, wie es der Bayreuther Stil entwarf, nicht ganz entsprachen. Zwar läßt sich nicht behaupten, daß sie sich durchgesetzt hätten; ganz im Gegenteil. Es ist aber doch sicher, daß sie dazu beigetragen haben, das Dirigentenbild der Festspiele zu modifizieren. Indessen war noch 1953 ein Argument gegen Igor Markevitch, daß er keine Opernerfahrung habe[52a], mit anderen Worten: ein Konzertdirigent sei, ein »bühnenblinder Musikant.«

Die Kehrseite der Intention, das Drama darzustellen, war der Impuls, sich von der Oper zu entfernen, und zwar sowohl von der Gattung als solcher als auch von der geläufigen Praxis ihrer Aufführung. Kurt Mey formulierte das Ziel unmißverständlich, als er in einem Rückblick auf die Bayreuther Festspiele von 1911 schrieb: »Je mehr ein Theater sich von der Oper entfernt, desto mehr nähert es sich dem Bayreuther Stil[53].« Cosima Wagner stellte Felix Mottl gegenüber die Maxime auf: »Wir haben mit der Oper gebrochen und sind verpflichtet, diesen Bruch auf das schärfste in allem kundzutun[54].« Kennzeichen der Oper war nach der Ansicht Richard Wagners wie seiner

---

[51] Brief Anton Seidls an Cosima Wagner vom 23. 2. 1897, RWA.
[52] siehe Anmerkung 16.
[52a] Brief von Clemens Krauss an Frau Markevitch. (Vgl. S. 24 f.).
[53] K. Mey, Ein Rückblick auf die Bayreuther Bühnenfestspiele des Jahres 1911, Wegweiser für Besucher der Bayreuther Festspiele 1912, S. 133.
[54] Brief vom 8. 4. 1888, Du Moulin Eckart, Bd. 2, S. 198.

Nachfolger Cosima und Siegfried die ungerechtfertigte Dominanz der Musik. Diese Meinung, die Wagner u. a. in der Schrift »Oper und Drama« ausführlich dargelegt hatte, wurde — wie auch die Schrift selbst — zur conditio sine qua non bei den Bayreuther Festspielen. Sollte deutlich werden, daß Wagner mit seinem Musikdrama diese Vorherrschaft gebrochen hatte, so mußte der Aufführungsstil dementsprechend sein. Der Akzentuierung des Szenisch-Dramatischen hatte die Zurücknahme und Unterordnung der Musik zu korrespondieren. Musikalisch guten Aufführungen an Opernhäusern, denen man in Bayreuth die Anerkennung durchaus nicht vorenthielt, wurde darum nachgesagt, in ihnen gehe »die Oper mit dem Drama durch[55]«, ein Vorwurf, der nicht schlimmer sein konnte. Die exemplarische Darstellung der Werke Wagners hatte den Sinn, der an den Theatern üblichen Wagnerpraxis entgegenzuwirken, die — wie man zumindest meinte — eine entstellende Opernpraxis war. Cosima zielte daher von Anfang an darauf, auch die frühen, häufiger gespielten und daher allgemein bekannteren Werke Wagners im Bayreuther Festspielhaus zur Aufführung zu bringen. Hermann Levi unterstützte sie, als er schrieb: »Ich glaube, nur an einem der früheren Werke kann der qualitative Unterschied zwischen einer Bayreuther und einer Opern-Aufführung recht eklatant erwiesen werden[56].« Vor der ersten Bayreuther Aufführung des Fliegenden Holländers meinte Felix Mottl in einem Brief an Cosima Wagner: »Zudem wird der ›Holländer‹, welcher bei den deutschen Orchestermusikern wohl noch vernachlässigter im Vortrag eingewurzelt ist als der ›Tannhäuser‹ es war, eine ungeheure äußerst gewissenhafte Probenzeit verlangen[57]!«

Es bezeichnete die Intention und war höchstes Lob, als Chamberlain von den Bayreuther Aufführungen 1894 sagte: »›Lohengrin‹ ist hier nicht eine Oper, sondern ein *Drama*[58].« Die »Entoperung[59]« zeigte sich am deutlichsten an der für die Festspiele 1901 vorgenommenen Einrichtung des Fliegenden Holländers zur dramatischen Ballade in einem Akt, die durchgehend, ohne Pause gespielt wurde. Diese Fassung geht nicht auf Wagner zurück, der das Werk stets als dreiaktige Oper aufgeführt hat, auch 1864 in München, wo er Gelegenheit gehabt hätte, die einaktige Form zu verwirklichen und durchzusetzen. Man behauptete zwar, Wagners Intention zu entsprechen, und konnte sich auch darauf berufen, daß Wagner ursprünglich an eine einaktige Oper gedacht hatte, die wahre Absicht scheint jedoch die gewesen zu sein, die Merkmale der Oper, die den Fliegenden Holländer unzweideutig prägen, zu verdecken, in den Hintergrund zu schieben oder in Züge des Musikdramas umzubiegen. Mit Ausnahme der Inszenierung von 1959, die deshalb auch verschiedenen Angriffen ausgesetzt war, ist bei den Bayreuther Festspielen stets diese nicht-authentische Fassung gespielt worden. Ähnlich, aber mit unvergleichlich rigoroseren Eingriffen in die Partitur, verfuhren Cosima Wagner und ihre musikalischen Berater, zu denen man Julius Kniese, Felix Mottl und Karl Muck rechnen muß, mit dem Rienzi, den man zwar nie für die Festspiele zugelassen hat, außerhalb Bayreuths aber ebenso als verkapptes Musikdrama verstanden wissen wollte wie die Werke vom Fliegenden Holländer bis zum Lohengrin[60].

55 K. Mey, Ein Rückblick . . ., a.a.O., S. 134.
56 Brief vom 2. 6. 1887, Bayerische Staatsbibliothek München.
57 Brief vom 6. 8. 1900, RWA.
58 Bayreuther Blätter 1936, S. 112.
59 Du Moulin Eckart, Bd. 2, S. 387. — Vor den Meistersinger-Aufführungen von 1924 schrieb Siegfried Wagner an Fritz Busch, er könne einen »Opern-David« nicht in der letzten Minute »ent-opern«. Brüder-Busch-Archiv, Hilchenbach, Archiv-Nr. B 2284.
60 Vgl. M. Geck, Rienzi-Philologie, in: Das Drama Richard Wagners als musikalisches Kunstwerk, hg. v. C. Dahlhaus, Studien zur Musikgeschichte des 19. Jahrhunderts, Bd. 23, Regensburg 1970, S. 183–196. — Vgl. auch die Edition der Richard-Wagner-Gesamtausgabe, Mainz 1974 ff. im Vergleich mit der geläufigen, auf Cosima Wagners Bearbeitung fußenden Partitur des Verlages Fürstner.

Die aufführungspraktische Konsequenz der Abkehr von der Oper mußte sein, das Musizieren auf die Vermeidung aller Züge, die an die Oper gemahnen konnten, abzustellen. Der Bayreuther Stil war eine Gegenreaktion. Obwohl z. B. in Wagners Werken bis hin zum Parsifal zwischen rezitativischen und ariosen Abschnitten zu unterscheiden ist und es im allgemeinen auch eine sinnvolle Gliederung ergibt, wenn diese Unterschiede von den Ausführenden akzeptiert und zur Darstellung gebracht werden, galt bei den Bayreuther Festspielen der Grundsatz, daß zwischen Rezitativ und Arie kein Unterschied zu machen sei. Die Lehrmeinung, daß es im Musikdrama Rezitativ und Arie nicht mehr gebe, und die prinzipielle Neigung, sich von der Aufführungspraxis der Oper abzuheben, führten zum Ausgleich der bestehenden Differenzen. Dabei konnte man sich auf Wagner selbst berufen. In dem Artikel »Ein Einblick in das heutige deutsche Opernwesen« hatte Wagner als wesentliches Merkmal seiner Werke im Gegensatz zur Oper den »dramatischen Dialog« bezeichnet, »an dessen wirksamer und schnellverständlicher Durchführung und Ausbildung [...] dem Autor alles gelegen war, weshalb er eben auch hierin seine ganze musikalische Kunst setzte[61].« In den mehrfach erwähnten Aufzeichnungen Wagnerscher Probenbemerkungen aus den Jahren 1875 und 1876 ist nie von Rezitativen und Arien, sondern stets vom »Dialog« die Rede, und zur 2. Szene im Vorspiel der Götterdämmerung (»Zu neuen Taten, teurer Helde«) heißt es in den von Felix Mottl veröffentlichten Anweisungen: »Dialog! Keine Arie[62]!« Nach Heinrich Porges bemerkte Wagner zu Siegmunds berühmtem »Liebeslied« »Winterstürme wichen dem Wonnemond«, »das Ganze dürfe nicht als eine Art Konzertstück wirken, sondern müsse den Eindruck einer, den dramatischen Verlauf nicht sowohl unterbrechenden, als nur etwas aufhaltenden *Episode* machen[63].« Daß die Deklamation des Schauspielers das Vorbild abgab, veranschaulicht eine andere von Porges überlieferte Probenanweisung Wagners: »Den richtigen Eindruck werden nun diese dialogischen Stellen nur dann hervorbringen, wenn das Tempo, in dem sie ausgeführt werden, im Wesentlichen dasselbe ist, wie das der gesprochenen Rede[64].« Daß insbesondere die Tempi den Gegensatz zur üblichen Opernpraxis artikulierten, braucht kaum erwähnt zu werden. Auch versteht sich von selbst, daß die Phänomene geläufiger Opernaufführungen, die sich dem Verdacht aussetzten, der Selbstdarstellung von Musik und Gesang oder gar der Sänger zu dienen, sämtlich ausgeschlossen wurden. Es bestand eine Tendenz, Sänger und Darsteller zu engagieren, die vom gängigen Opernbetrieb möglichst unbeeinflußt waren. »Einer *Opern*sängerin die Elisabeth [Tannhäuser] anzuvertrauen, scheint mir unmöglich[65],« schrieb Hermann Levi 1887 an Cosima Wagner, und Felix Mottl lehnte einen Sänger als für die Bayreuther Festspiele »durchaus unbrauchbar«, mit der Begründung ab, er sei »ein ›routinierter‹ Opernsänger, in des Wortes verwegenster Bedeutung[66].« Die Abkehr von verbreiteten Aufführungsgewohnheiten und Sängerallüren wurde so energisch betrieben, daß sie schließlich sogar auf die Operntheater zurückgewirkt zu haben scheint. Jedenfalls konnte Richard Sternfeld 1914 behaupten: »Wer möchte leugnen, daß durch das Bayreuther Beispiel der Stil der Opern-Aufführungen unendlich viel besser geworden ist? Das Singen in's Publikum, Kulissenreißen, die eigenmächtigen Tempi, sentimentalen Ritardandi, altmodischen Fer-

[61] R. Wagner, Sämtliche Schriften und Dichtungen, a.a.O., Bd. 9, S. 276.
[62] Götterdämmerung, Klavierauszug von Felix Mottl, Edition Peters Nr. 9802, S. 25.
[63] H. Porges, Die Bühnenproben zu den Festspielen des Jahres 1876, Bayreuther Blätter 1881, S. 97.
[64] ebda., Bayreuther Blätter 1880, S. 151.
[65] Brief vom 30. (oder 31.?) 5. 1887, Bayerische Staatsbibliothek München.
[66] Brief an Cosima Wagner vom 20. 8. 1887, RWA.

maten — kurz alles, was bei geschmackvollen Zuschauern früher die Operndarstellungen in Mißkredit gebracht hat, es ist allmählich doch verschwunden oder selten geworden[67].«

Zu den wichtigsten Zielen der Bayreuther Festspiele gehörte die Abwehr und Überwindung der Gewohnheiten, der Routine, die schon damals nicht nur aus der Bequemlichkeit der Musiker entsprang, sondern die Konsequenz des Opernbetriebs war, die Folge des Repertoiretheaters mit seinem Zwang zum möglichst weit gefächerten Programm, zur täglichen Vorstellung und zum regelmäßigen Angebot von Neuproduktionen. Die von Wagner geforderte, dem jeweiligen Werk angemessene Aufführung ließ sich unter diesen Voraussetzungen nicht realisieren. Die ständig notwendige Umstellung von einem Werk auf ein anderes, von einem Werkstil auf einen anderen, von der einer Neuproduktion geltenden Probe tagsüber auf die Repertoirevorstellung am Abend und schließlich der permanente Mangel an Probenzeit, der keine Einstudierung zur vollen Reife gelangen ließ, hatten notwendig einen routinierten Allerweltsstil zur Folge — eine Tatsache, die auch heute in den Opernhäusern gang und gäbe ist. Cosima Wagner beklagte in einem Brief an Hans Richter, die Festspielmitwirkenden hätten nicht begriffen, daß es in Bayreuth »keinen sogenannten Produktionen«, sondern »einem steten Arbeiten« gelte[68]. Dem allgemeinen, meist unumgänglichen Schlendrian setzte man bei den Bayreuther Festspielen Genauigkeit entgegen. »Tadellose Korrektheit« nannte Cosima Wagner in ihrer Ansprache bei der Eröffnung der Bayreuther Stilbildungsschule am 10. November 1892 als erstes Ziel der Ausbildung[69]. Hans von Wolzogen hatte in seinem schon mehrfach zitierten Aufsatz »Was ist Stil?« die *größte Korrektheit der Wiedergabe* als wesentliches Element des den Festspielen eigenen Stils dargestellt[70]. Genauigkeit wurde zu einem derart bedeutenden Pfeiler am Gebäude des Bayreuther Stils, daß Kurt Mey 1911 von Siegfried Wagner sagen konnte: »Er hütet das Geheimnis von Bayreuth; und dieses heißt *Korrektheit*[71].« Das Perfektionsideal des Bayreuther Stils ging über den Vorsatz, es genauer zu nehmen als an den Operntheatern allgemein üblich, weit hinaus. »Künstlerisch vollkommene Darbietungen« sollten die Festspiele bieten[72]. Konzentration auf jeweils ein einziges Werk und ausreichende Probenzeit waren — neben dem im ersten Kapitel beschriebenen Dienst am Werk — die Mittel, durch die man dieses Ziel erreichen wollte. Da indessen die Festspiele nie finanziell unabhängig waren, mußten Kompromisse geschlossen werden. Heute werden in der Regel sechs oder sieben verschiedene Werke in einem Festspielsommer aufgeführt. Wieland Wagner beklagte diese Situation in einem Brief an Joseph Keilberth 1955: »es wird nie schöner werden, bis Bayreuth einmal in unbekannter Zukunft nach rein künstlerischen Gesichtspunkten geführt und disponiert werden kann (ein Jahr Ring, nächstes Jahr Parsifal und zwei andere Werke, dann wieder Ring)[73].«

Es war ein Ziel des Bayreuther Stils zu demonstrieren, daß die technischen Probleme der Partituren Richard Wagners sämtlich zu überwinden und Wagners Anweisungen und Vorschriften nicht etwa entbehrliche und von Fall zu Fall und beliebig revidierbare Eigenwilligkeiten und Marotten, sondern sinnvolle und zum Verständnis unabdingbar notwendige Werkbestandteile seien. Das Perfektionsideal des Bayreuther Stils führte also zur sog. Werktreue, deren Begriff allerdings in diesem Zusammenhang noch nicht

67 R. Sternfeld, Bayreuther Kunst und Bayreuther Künstler, a.a.O., S. 64.
68 Brief vom 29. 4. 1889, RWG.
69 Bayreuther Blätter 1931, S. 1.
70 Bayreuther Blätter 1880, S. 24.
71 K. Mey, Siegfried Wagner als reproduzierender Künstler und Leiter der Bayreuther Festspiele, Wegweiser für Besucher der Bayreuther Festspiele 1911, S. 73.
72 H. v. Wolzogen, Was ist Stil?, a.a.O., S. 6.
73 Brief vom 22. 12. 1955, Bayreuther Festspiele.

strapaziert wurde. Es duldet aber keinen Zweifel, daß die Bayreuther Festspiele zur Entwicklung und Ausprägung dieses Begriffs beigetragen haben.

Zum Inhalt des Gebots der peinlich genauen und totalen Verwirklichung der Vorschriften des Autors gehörte auch der Verzicht auf Striche. Richard Strauss schrieb 1888, nachdem er die Bayreuther Festspiele erlebt hatte: »Bei Wagner ist ja eine ›strichfreie‹ Aufführung eine der ersten Vorbedingungen der Wahrung des ›reinen Stils‹[74].« Strichlose Aufführungen waren bei den Bayreuther Festspielen die selbstverständliche Regel. Striche im Tristan, für deren Authentizität sich Hermann Levi verbürgte, wurden von Cosima Wagner ignoriert[75]. Sie waren kein Diskussionsgegenstand. Striche und die Diskussion darüber gab es erst nach 1951, als Wieland und Wolfgang Wagner sich um eine neue Form der Darstellung der Werke ihres Großvaters bemühten. Freilich hat sich der Strich als Mittel der Verdeutlichung, als Element der Interpretation nicht durchgesetzt, auch wenn in einigen Werken wie z. B. im Tannhäuser und in der Götterdämmerung gelegentlich Striche eingeführt worden sind. Die Maxime der strichlosen Aufführung herrscht uneingeschränkt. Sie ist freilich zur allgemein geübten Praxis an den Opernhäusern geworden, wie denn überhaupt die Unterschiede zwischen Aufführungen der Bayreuther Festspiele und solchen an Opernhäusern, sofern sie überhaupt oder in der oft behaupteten Form bestanden haben, dadurch ausgeglichen wurden, daß die Opernhäuser den Bayreuther Standard erreicht und sehr viele Prinzipien und Eigenheiten der Festspiele und des Bayreuther Stils übernommen haben. Es steht außer Zweifel, daß die Bayreuther Festspiele der von Wagner gewünschten Rolle als Vorbild entsprochen haben.

Das Prinzip der Korrektheit und der Wille, die Anweisungen des Komponisten ohne Ausnahme zu realisieren, haben nach allem, was darüber berichtet worden ist, Aufführungen von außerordentlicher Qualität und Vollkommenheit ermöglicht. Es wurde ein Respekt vor den Intentionen des Autors und vor dem Werk entwickelt, den es in der Praxis der Operntheater zuvor kaum oder gar nicht gegeben hat. Dieser Respekt ist die notwendige Voraussetzung dafür, daß das, was ein Autor schriftlich fixiert hat, ernst genommen wird, und daß er mit diesem schriftlich Fixierten auch tatsächlich zu Wort kommt. Freilich glaubte man bei den Bayreuther Festspielen, die Intention des Autors sei allein und durchgehend mit dem Buchstaben der Partitur identisch, und leitete aus dieser Verwechslung eine unverkennbare Tabuierung aller tatsächlich und vermeintlich auf Wagner zurückgehenden Anweisungen und Vorschriften ab. Das hatte eine Konservierung der Aufführungspraxis und ihrer Maßstäbe zur Folge, die weit über den Tod Siegfried Wagners und das Ausscheiden Karl Mucks hinaus, zumindest in der Tendenz, bestanden hat.

Ein Grundelement des Bayreuther Stils waren die Bayreuther Tempi, Tempi von besonderer Langsamkeit und Breite. Wie es scheint, hat vor allem Felix Mottl sie inauguriert und durchgesetzt. Mottl war stolz auf seinen »schönen langsamen Alla-Breve-Takt[76],« der nach seinen eigenen Zeugnissen[77] wie nach zahlreichen Berichten anderer seine Aufführungen prägte, vor allem auch die der frühen Werke Wagners, die sämtlich ihre Bayreuther Premiere unter Mottl erlebten. Mottls langsame Tempi wurden von Cosima nicht nur toleriert, sondern gutgeheißen. Cosima empfahl Richard Strauss für seine Weimarer Lohengrin-Aufführung 1889, das Vorspiel zum 3. Akt in lang-

---

74 Brief an Hans von Bronsart vom 27. 8. 1888, in: L. Liepmannssohn, Auktionskatalog 44, 19. 5. 1919, Nr. 280, S. 40.
75 Vgl. E. Voss, Wagners Striche im Tristan, Neue Zeitschrift für Musik, Mainz 1971, S. 644—647.
76 Brief an Cosima Wagner vom 27. 8. 1893, RWA.
77 Brief an Cosima Wagner vom 26. 6. 1893, RWA.

samerem Tempo zu nehmen, und Strauss antwortete, er habe seine »Bayreuther Tempi« durchsetzen können[78]. Strauss war überhaupt der gelehrigste Schüler Mottls. Er tadelte die Tempi Hermann Levis als zu schnell[79] und musizierte 1894 Beethovens Coriolan-Ouvertüre in Weimar »doppelt so langsam als diese Herren gewohnt sie herunter gehudelt zu hören[80].« Vor allem aber in Bayreuth selbst setzten sich die langsamen und breiten Tempi durch. Wenn man Zeitungsberichten, Erinnerungen und Aufzeichnungen von Zeitgenossen glauben darf, dann hat die überwiegende Mehrzahl der Festspieldirigenten von Hans Richter bis zu Hans Knappertsbusch sie gepflegt und damit ebenso zur Ausprägung wie zur Bewahrung dieses Elements des Bayreuther Stils beigetragen. Selbst Arturo Toscanini und Victor de Sabata scheinen sich ihnen angepaßt zu haben. Als Toscanini den Parsifal leitete, erkundigte er sich immer wieder nach den Tempi Karl Mucks, seines Vorgängers, und versuchte, ihnen zu entsprechen[81]. Wie sehr die langsamen Bayreuther Tempi zur festen Einrichtung geworden waren, erfuhr Richard Strauss, als er 1933 die Einstudierung und Leitung des Parsifal übernahm und den Versuch machte, die seinen Vorstellungen entsprechenden schnelleren Tempi zu verwirklichen. Die Widerstände waren so massiv, daß Strauss im folgenden Jahr fast auf die althergebrachten, insbesondere von Muck tradierten Zeitmaße zurückging, was ihm allgemeines Lob einbrachte.

Die von einigen Dirigenten geäußerte Meinung, die akustischen Verhältnisse des Festspielhauses legten bisweilen langsamere Tempi nahe, mag zu deren Erklärung beitragen, beantwortet jedoch die Frage, warum sich die langsamen Tempi haben durchsetzen können, nur unzureichend. Auffallend ist, daß erst nach Wagners Tod, genau genommen erst mit Mottls Parsifal-Aufführungen von 1888, die Rede von den langsamen Bayreuther Tempi aufkam. Es liegt daher der Gedanke nahe, daß Cosima Wagner und insbesondere ihr Regiestil von nachhaltigem Einfluß auf die Mottlschen Tempi gewesen sind. Cosima lehnte »schauspielerischen Realismus[82]« ab. »Wir müssen alles Banal-Konventionelle, Realistische, verbannen und dafür eine erhabene Konvention, den Stil eintreten lassen«, schrieb sie an Levi[83]. Sie verlangte die »ruhige Gebärde[84].« Hans von Wolzogen lieferte zur Praxis die Theorie, indem er in seinem Aufsatz »Die Idealisierung des Theaters« in den Bayreuther Blättern 1885 über das musikalische Drama schrieb: »[...] hier waltet jener monumentale Stil der Ruhe, jene ehrwürdige Heiligkeit des Momentes. Wie das ganze orchestrale Leben der Musik in den Grundmotiven sich zusammenfaßt, so das ganze Leben des Dramas in den gelassen auf einander folgenden, edel ruhenden Bildern der mimischen Gebärde und der szenischen Handlung. Die selbe Ruhe, welche auch im Momente der wildesten Leidenschaft die künstlerisch idealisierende Majestät einer lebendigen Plastik bewahrt: sie herrscht, als maßgebende Potenz, auch in dem Aufbau des ganzen Dramas, wie in seinen einzelnen Szenen[85].« Cosima Wagners »Stilisierung der Darstellung[86],« die sich deutlich von Richard Wagners Tendenz zur realistischen Darstellung abhob — Porges sprach in seinen Proben-

78 Brief vom 9. 10. 1889, Der Strom der Töne trug mich fort, a.a.O., S. 46.

79 Brief an den Vater Franz Strauss vom 11. 1. 1890, R. Strauss, Briefe an die Eltern 1882—1906, hg. v. W. Schuh, Zürich—Freiburg i. B. 1954, S. 126.

80 Brief an den Vater vom 6. 2. 1894, ebda., S. 195.

81 »Erlebnisse und Bekenntnisse« des Sängers Carl Braun, maschinenschriftliches Manuskript, RWA.

82 M. Millenkovich-Morold, Cosima Wagner, a.a.O., S. 386.

83 ebda., S. 387.

84 ebda., S. 386.

85 H. v. Wolzogen, Die Idealisierung des Theaters, Bayreuther Blätter 1885, S. 151.

86 D. Mack, Der Ring des Nibelungen 1896—1931, Bayreuther Festspiele 1975 [Programmheft:] Das Rheingold, S. 10.

berichten von den ersten Festspielen vom »Realismus der Darstellung[87]« —, hatte zwangsläufig eine Verlangsamung im Ablauf des Bühnengeschehens zur Folge. Dem hatte die Musik, korrespondierend der Maxime von der genauen Übereinstimmung von Bühne und Orchester, zu entsprechen. Auch hier stellte Wolzogen mit seinem erwähnten Aufsatz das theoretische Fundament bereit. Einige Sätze mögen das verdeutlichen: »Das einzelne Wort dehnt sich im getragenen Gesangestone zu einem deutlichsten Idealgebilde menschlicher Sprache aus [...] Ebenso wird die musikalische Rede der einzelnen Person zu einer getragenen Rede und ist mit diesem, nun einmal wirklich urwüchsig-wahrhaftigen, ›Pathos‹ des Gesanges, auch in jenem Sinne *echt deutsch*, in welchem einst Wagner das *Andante* ›das deutsche Tempo‹ nennen konnte[88].« Die ins Heroische und Monumentale gehenden Züge der von Cosima Wagner geprägten Inszenierungen veränderten Tempo und Ton der Musik nachhaltig. Wahrscheinlich ist, daß der traditionell heroisch-pathetische Musizierstil, dem Wieland und Wolfgang Wagner seit 1951 mit der Verpflichtung jüngerer, der Bayreuther Wagner-Tradition fernstehender Dirigenten entgegenzuwirken versuchten, in diesen Zügen seine Wurzel hat. Im übrigen ist der Gedanke nicht von der Hand zu weisen, daß die Idee des Bühnenfestspiels, insbesondere aber die des Bühnenweihfestspiels mit ihrer Aura von Feierlichkeit, Erhabenheit, Würde und religiös-ritueller Zeremonie langsam-weihevolle Tempi geradezu suggerieren mußte. Einen ähnlichen Gedanken vermittelt ein Satz Wolzogens: »So trifft dieser monumentale Stil des Ganzen aus eigener Notwendigkeit auch wieder zusammen mit den monumentalen Verhältnissen des *Hauses* für das musikalische Drama[89].«

Eine weitere Erklärung der langsamen Tempi wurde bereits gestreift. Man scheint breite Zeitmaße als spezifisch deutsche Ausprägung des Tempos empfunden zu haben. Wolzogen bezeichnete mit seinem Hinweis auf Wagners Deutung des Andante das Zeugnis, auf das man sich berufen konnte. Im 9. Kapitel von »Deutsche Kunst und deutsche Politik« heißt es: »Das deutsche Tempo ist der Gang, das ›Andante‹, welches deshalb auch in der deutschen Musik sich so mannigfaltig und ausdrucksvoll entwickelt hat, daß es von Musikfreunden mit Recht für die eigentliche deutsche Musikgattung, seine Erhaltung und sorgsame Pflege für eine ästhetische Lebensfrage des deutschen Wesens erklärt wird[90].« Daß dieser nationale Aspekt die Bayreuther Tempi wesentlich mitgestaltet hat, darf angenommen werden, zumal Wagners Schriften zur Pflichtlektüre der Festspieldirigenten gehörte, zumindest bis zum Ende der Ära Karl Mucks. In einer Rezension der »Kölnischen Zeitung« wurden 1896 die langsamen Zeitmaße und die »langgezogenen Töne« als besonders geeignet »zur Charakterisierung der echt germanischen Traumseligkeit« bezeichnet[91].

Daß auch die Reaktion auf die verbreitete Aufführungspraxis, insbesondere die der Opernhäuser, bei der Ausbildung der langsamen Tempi beteiligt war, ist wiederholt gesagt worden. Paul Marsop stellte 1894 in der »Allgemeinen Zeitung« zu Mottls Bayreuther Interpretation des Lohengrin-Vorspiels fest: »Mit der Wahl der außerordentlich gedehnten Tempi für das Vorspiel und der auf diesem Wege erzielten, fast lehrhaften Zergliederung des musikalischen Baues wollte Mottl vorerst anscheinend nur gegen den verschwommenen überhudelnden Vortrag des symphonischen Stückes, wie er an den meisten Theatern üblich ist, energisch Verwahrung einlegen[92].« Als »heilsame Reaktion gegen die konventionelle Hudelei« bezeichnete Richard Batka 1911 Mottls langsame

---

87 Bayreuther Blätter 1896, S. 339.
88 Die Idealisierung des Theaters, a.a.O., S. 152.
89 ebda.
90 R. Wagner, Sämtliche Schriften und Dichtungen, a.a.O., Bd. 8, S. 76.
91 Bayreuther Bühnenfestspiele. IV., Kölnische Zeitung, 27. 7. 1896.
92 Allgemeine Zeitung, 28. 7. 1894.

Zeitmaße[93]. Die Abkehr von den »landläufigen Tempi«, wie Richard Strauss die gewohnten Zeitmaße nannte[94], war die Folge der allgemeinen Abwendung von der Oper und der Hinwendung zur Darstellung des Dramas, wie sie Inhalt des Bayreuther Stils war. Der Neuartigkeit des Musikdramas entsprachen neue Tempi. Ob diese Trennung von den »landläufigen Tempi« stets einer Verlangsamung gleichkam, ist jedoch nicht wahrscheinlich. Die mit der Stoppuhr gemessenen Aufführungsdauern der durch die langsamen Bayreuther Tempi gekennzeichneten Aufführungen und solcher aus jüngster Zeit mit nachweislich schnelleren Zeitmaßen differieren nicht so außerordentlich, daß daraus auf eine permanente Herrschaft des langsamen Tempos in den Aufführungen der älteren Dirigenten, etwa Mottls oder Mucks, geschlossen werden könnte. Eher ist anzunehmen, daß der besonders gedehnten Breite ein besonders energisch beschleunigtes Allegro korrespondierte, so daß die Tempo-Kontraste geschärft wurden, die Gesamtdauer jedoch nicht erheblich größer anwuchs. Die Richtigkeit dieser Annahme findet u. a. in Richard Strauss' Bericht über die Tannhäuser-Aufführungen 1891 unter Mottl ihre Bestätigung[95]. Wagner selbst aber gab die theoretische Grundlage. In seiner Schrift »Über das Dirigieren« heißt es: »In einem gewissen zarten Sinne kann man vom reinen Adagio sagen, daß es nicht langsam genug genommen werden kann[96],« und: »Wie ich von dem reinen Adagio sagte, daß es im idealen Sinne gar nicht langsam genug genommen werden könnte, vermag dieses eigentliche, gänzlich unvermischte, reine Allegro auch nicht schnell genug gegeben zu werden[97].« Adagio und Allegro verstand Wagner als Grundformen des Tempos, als Pole, zwischen denen eine reiche Skala von Abwandlungen der einen wie der anderen Grundform vermittelt. Für Wagner war ideell mit jeder Tempoausprägung ein spezifischer Charakter verknüpft, Tempo daher eines der wichtigsten Mittel, um den Charakter eines Musikstücks, eines Satzes, Satzteils, Themas oder einer Melodie genau zu treffen. Beim Dirigieren wie beim Komponieren verwendete Wagner Tempo als Mittel des Ausdrucks, als Mittel der Darstellung. Dazu ein Beispiel: In Cosima Wagners Tagebüchern heißt es unter dem 13. 7. 1878: »Er zitiert auch das Andante der A-dur-Symphonie, für welches Beethoven ein sehr rasches Tempo angegeben hat; wenn das zweite Thema kommt, muß es breit werden, aber am Schluß muß der Marsch-Rhythmus festgehalten sein, und es ist ein Anderes, ob man ein Thema zum ersten Mal bringt, oder wiederholt[98].« Die Anweisung, die Wagner übrigens Anton Seidl gab, dokumentiert die Abwendung von der traditionellen Aufführungspraxis, die u. a. in Felix Mendelssohn-Bartholdy und dem Münchner Hofkapellmeister Franz Lachner ihre Autoritäten hatte. Ihrem Grundsatz, die Einheit eines Musikstücks durch die Einheit des Tempos darzustellen — sofern nicht ausdrücklich Veränderungen des Tempos gefordert sind —, stellten Wagner und der Bayreuther Stil eine Mannigfaltigkeit der Tempi gemäß den unterschiedlichen Charakteren innerhalb des Musikstücks entgegen.

Die Verwirklichung des jeweils angemessenen Tempos macht Tempowechsel notwendig, die Wagner in der genannten Schrift »Über das Dirigieren« als »Modifikation des Tempos[99]« eingehend erörterte. Sie wurde zum Stilprinzip Wagners, zum Prinzip des Bayreuther Stils. Sie wurde aber auch ganz allgemein zum Merkmal der Aufführungs-

93 Der Merker, II (Juli 1911), S. 856.
94 R. Strauss, Brief eines deutschen Kapellmeisters über das Bayreuther Orchester, Bayreuther Blätter 1892, S. 132.
95 ebda., S. 131.
96 R. Wagner, Sämtliche Schriften und Dichtungen, a.a.O., Bd. 8, S. 285.
97 ebda., S. 288.
98 Bayreuther Blätter 1937, S. 53.
99 R. Wagner, Sämtliche Schriften und Dichtungen, a.a.O., Bd. 8, S. 291.

praxis. Es ist üblich und selbstverständlich geworden, die Musik von Haydn bis Richard Strauss mit diversen Tempomodifikationen zu spielen, für die es in den Partituren keine entsprechenden Vorschriften gibt. Der Stil Wagners hat sich, nicht zuletzt auf dem Weg über den Bayreuther Stil, allgemein durchgesetzt.

Entsprechend Wagners Vorstellungen vom Ausdruckswert des Tempos weisen seine Partituren, insbesondere die der späteren Werke, viele Tempowechsel auf. Doch wie es scheint, haben durchaus nicht alle Tempomodifikationen Eingang in die Partituren gefunden. Die von Mottl, Porges und Levi gemachten Aufzeichnungen der Probenanweisungen Wagners von den ersten Festspielen enthalten zahlreiche zusätzliche Tempovorschriften, die z. B. in den von Mottl im Verlag Peters herausgegebenen Klavierauszügen nachgelesen werden können. Das Tempo wechselte oft in kurzen Abständen, bisweilen Takt für Takt. Dazu drei Beispiele aus Mottls Klavierauszug von der Walküre. Auf Seite 182 findet man zum 7. Takt die Anweisung »Zurückhaltend«, zum 9. Takt die Vorschrift »Wieder vorwärts«. Seite 251 enthält in Takt 8 »Breit«, in Takt 10 »Drängend«, in Takt 12 wieder »Breit«, in Takt 14 abermals »Drängend«. Auf Seite 310 schließlich wird in Takt 8 »Etwas anhalten« gefordert, im 9. Takt »Haupttempo«, in Takt 10 »Etwas anhalten«, im 11. Takt »Haupttempo[100].« Die freilich bisweilen nicht ganz eindeutigen Probenbemerkungen vermitteln den Eindruck, als sei stellenweise von Zählzeit zu Zählzeit das Tempo modifiziert worden, und als sei das Musizieren streng im Takt, streng im Tempo eher ein besonderes Mittel des Ausdrucks als die allgemeine Regel der Ausführung gewesen. »Streng im Tempo« erscheint mehrfach expressis verbis als Anweisung in den von Porges veröffentlichten Probenberichten. Zum Beginn von Hagens Wacht (3 Takte vor »Hier sitz' ich zur Wacht«) im ersten Aufzug der Götterdämmerung hat Porges notiert: »Der Meister ließ da die ersten zwei Viertel mit wuchtiger Zurückhaltung ausführen, während die folgenden Triolen von den Hörnern wieder in straff vorwärts gehendem Tempo sich anzuschließen hatten[101].«

Das Prinzip der Tempomodifikation wurde auch auf die frühen Werke Wagners angewendet. Felix Mottl war 1893 stolz darauf, in der Ouvertüre zum Fliegenden Holländer »die gleichen Modifikationen genommen« zu haben wie Hans von Bülow[102], der — als Schüler Wagners — in Bayreuth stets als oberste Autorität galt. Der Vergleich von Schallplattenaufnahmen der Holländer-Ouvertüre erweist, daß fast alle Dirigenten Tempomodifikationen vornehmen, die von der Partitur nicht verlangt werden. Sie unterscheiden sich zwar im Ausmaß beträchtlich voneinander, betreffen jedoch fast immer die gleichen Takte. Es scheint also, daß Bülows und Mottls an Wagner orientiertes Vorbild unangefochten bis in die Gegenwart hinein wirkt. Der Bayreuther Stil hat sich auch in dieser Hinsicht allgemein durchgesetzt.

Die stets und überall klare Ausprägung der Tempi als Charaktere, die sowohl Schärfung der Kontraste als auch ständigen Tempowechsel bedingt, machte die Entwicklung einer »Kunst des Überganges[103]« auch für den Dirigenten notwendig. In seiner Schrift »Über das Dirigieren« charakterisierte Wagner die Veränderungen des Tempos wiederholt als »unmerkliche« Vorgänge. Dasselbe tat Heinrich Porges in seinen Berichten von den Proben 1876. Nur als unmerkliche Vorgänge sind sie in der Lage, den Eindruck der Einheit des Ganzen zu wahren, den Wagner selbstverständlich nicht aufgeben konnte. Bei einer Rheingold-Probe empfahl Wagner nach der Mitteilung Mottls einmal die sehr allmähliche Beschleunigung des Tempos mit den Worten: »Überhaupt keine Risse

[100] Die Walküre, Klavierauszug von Felix Mottl, Edition Peters Nr. 9803.
[101] H. Porges, Die Bühnenproben zu den Festspielen des Jahres 1876, Bayreuther Blätter 1896, S. 336.
[102] Brief an Cosima Wagner vom 26. 6. 1893, RWA.
[103] Richard Wagner an Mathilde Wesendonck, 29. 10. 1859.

machen[104]!« Richard Strauss beschrieb die Situation in seinem Bericht über Felix Mottls Bayreuther Tannhäuser-Aufführungen des Jahres 1891 recht genau: »*Diese schärfsten Gegensätze in der von der Bühne herab gegebenen Bestimmtheit auf's Deutlichste hinzustellen und sie wiederum durch die Kunst seiner Übergänge und die maßvoll schöne Modifizierung seines Tempos zu vollkommenster Einheit zu bringen*, konnte nur einem Dirigenten von der genialen Begabung *Felix Mottls* gelingen[105].« Bis heute wird die »Kunst des Überganges« als notwendiges Pendant zum Prinzip der Tempomodifikation« gepflegt, und bis heute werden die Meister dieser Kunst allgemein bewundert. Daß sie insgeheim Schüler Richard Wagners sind, dürfte den meisten allerdings nicht bekannt sein.

Nach Wagner wußten die Dirigenten seiner Zeit »nichts vom richtigen Tempo«, »weil sie nichts vom Gesange« verstanden[106]. Bezeichnend für Wagner ist ein Satz, der ebenfalls der Schrift »Über das Dirigieren« entstammt: »Meine besten Anleitungen in betreff des Tempos und des Vortrages Beethovenscher Musik entnahm ich einst dem seelenvoll sicher akzentuierten Gesange der großen *Schröder-Devrient*[107].« Dem korrespondiert, daß Wagner — nach Heinrich Porges — bei den Festspielen von 1876 von den Orchestermusikern »deklamatorisch-gesangvollen Vortrag[108]« verlangte und »sich fast zur Sprache steigernde musikalische Deklamation[109]« forderte. Wagner verstand die Instrumentalmusik nicht als einen von der Vokalmusik geschiedenen Bereich. Auch dort, wo nicht gesungen, sondern nur gespielt wurde, sollte der Gesang, die sängerische Darstellung das Modell der Interpretation sein. Aus dieser Maxime leitete man bei den Bayreuther Festspielen den Grundsatz ab, daß in Ouvertüren und Vorspielen die Tempi derjenigen Themen oder Abschnitte, die auch in den Opern und Musikdramen selbst vorkommen, »*von der Bühne herab im Voraus gegeben*« seien[110].

Daß in der Oper und im Musikdrama die Sänger das Tempo angeben, erscheint naheliegend, und war nach den Prinzipien des Bayreuther Stils obligatorisch, wenngleich bis hin zu Knappertsbusch die generelle Tendenz zu langsamen Tempi dem entgegengestanden hat[111]. Die Ableitung des Tempos vom Singen entsprach dem Prinzip der totalen Konzentration auf das Drama. Genau genommen handelte es sich indessen darum, das Tempo nicht allein vom Gesang, vom Sänger, sondern vom gesamten Geschehen auf der Bühne bestimmen zu lassen. Nach Mottls Zeugnis erfolgten 1876 in der ersten Szene der Walküre beim Auftreten Siegmunds — dargestellt von Albert Niemann — »in den letzten Takten Schritte mit den halben Noten« [die letzten vier Takte vor »Wess' Herd dies auch sei«], und Wagner verlangte dazu: »Das Zeitmaß nach Niemanns Gang einrichten[112].« Über das Ende der zweiten Szene des gleichen Werkes hat Mottl berichtet: »Mußte sehr ritardiert werden, damit Hunding Zeit hatte zu verschwinden[113].« Richard Strauss schließlich teilte über den Schluß des 2. Tannhäuser-Aktes bei den Festspielen 1891 mit: »Nur die so ungeheuer lebendige dramatische Ausführung dieses Momentes,

---

104 Rheingold-Klavierauszug (Klindworth) mit handschriftlichen Eintragungen von F. Mottl, H. Porges, H. Levi, S. 119, RWA.
105 R. Strauss, Brief eines deutschen Kapellmeisters . . ., a.a.O., S. 131.
106 R. Wagner, Über das Dirigieren, Sämtliche Schriften und Dichtungen, a.a.O., Bd. 8, S. 274.
107 ebda., S. 268.
108 H. Porges, Die Bühnenproben . . ., Bayreuther Blätter 1884, S. 75.
109 ebda., Bayreuther Blätter 1896, S. 336.
110 R. Strauss, Brief eines deutschen Kapellmeisters . . ., a.a.O., S. 130.
111 Vgl. die Rezension in der Schwäbischen Landeszeitung Augsburg vom 1. 8. 1952.
112 Klavierauszug der Walküre (Klindworth) mit handschriftlichen Eintragungen von F. Mottl, H. Porges, H. Levi, S. 8, RWA.
113 ebda., S. 33.

wie sie in Bayreuth erzielt worden war, rechtfertigte Mottls starke Belebung des Tempos an dieser Stelle[114].« Die geforderte vollständige Übereinstimmung von Musik und Szene machte die ständige Anpassung der Tempi an die Vorgänge auf der Bühne notwendig. Der Dirigent hatte allgemein der Regie nachzugeben, aber auch der individuellen Eigenart des Sängers und Darstellers. Leichte und leicht ansprechende Stimmen erfordern oder ermöglichen schnellere Tempi als schwere und langsam ansprechende. Die technische Fertigkeit beeinflußt die Temponahme ebenso wie das Temperament, das Gesten und Gebärden, Gänge und Aktionen prägt und damit den Dirigenten gegebenenfalls zu Tempoänderungen zwingt. Das gilt indessen zum größten Teil heute genauso wie vor hundert Jahren, und es gilt in jedem Opernhaus ebenso wie in Bayreuth bei den Festspielen.

Die langsamen Tempi waren bis hin zum Neuanfang der Festspiele 1951 eine charakteristische Konstante des Bayreuther Stils. Indessen hat es mindestens seit 1924 Dirigenten gegeben, die bewußt von den traditionell langsamen Zeitmaßen abgewichen sind. Wenn man den Berichten glauben darf, dann entsprachen weder Fritz Buschs Meistersinger von 1924 noch Furtwänglers Tristan von 1931 den gewohnten Bayreuther Tempi; und Ende der dreißiger Jahre wurden Heinz Tietjens schnelle Ring-Tempi als »revolutionär« bezeichnet[115]. Geradezu als Opposition muß aber Richard Strauss' Auffassung der Parsifal-Tempi im Jahre 1933 gewertet werden. Strauss setzte den extrem langsamen Zeitmaßen, die im vorausgegangenen Festspieljahr, 1931, durch Toscanini noch eine besondere Steigerung erfahren hatten, extrem rasche Tempi entgegen — zumindest wurden sie als solche empfunden. Setzte sich Strauss auch zu jener Zeit, wie erwähnt, nicht durch, so wurde er doch zum Vorbild für Wieland Wagners Vorstellung von der musikalischen Verwirklichung des Parsifal, wie der im ersten Kapitel zitierte Brief an Pierre Boulez zeigt. Seit 1951 wurde denn auch zunehmend eine Abkehr von den langsamen Tempi vollzogen, deren Triebfeder vor allem die Wagner-Enkel gewesen zu sein scheinen. Karl Böhm sagte 1973 in einem Interview über seine Ring-Aufführungen in Bayreuth: »Ich war ganz seiner [Wielands] Meinung, daß absolut aufgeräumt werden müßte mit den sogenannten langsamen Bayreuther Tempi. Und Wieland hat mich sogar bei gewissen dramatisch schwachen Stellen angefeuert, ein bißchen rascher darüber hinwegzugehen, ohne mich natürlich in den Tempi irgendwie beeinflussen zu wollen[116].« Zu Wolfgang Wagners Parsifal-Inszenierung 1975 erklärte Horst Stein: »Hinsichtlich der Besetzung haben wir uns mehrfach beraten und sind einer Meinung. Der Akzent liegt auf schlanken, leichten Stimmen, die schnellere Tempi ermöglichen, ja verlangen[117].« Die Abkehr von den langsamen Zeitmaßen erschien am drastischsten, als Pierre Boulez 1966 den zuvor im wesentlichen von Hans Knappertsbusch geprägten Parsifal übernahm. Die Hinwendung zu schnelleren und sehr schnellen Tempi war eine Gegenreaktion, nicht so sehr unterschieden von jener aus den Anfängen der Festspiele, als es galt, den geläufigen, an den Opernhäusern üblichen Zeitmaßen etwas anderes entgegenzusetzen. Die neuen Tempi haben sich durchgesetzt, vor allem auch deshalb, weil der gewandelte Regiestil mit seiner Abwendung vom Prinzip der totalen und genauen Übereinstimmung von Bühne und Orchester den Dirigenten nicht mehr wie früher auf bestimmte Tempi von vornherein festlegt. Die Skala der allgemein tolerierten Zeitmaße ist größer geworden, und so konnte sogar schon der Eindruck entstehen, Bayreuther Tempi habe es nie gegeben, allenfalls Tempi der jeweiligen Dirigenten[118].

[114] R. Strauss, Brief eines deutschen Kapellmeisters . . ., a.a.O., S. 130.
[115] Die Musik, Oktober 1939, S. 28.
[116] Collegium Musicum. Das Magazin für Musikfreunde, 4. Jg., Bonn, 1. 8. 1973, S. 7.
[117] Horst Stein im Gespräch, a.a.O., S. 2.
[118] ebda.

Der Bayreuther Stil war als Garant von Tradition gemeint. Als Stil Richard Wagners sollte er die Zeiten überdauern. Cosima Wagner war daher bei allen Neuinszenierungen bestrebt, Zeugnisse und Dokumente der von Wagner geprägten Aufführungen der entsprechenden Werke zu beschaffen und ihre eigene Darstellung daran zu orientieren. Wagner selbst hatte den Anlaß dazu gegeben, als er Heinrich Porges, der später häufig als Assistent und Korrepetitor bei den Festspielen mitgewirkt hat (1882–1888/1892–1894/ 1897), in einem Brief vom 6. 11. 1872 beauftragte, »alle meine, noch so intimen Bemerkungen in Betreff der Auffassung und Ausführung unseres Werkes, aufzunehmen und aufzuzeichnen, somit eine fixierte Tradition hierfür zu redigiren[119].« Porges' Berichte wurden veröffentlicht[120] und waren die Grundlage der erwähnten für die Festspiele von 1896 präparierten Proben-Klavierauszüge, in die auch Felix Mottl und Hermann Levi eintrugen, was sie über die von Wagner geleiteten Proben und Aufführungen wußten und aufgeschrieben hatten. Von den Proben und Aufführungen des Parsifal 1882 sind mehrere Klavierauszüge mit Eintragungen von Anweisungen und Bemerkungen Wagners erhalten[121], die jahrelang zum vorbereitenden Studium und bei Proben benutzt wurden. Als Karl Muck für das Jahr 1901 zum Parsifal-Dirigenten bestimmt worden war, forderte Cosima Wagner ihn auf, diese Klavierauszüge zu studieren[122]. Es war selbstverständlich, daß Muck der Aufforderung nachkam. Felix Mottl publizierte seine Notate in mehreren Klavierauszügen (Verlag Peters), die bis heute vertrieben werden, weite Verbreitung gefunden haben und dementsprechenden Einfluß ausgeübt haben dürften. Mottl veröffentlichte später auch noch eine Tristan-Partitur, die zwar nicht Probenanweisungen Wagners mitteilt, aber die Wiedergabe von Mottls Aufführungserfahrungen darstellt, die insbesondere solche der Bayreuther Festspiele waren. Wie nachhaltig gerade die von Mottl überlieferten Zeugnisse Bayreuther Aufführungspraxis gewirkt haben, erhellt aus der Tatsache, daß Joseph Keilberth, der Ring-Dirigent der Jahre 1952 bis 1956, in die Bayreuther Aufführungspartituren auf Mottl zurückgehende Hinweise auf Tempomodifikationen eingetragen hat. Von Hans Knappertsbusch ist bekannt, daß er einen Klavierauszug des Parsifal besaß und verwendete, in den die von dem Sänger und Regisseur Anton Fuchs — 1882 Darsteller des Klingsor — überlieferten Probenbemerkungen Wagners übertragen waren[123]. Im übrigen war es bis weit ins 20. Jahrhundert hinein selbstverständlich für die Dirigenten der Bayreuther Festspiele, Wagners Schriften genau zu kennen, die u. a. zahlreiche Anweisungen für die Aufführung von Wagners Opern und Musikdramen enthalten.

Mit dem Jahre 1951 trat eine wenn auch durchaus nicht konsequente Abwendung von der Tradition ein, die ihren deutlichsten Ausdruck in der Wahl solcher Dirigenten fand, die von ihrer Herkunft und ihrem Temperament her weder Verbindung noch Affinität zur Tradition der Bayreuther Festspiele und des Bayreuther Stils hatten. Die Unvoreingenommenheit sollte eine neue Wagner-Interpretation ermöglichen. Es scheint dabei jedoch vergessen worden zu sein, daß vieles von dem, was einst spezifisch für die Bayreuther Festspiele war, inzwischen Allgemeingut geworden ist, wenn auch unvollkommen und gewandelt, daß also die erwünschte Unvoreingenommenheit gar nicht in dem Maße

[119] Künstlerbriefe, S. 31.
[120] H. Porges, Die Bühnenproben zu den Festspielen des Jahres 1876, Bayreuther Blätter 1880, 1881, 1884, 1886, 1890, 1896. — Die Bühnenproben zu den Bayreuther Festspielen des Jahres 1876, 4 Teile, Leipzig 1896.
[121] wiedergegeben in: R. Wagner, Sämtliche Werke, Bd. 30, Dokumente zur Entstehung und ersten Aufführung des Bühnenweihfestspiels Parsifal, hg. v. M. Geck und E. Voss, Mainz 1970.
[122] Brief vom 2. 10. 1900, RWG.
[123] Eine Abschrift dieses Klavierauszuges befindet sich im RWA.

vorhanden sein konnte, wie man es sich vorstellte. Der Entwicklung eines grundlegend anderen Wagner-Bildes hätte gerade die ernsthafte und ausdauernde Auseinandersetzung mit der Tradition und die kritische Reflexion über den Bayreuther Stil vorauszugehen.

Der Bayreuther Stil war vor allem ein Ideal. Die Ausführenden, also auch die Dirigenten, waren bestrebt, ihm zu folgen, es zu erreichen. Daß die intendierten Ziele immer und vollständig erreicht worden wären, wird niemand behaupten. Es hat bei den Bayreuther Festspielen, wie in anderen Theatern auch, gute und schlechte Aufführungen gegeben, solche, die den Absichten Wagners und seiner Nachfolger in hohem Maße entsprachen, und solche, die an Unzulänglichkeiten litten. Selbstverständlich sind die Aufführungen nicht nur vom Bayreuther Stil geprägt worden, sondern auch von den individuellen Charakteristika der Ausführenden. Intendiert war das indessen nicht. Der Bayreuther Stil forderte »selbstlose Hingabe an das reine Kunstwerk und Entäußerung eines jeden künstlerischen Egoismus[124].« Individuelle Eigenart war zu beschränken, nicht etwa auszuleben. Äußeres Zeichen dessen war die für das Bayreuther Festspielhaus charakteristische Anonymität des Dirigenten für das Publikum, Resultat seiner Unsichtbarkeit und der Tatsache, daß sein Name — bis 1930 — auf den Programmzetteln nicht genannt wurde. Auch unterließen die Vorankündigungen und Festspielführer, die die Namen der Dirigenten stets aufführten, jede Information darüber, welcher Dirigent welches Werk leitete. Die Fixierung an die Tradition und der Glaube an die Eindeutigkeit des Überlieferten schlossen den Gedanken an unterschiedliche und dabei gleichermaßen legitime Interpretationen aus, so daß Eigeninitiative und individuelle Werkbetrachtung vorab als »persönliche Auffassungen« — nach einem Felix Mottl zugeschriebenen Ausspruch[125] — abqualifiziert wurden. Wie Richard Strauss mitgeteilt hat, sagte Cosima Wagner zu dem Sänger Carl Perron, als dieser von »seiner Auffassung« einer bestimmten Wagnerschen Rolle gesprochen hatte: »Mein lieber Freund! Auffassung haben wir in Bayreuth keine! Phrasieren Sie sinngemäß, sprechen Sie jedes Wort mit genauester Innehaltung des vorgeschriebenen Rhythmus! Dann haben Sie das Ihrige getan, das übrige steht im Werke selbst[126]!« Individuelle Eigenart wurde als Reiz toleriert, durfte jedoch nicht zum Wesen der Sache werden. Im Laufe der Jahre, beginnend spätestens mit der Berufung Arturo Toscaninis und Wilhelm Furtwänglers, besonders aber seit 1951, ist Individualität und ihre markante Ausprägung in der Aufführung immer mehr im Ansehen gestiegen und ins Zentrum des Interesses gerückt, korrespondierend der zunehmend schwindenden Geltung des Bayreuther Stils. Winifred Wagner trug dem Wandel Rechnung, als sie 1931 schrieb: »Wenn in Bayreuth zwar die musikalische Auffassung in Tempo und Vortrag einer durch die lebendige Überlieferung erhaltenen Tradition angepaßt wird, kommt dennoch die besondere *Persönlichkeit jedes Dirigenten zur vollen Geltung. Die genialen Leistungen Furtwänglers* und *Toscaninis* legen ein beredtes Zeugnis ab von dem Wunder der künstlerischen Individualität im Rahmen einer getreuen Deutung der Partitur[127].«

Es ist seit 1930 selbstverständlich, daß der Name des Dirigenten auf dem täglichen Spielzettel erscheint, und es ist üblich geworden, daß der Dirigent nach der Vorstellung, wie der Sänger, vor den Vorhang tritt, um den Beifall entgegenzunehmen. Die Bay-

---

[124] E. Kloss, Vom Bayreuther Stil, Wagnertum in Vergangenheit und Gegenwart, Berlin 1909, S. 54.

[125] Der Fall Bayreuth, Basel—Stuttgart 1962, S. 12.

[126] Richard Strauss an Erich Engel, 16. 8. 1930, Der Strom der Töne trug mich fort, a.a.O., S. 329.

[127] W. Wagner, Bayreuth und die Gegenwart. Zum Abschluß der Festspiele, Neue Freie Presse, Wien, 21. 8. 1931, S. 11.

reuther Festspiele haben sich dem allgemeinen Theaterbrauch angepaßt. Individualität ist, wie allenthalben, so auch bei den Festspielen in Bayreuth sehr gefragt. Im Zeitalter der Reproduzierbarkeit musikalischer Kunstwerke und der kaum noch überschaubaren Vielfalt des Angebots an reproduzierbaren Interpretationen, die den Vergleich ebenso nahelegt wie vor allem notwendig macht, ist der Blick zwangsläufig auf das Individuelle gerichtet, auf das, was die Interpretationen voneinander abhebt und sie für den Hörer, der — das sollte nicht vergessen werden — meist ein Käufer ist, interessant macht. Die Rückwirkungen auf Konzert und Oper (und damit auch auf die Praxis der Bayreuther Festspiele) sind unübersehbar. Individualität ist in unserer Gesellschaft eine Art Markenzeichen. Der Verdacht, daß die Ausprägung individueller Eigenart nicht den Kern der Sache, nämlich das Wesen der interpretierten Musik, des dargestellten Werks betrifft, sondern nur einen akzidentellen, unwesentlichen und darum entbehrlichen Reiz ausmacht, läßt sich vor diesem Hintergrund nicht von der Hand weisen. Es könnte sein, daß Aufführungen unter verschiedenen Dirigenten, die unseren auf Wahrnehmung von Differenzen geschulten Ohren als unterschiedlich erscheinen, im Kern der Sache übereinstimmen. Es ist zu vermuten, daß es nur eine sehr geringe Anzahl wesentlicher Interpretationen und Interpretationsmöglichkeiten gibt; sehr wahrscheinlich aber ist die Behauptung, es gebe so viele Interpretationen wie Interpreten, falsch.

Die Zielsetzung der Festspiele seit 1951 wurde von Wolfgang Wagner in einem 1971 in der Neuen Zeitschrift für Musik veröffentlichten Interview als »stete Auseinandersetzung mit dem Werke Richard Wagners[128]« beschrieben. Über die Zukunft der Festspiele sagte Wolfgang Wagner an gleicher Stelle: »Was nun das Künstlerische anbetrifft, so will ich das Werkstattmäßige der Festspiele in den nächsten Jahren fortführen, indem ich interessante Persönlichkeiten heranziehe, die sich mit dem Werke Richard Wagners in ihrer Weise auseinandersetzen[129].« Zwar bezogen sich diese Worte auf die Regie, die nach wie vor dominiert, doch darf man wohl annehmen, daß ihr Sinn auch für die Dirigenten Gültigkeit hat.

[128] Neue Zeitschrift für Musik, Mainz 1971, S. 72.
[129] ebda., S. 77.

4. Aufführungsdauern als Zeugnisse individueller Wagner-Interpretation?

Es war bei den Bayreuther Festspielen — wie übrigens auch andernorts — üblich, die Dauern der Aufführungen in toto oder aktweise mit der Uhr zu messen und zu notieren. Bedeutendste Quelle ist das Aufführungsmaterial des Orchesters, das die Zeiten in großer Fülle überliefert, während sich die Dirigenten selbst keine Aufzeichnungen dazu gemacht zu haben scheinen. Den »Aktlängen«, wie sie meist genannt werden, wurde anfangs wenig, dann aber zunehmend größeres Interesse entgegengebracht. Festspielführer,. Programmhefte und Zeitschriften haben sie in tabellarischer Darstellung wiederholt dargeboten, so daß sowohl ausführende Musiker als auch Festspielbesucher davon Kenntnis nehmen konnten, Vergleiche sich anboten und Deutungen gewagt wurden. Während noch Karl Muck eher mit Verachtung von dem »Bund der Tempi-Statistiker[1]« sprach, haben sich spätere Dirigenten wie z. B. Clemens Krauss und Horst Stein an den überlieferten Spieldauern orientiert oder sich auf sie bezogen. Das Messen und Ernstnehmen der Aufführungsdauern ist eine Bayreuther Tradition geworden.

Daß die mit der Uhr gemessenen Zeiten eine Information darstellen, steht außer Zweifel. Indessen ist die Gefahr, daß die Daten überbewertet werden und zu falschen Schlüssen führen, sehr groß. Es seien daher einige Einwände und Bedenken vorgetragen, die helfen sollen, die auch in diesem Buch reproduzierte Tabelle der Aufführungsdauern kritisch zu lesen.

Man kann davon ausgehen, daß in einer Aufführung von besonders langer Dauer die Tempi überwiegend oder sogar durchgehend langsam sind. Ohne diese Voraussetzung käme eine extrem ausgedehnte Aufführungszeit gar nicht zustande. Für sehr kurze Dauern gilt das entsprechende. Aufführungen mit extremen Aufführungszeiten sind indessen seltene Ausnahmen oder kommen gar nicht vor. Die Regel sind Zeiten, die um eine Art Mitte zwischen imaginären Polen — den nie erreichten Extremzeiten — kreisen und deren Differenzen sich daher nicht damit erklären lassen, daß der eine Dirigent schnellere, der andere langsamere Tempi bevorzugt habe. Im allgemeinen sagt die Dauer einer Aufführung nichts darüber aus, ob das vom Dirigenten gewählte Spektrum der Tempi breit war oder schmal, ob er also einerseits sehr langsam und dementsprechend andererseits sehr schnell musiziert hat, oder ob er einem nur geringfügig modifizierten kontinuierlichen Grundtempo gefolgt ist. Es ist möglich, daß zwei von verschiedenen Dirigenten geleitete Aufführungen mit gleicher oder annähernd gleicher Dauer auch in der Tempowahl übereingestimmt oder sich nahegestanden haben. Ebenso ist aber auch denkbar, daß sie sich in der beschriebenen Weise unterschieden, also gegensätzlich waren. Dann aber wird die von den Aufführungsdauern suggerierte Gleichheit oder Verwandtschaft deutlich Lügen gestraft. Die Zahlen führen in die Irre. Umgekehrt können sich zwei Aufführungen, deren Dauern deutlich differieren, in der Art der Tempi und ihrer Relation zueinander sehr nahe sein. Solange also keine zusätzlichen Informationen vorhanden sind, lassen die Aufführungszeiten in ihrer Mehrzahl keinen Schluß auf die gewählten Tempi zu.

Als Pierre Boulez 1966 die Leitung des Parsifal übernahm, setzte er sich eine Schärfung der Tempokontraste zum Ziel, insbesondere wollte er »die langsamen Passagen als *wirklich* langsam herausarbeiten[2].« Dennoch unterschritt die Dauer seiner Aufführ-

---

[1] Brief Karl Mucks an Eva Chamberlain vom 13. 4. 1931, RWA.
[2] Brief an Wieland Wagner vom 2. 7. 1966, Bayreuther Festspiele.

rungen die bei den Bayreuther Festspielen gewohnte Zeit deutlich. Boulez verwirklichte seinen Vorsatz, indem er nicht die langsamen Partien langsamer, sondern die schnellen schneller nahm. Einem solchen Vorgehen sind selbstverständlich Grenzen gesetzt. Im allgemeinen wird nicht schneller musiziert, als sich die Noten technisch realisieren lassen. Man kann daher annehmen, daß vergleichsweise kurze Aufführungsdauern weniger dadurch zustandekommen, daß die schnellen Abschnitte schneller gespielt werden, als vielmehr dadurch, daß in den langsamen Teilen das Tempo angezogen wird.

Wichtig für die Einschätzung der Aufführungsdauern ist die Tatsache, daß die technischen Probleme, die Wagners Werke den Ausführenden aufgeben, die Musiker vor achtzig oder hundert Jahren vor sehr viel schwierigere Aufgaben gestellt haben als das heute der Fall ist; denn zu jener Zeit waren die Probleme neu und mochten sogar teilweise unüberwindlich erscheinen, während sie heute jedem Musiker des Festspielorchesters seit seiner Ausbildung vertraut sind. Es duldet keinen Zweifel, daß die jahrzehntelange Aufführungserfahrung mit Wagners Werken die Bewältigung der Aufgaben leichter gemacht hat, und mit Sicherheit sind die Musiker des Festspielorchesters von 1976 zu mehr Perfektion fähig als jene vor achtzig oder hundert Jahren. Es ist daher möglich, manche Passage schneller zu musizieren als das früher geschehen konnte.

Daß die mit der Uhr gemessene Dauer einer Aufführung nicht identisch ist mit dem Zeiteindruck, den der Hörer der Aufführung bekommt, braucht kaum betont zu werden. Die Tatsache hat jedoch Konsequenzen für die Beurteilung der Aufführungsdauern. Aufführungen mit gleichen oder ähnlichen Zeiten können dem Hörer, der sie erlebt hat, als sehr unterschiedlich in der Zeitausdehnung erscheinen, wie andererseits Aufführungen, die sich in der objektiv festgestellten Dauer unterscheiden, zu wirken vermögen, als seien sie gleich. Es gibt dafür zahlreiche Beispiele. Erich Rappl hat in seinem Aufsatz »Gibt es ein Bayreuther Tempo?« ein anschauliches Exempel gegeben. Es heißt dort: »Als beispielsweise Eugen Jochum in Bayreuth den ›Tristan‹ dirigierte [1953], hatte man nach dem ersten Akt vielfach den Eindruck, daß er wesentlich langsamere Tempi genommen habe als Herbert v. Karajan im Vorjahr. Die Stoppzeiten beweisen jedoch, daß Jochum sogar eine Minute früher fertig wurde als sein Vorgänger[3].« Was langsam wirkt, muß objektiv nicht länger dauern als das, was den Anschein des rascheren weckt. Vergleicht man die Dauern der Parsifal-Aufführungen Levis und Mottls, dann scheint die Kontroverse um Mottls langsame und angeblich sogar verschleppte Tempi im Jahre 1888 unbegreiflich und wie aus der Luft gegriffen. Die gemessenen Zeiten stehen im Gegensatz zum Eindruck, den die Aufführungen auf die Hörer gemacht haben. Allem Anschein nach hatte Mottls Musizieren die Aura des Würdevoll-Langsamen, den Gestus des Weitgespannten, ohne daß deshalb tatsächlich mehr Zeit verging; während z. B. Franz Fischer, dessen Aufführungsdauern von 1882 viel höher liegen als die vielgeschmähten Felix Mottls von 1888, also viel eher Anlaß zur Kritik geboten hätten, den Hörern augenscheinlich das Bild einer stetig voranschreitenden Musik vermittelte.

Diese Gesichtspunkte, die den Aufführungsdauern nicht zu entnehmen sind, waren für die Geschichte der Bayreuther Festspiele wie der Aufführungspraxis generell von gewiß größerer Relevanz als die objektiven Zahlen. Überliefert sind indessen nicht die objektiver Messung sich entziehenden Spezifika der einzelnen Dirigenten, sondern die Aufführungsdauern, die — wie es scheint — eine Art Ersatz für den Mangel an Daten über die individuelle Eigenart von Aufführungen und Dirigenten darstellen.

Die verbreiteten Tabellen teilen in der Regel nur eine einzige Zeitangabe pro Dirigent mit. Das ist geeignet, einen falschen Eindruck zu wecken. Kein Dirigent ist in der Lage,

3 Das Musikleben, 1955, S. 260.

stets die gleiche Aufführungsdauer zu erreichen; vor allem wird er darin auch gar nicht seine Aufgabe sehen. Von vielen Dirigenten gibt es daher selbstverständlich — neben den bekannten — auch noch andere, zum Teil sogar nicht unerheblich abweichende Zeitangaben. Sie werden in der folgenden Tabelle — in Auswahl, da Vollständigkeit weder möglich noch sinnvoll ist — dargeboten. Zu erklären sind sie u. a. damit, daß in den verschiedenen Aufführungen verschiedene Sänger mitwirkten, die entsprechend der Art ihrer Stimme wie ihres Temperaments Einfluß auf die Tempi nahmen. Das entsprach den Prinzipien des Bayreuther Stils, der nicht eine bestimmte Aufführungsdauer als Leitlinie hatte, sondern die überzeugende sängerisch-schauspielerische Darstellung auf der Bühne und ihre bruchlose Übereinstimmung mit dem Orchester. Die Bedeutung des Tempos trat dagegen fast in den Hintergrund. Mit Metronomangaben wurde in Bayreuth jedenfalls nicht gearbeitet.

Die überlieferten Zeitangaben sind zwar überwiegend mit Namen von Dirigenten versehen, doch nur der kleinere Teil ist präzis datiert. Außerdem gibt es bisweilen für einzelne Akte keine Angaben; sie wurden anscheinend vergessen.

Tabelle der Aufführungsdauern

Das Rheingold

1876	Hans Richter	2/31
		2/29
1896		2/28
	Felix Mottl	2/32
		2/30
	Siegfried Wagner	2/21
		2/25
1897	Hans Richter	2/25
	Felix Mottl	2/30
	Siegfried Wagner	2/23
1899		2/27
1904	Franz Beidler	2/23
		2/28
	Hans Richter	2/25,5
1908		2/15
		2/18
1909	Michael Balling	2/21
		2/18
1912	Siegfried Wagner	2/21
1914	Michael Balling	2/23
1927	Franz von Hoeßlin	2/22
1930	Karl Elmendorff	2/39
1933		2/40
1934	Heinz Tietjen	2/17
1936	Wilhelm Furtwängler	2/36
		2/26
1938	Heinz Tietjen	2/17
1939		2/11
		2/08
1942	Karl Elmendorff	2/22
1951	Herbert von Karajan	2/25
		2/26
	Hans Knappertsbusch	2/42
		2/37
1952	Joseph Keilberth	2/19
		2/21
1953	Clemens Krauss	2/22
		2/24
1957	Hans Knappertsbusch	2/40
1960	Rudolf Kempe	2/32
1961		2/34
1964	Berislav Klobucar	2/29
		2/32
1965	Karl Böhm	2/20
1966	Otmar Suitner	2/14
1968	Lorin Maazel	2/21
1970	Horst Stein	2/20
		2/17

Undatierte Angaben: Hans Richter (2/12), Michael Balling (2/24), Hans Knappertsbusch (2/45), Joseph Keilberth (2/17 und 2/35), Lorin Maazel (2/25).

Die Walküre		1. Akt	2. Akt	3. Akt	
1876	Hans Richter	1/02	1/27	1/10	zus. 3/39
					3/34
1896		1/06	1/29	1/10	
	Felix Mottl	1/06	1/32	1/10	
		1/09	1/28	1/05	
	Siegfried Wagner	1/07	1/30	1/07	
1897	Hans Richter	1/03	1/27	1/09	
1899	Siegfried Wagner		1/23,5	1/07,5	
			1/26,5	1/05	
1904	Franz Beidler	1/02	1/28	1/06	
	Hans Richter		1/27,5		
1909	Michael Balling	1/05	1/27	1/07	
1927	Franz von Hoeßlin	1/06	1/30	1/15	
1930	Karl Elmendorff	1/01	1/28	1/09	
1934	Heinz Tietjen	1/05	1/29	1/13	
1936	Wilhelm Furtwängler	1/05	1/26	1/07	
1951	Herbert von Karajan	1/02	1/27	1/07	
			1/25	1/05	
	Hans Knappertsbusch	1/05	1/36	1/12	
1952	Joseph Keilberth	1/03	1/24	1/07	
1953		1/03			
	Clemens Krauss	1/01	1/24	1/04	
1960	Rudolf Kempe	1/02	1/28	1/11	
1964	Berislav Klobucar	1/03	1/27	1/07	
		1/01			
1965	Karl Böhm	1/01	1/24	1/05	
1966	Otmar Suitner	1/00	1/23	1/04	
1968	Lorin Maazel	1/04	1/23	1/05	
1970	Horst Stein	1/02	1/26	1/05	
			1/23		

Undatierte Angaben: Rudolf Kempe (1:1/03 — 2:1/30 — 3:1/07), Otmar Suitner (1:1/02 — 3:1/00), Lorin Maazel (1:0/58 — 2:1/20 — 2:1/25 — 3:1/10).

Siegfried		1. Akt	2. Akt	3. Akt	
1876	Hans Richter	1/23	1/17	1/20	zus. 4/00
					3/52
1896		1/23	1/15	1/20	
	Felix Mottl	1/21	1/14	1/21	
				1/16	
				1/14	
	Siegfried Wagner	1/20	1/13	1/20	
1897	Hans Richter	1/19	1/13	1/19	
1904		1/23,5	1/17	1/20,5	
	Franz Beidler	1/21	1/16	1/21	
		1/23,5	1/20,5	1/27	
1909	Michael Balling	1/19	1/15	1/20	
1927	Franz von Hoeßlin	1/18	1/12	1/19	
1930	Karl Elmendorff	1/18	1/12	1/24	
1934	Heinz Tietjen	1/18	1/13	1/20	
1936	Wilhelm Furtwängler	1/23	1/12	1/23	
1938	Heinz Tietjen	1/17	1/10	1/15	
1951	Herbert von Karajan	1/20	1/11	1/22	
		1/19			
	Hans Knappertsbusch	1/24	1/16	1/25	
		1/27			
1952	Joseph Keilberth	1/18	1/12	1/18	
1953	Clemens Krauss	1/22	1/15	1/18	
1954	Joseph Keilberth			1/17	

		1. Akt	2. Akt	3. Akt	
1960	Rudolf Kempe	1/22	1/15	1/17	
1964	Berislav Klobucar	1/24	1/13	1/20	
		1/13			
1965	Karl Böhm	1/18	1/11	1/17	
1966	Otmar Suitner	1/17	1/08	1/12	
1968	Lorin Maazel	1/15	1/07	1/14	
1970	Horst Stein	1/15	1/08	1/17	
			1/10	1/20	

Undatierte Angaben: Siegfried Wagner (1:1/20 — 2:1/15 — 3:1/18), Felix Mottl (3:1/19), Karl Böhm (1:1/17 — 2:1/10 — 3:1/17), Otmar Suitner (2:1/07), Lorin Maazel (1:1/20 — 3:1/20), Horst Stein (1:1/16 — 2:1/12 — 3:1/18).

Götterdämmerung		1. Akt	2. Akt	3. Akt	
1876	Hans Richter	1/57	1/04	1/18	zus. 4/19
					4/00 [?]
1896		1/54	1/01	1/17	
	Felix Mottl	1/56	1/02	1/16	
		1/54		1/14	
	Siegfried Wagner	1/57	1/05	1/13	
		1/55	1/03		
1897		1/56			
	Hans Richter			1/15	
1904	Franz Beidler	2/11	1/06	1/21	
		2/13			
1909	Michael Balling	1/58	1/07	1/19	
		1/56			
1927	Franz von Hoeßlin	1/52	1/03	1/14	
1930	Karl Elmendorff	1/56	1/02	1/15	
1934	Heinz Tietjen	2/04	0/59	1/15	
1936	Wilhelm Furtwängler	1/53	1/03	1/18	
1951	Herbert von Karajan	1/58	1/05	1/17	
				1/16	
	Hans Knappertsbusch	2/07	1/10	1/23	
1952	Joseph Keilberth	1/52	1/04	1/16	
1953	Clemens Krauss	1/54	1/06	1/16	
1960	Rudolf Kempe	1/56	1/05	1/17	
1961		1/59			
1964	Berislav Klobucar	1/57	1/05	1/16	
1965	Karl Böhm	1/50	1/00	1/09	
1966	Otmar Suitner	1/47	1/02	1/10	
1968	Lorin Maazel	1/50	0/59	1/15	
1970	Horst Stein	1/48	1/01	1/12	
		1/50	0/55	1/13	

Undatierte Angaben: Hans Richter (1:1/51), Siegfried Wagner (2:1/02 — 3:1/14), Heinz Tietjen (1:1/45), Hans Knappertsbusch (1:2/00 — 2:1/07), Joseph Keilberth (1:1/54 — 2:1/05 — 3:1/17), Karl Böhm (2:0/59), Lorin Maazel (1:1/49 — 1:1/55).

Parsifal		1. Akt	2. Akt	3. Akt
1882	Hermann Levi	1/47	1/02	1/15
	Franz Fischer	1/50	1/10	1/23
1888	Felix Mottl	1/46	1/07	1/22
		1/50	1/05	1/19
1889	Hermann Levi	1/41		
1897	Anton Seidl	1/48	1/04	1/27
		1/45		
		1/51		
1901	Karl Muck	1/56	1/07	1/23
1904	Michael Balling	1/46	1/03	1/19

1906	Franz Beidler	1/48	1/05	1/18
	Karl Muck	1/50		
1909	Siegfried Wagner	1/49	1/09	1/25
1924	Willibald Kaehler	1/59	1/08	1/22
1931	Arturo Toscanini	2/06	1/12	1/30
1933	Richard Strauss	1/46	1/04	1/18
1934	Franz von Hoeßlin	1/44	1/05	1/18
1936	Wilhelm Furtwängler	1/52	1/03	1/17
1938	Franz von Hoeßlin		1/07	
1951	Hans Knappertsbusch	1/56	1/10	1/21
1953	Clemens Krauss	1/39	0/56	1/09
1954	Hans Knappertsbusch	1/50		
1957	André Cluytens	1/56	1/11	1/18
1958	Hans Knappertsbusch	1/46	1/09	1/13
1965	André Cluytens	1/53	1/05	1/11
1966	Pierre Boulez	1/38	1/01	1/10
1967		1/35	0/58	1/05
1969	Horst Stein	1/44	1/05	1/10
		1/40		
1970	Pierre Boulez	1/34	0/59	1/06
1973	Eugen Jochum	1/38	1/00	1/08
1975	Horst Stein	1/38	1/03	1/08
	Hans Zender	1/33	1/01	1/08

Undatierte Angaben: Hermann Levi (1:1/37? — 2:1/01), Franz Fischer (1:1/48 — 1:1/51 — 2:1/01), Felix Mottl (1:1/55 — 2:1/08 — 3:1/26), Karl Muck (1:1/47 — 2:1/04), Richard Strauss (1:1/45 — 2:1/00 — 3:1/11), Franz von Hoeßlin (1:1/41 — 2:1/00).

Aufführungsdauern des Parsifal-Vorspiels: Hermann Levi (0/12 — 0/13,5), Franz Fischer (0/13 — 0/14), Felix Mottl (0/16), Anton Seidl (0/14 — 0/15), Karl Muck (0/14,5 — 0/15,5). Richard Wagner benötigte bei der Uraufführung am 25. 12. 1878 in Bayreuth 0/13, bei der Separataufführung für Ludwig II. am 12. 11. 1880 in München 0/14,5.

Tristan und Isolde		1. Akt	2. Akt	3. Akt
1886	Felix Mottl	1/20	1/15	1/15
1906	Michael Balling	1/26	1/21	1/18
1927	Karl Elmendorff	1/22	1/18	1/23
1930	Arturo Toscanini	1/30	1/21	1/20
1931	Wilhelm Furtwängler	1/23	1/15	1/17
1939	Victor de Sabata	1/17	1/12	1/10
1952	Herbert von Karajan	1/20	1/14	1/13
1953	Eugen Jochum	1/21	1/15	1/13
1957	Wolfgang Sawallisch	1/20	1/16	1/14
1962	Karl Böhm	1/17	1/17	1/14
1968	Berislav Klobucar	1/14	1/03	1/11
1974	Carlos Kleiber	1/16	1/17	1/15

Die Meistersinger von Nürnberg		1. Akt	2. Akt	3. Akt
1888	Hans Richter	1/23	1/01	2/00
1892	Felix Mottl	1/22	0/59	1/55
1924	Fritz Busch	1/21	1/00	1/54
1925	Karl Muck	1/20	0/59	2/00
1933	Karl Elmendorff	1/20	1/00	2/05
	Heinz Tietjen	1/25	1/05	2/03
1943	Hermann Abendroth	1/27	0/55	1/58
	Wilhelm Furtwängler	1/19	0/56	2/00
1951	Herbert von Karajan	1/22	0/59	2/02
1952	Hans Knappertsbusch	1/26	1/05	2/09
1956	André Cluytens	1/23	1/00	2/00

1959	Erich Leinsdorf	1/22	1/00	1/55
		1/20		
1960	Hans Knappertsbusch	1/28	1/07	2/04
		1/30		
1961	Josef Krips	1/25	1/04	2/08
1963	Thomas Schippers	1/22	0/58	2/00
1964	Karl Böhm	1/16	0/59	1/57
	Robert Heger	1/23	1/01	2/05
		1/25		2/03
1968	Karl Böhm	1/18	0/58	1/56
	Berislav Klobucar	1/17	0/58	1/55
1970	Hans Wallat	1/23	1/00	2/01
		1/18	1/01	1/59
1973	Silvio Varviso	1/18	0/58	1/56
1975	Heinrich Hollreiser	1/19	0/59	1/55

Undatierte Angaben: Karl Böhm (1:1/15 — 2:1/00 — 3:1/55), Berislav Klobucar (1:1/20).

Tannhäuser

		1. Akt	2. Akt	3. Akt
1891	Felix Mottl	1/10	1/07	1/00
1894	Richard Strauss	1/14	1/08	1/01
1904	Siegfried Wagner	1/16	1/12	1/00
1930	Arturo Toscanini	1/11	1/09	1/00
1954	Eugen Jochum	1/03	1/05	0/54
	Joseph Keilberth	1/03	1/08	0/57
1955	André Cluytens	1/06	1/06	1/00
1961	Wolfgang Sawallisch	0/54	1/05	0/52
1964	Otmar Suitner	0/51	1/07	0/52
1965	André Cluytens	1/00	1/09	0/52
1966	Carl Melles	1/04	1/09	0/53
1967	Berislav Klobucar	1/01	1/05	0/49
1972	Erich Leinsdorf	1/02	1/07	0/51
	Horst Stein	0/59	1/07	0/53
1973	Heinrich Hollreiser	1/00	1/05	0/51

Die Zeitdifferenzen erklären sich zum Teil aus den unterschiedlichen Fassungen, die den Aufführungen zugrunde gelegen haben.

Lohengrin

		1. Akt	2. Akt	3. Akt
1894	Felix Mottl	1/10	1/22	1/09
		1/08	1/25	1/12
		1/11	1/23	1/06
1908	Siegfried Wagner	1/09	1/23	1/08
		1/07	1/20	1/05
1936	Wilhelm Furtwängler	1/01	1/19	1/05
1937	Heinz Tietjen	1/11	1/29	1/12
1953	Joseph Keilberth	1/06	1/22	1/07
1954	Eugen Jochum	1/04	1/21	1/05
		1/02	1/20	1/03
1958	André Cluytens	1/02	1/15	1/00
		1/05	1/16	
1959	Lovro von Matacic	1/04	1/21	1/03
	Heinz Tietjen	1/03	1/21	1/03
1960	Ferdinand Leitner	1/03	1/15	1/03
	Lorin Maazel	1/02	1/17	1/01
1962	Wolfgang Sawallisch	0/59	1/13	0/58
1967	Rudolf Kempe	1/02	1/23	1/00
		1/05	1/24	
	Berislav Klobucar	1/00	1/20	0/59
1968	Alberto Erede	0/58	1/14	0/55
1971	Silvio Varviso	0/58	1/19	1/01

Der fliegende Holländer	1. Akt	2. Akt	3. Akt	zusammen
1901 Felix Mottl				2/27
1914 Siegfried Wagner				2/23
1939 Karl Elmendorff				2/22
1942 Richard Kraus				2/17
1955 Joseph Keilberth				2/25
Hans Knappertsbusch				2/31
				2/33
1959 Wolfgang Sawallisch	0/48	0/52	0/26	
1965 Otmar Suitner	0/47	0/53	0/26	
1969 Silvio Varviso				2/15
				2/11
1971 Karl Böhm				2/12
				2/14
Hans Wallat				2/17

5. Von Abendroth bis Zender – Lexikon der Dirigenten

Die folgenden biographischen und bibliographischen Angaben über die Dirigenten der Bayreuther Festspiele sind eine konzentrierte Kompilation der Informationen aus den einschlägigen internationalen Musiklexika, ergänzt durch einzelne Daten aus anderen Quellen. In der Sektion *Daten und Stationen der Laufbahn* bezeichnen die Ortsnamen, wenn nicht anders angegeben, die entsprechenden Hof-, Staats- oder Stadttheater; sofern nicht anders vermerkt, ist stets eine Tätigkeit als Operndirigent gemeint. Auf die Verzeichnung von Gastspielen wurde, um Raum zu sparen, fast völlig verzichtet. Folgende Abkürzungen finden Verwendung: GMD = Generalmusikdirektor, Kpm = Kapellmeister, MD = Musikdirektor. In der Sektion *Literatur*, die selbstverständlich nur eine Auswahl darstellt, ist einerseits auf Artikel aus Musiklexika verzichtet worden, andererseits auf allgemeine Darstellungen. Von diesen seien indessen vorab einige — stellvertretend — genannt: F. Herzfeld, Magie des Taktstocks. Die Welt der großen Dirigenten, Konzerte und Orchester, Berlin 1953, ²1959, Darmstadt—Zürich 1964; C. Kittel, »Tristan«-Dirigenten, Bayreuther Festspielführer 1938, S. 165—170; H. C. Schonberg, The Great Conductors, New York 1967, [deutsch] Die großen Dirigenten. Eine Geschichte des Orchesters und der berühmtesten Dirigenten von den Anfängen bis zur Gegenwart, München 1973.

Abendroth, Hermann (19. 1. 1883 Frankfurt/Main — 29. 5. 1956 Jena). Sohn eines Buchhändlers; 1898/9 Buchhändlerlehre; 1900—03 Musikstudium in München bei Ludwig Thuille (Komposition), Anna Hirzel-Langenhan (Klavier) und Felix Mottl (Dirigieren).
Daten und Stationen der Laufbahn: 1903/4 Orchesterverein München; 1905—11 Verein der Musikfreunde Lübeck; 1907—11 Stadttheater Lübeck (1. Kpm); 1911—14 Essen (MD); 1915—34 Gürzenichorchester Köln (Nachfolger Fritz Steinbachs), Direktor des Konservatoriums; 1918 GMD; 1919 Professor; 1922 Niederrheinisches Musikfest (Leiter); 1922/3 Konzerte der Staatskapelle Berlin; 1934—45 Gewandhausorchester Leipzig, Dirigierlehrer am Konservatorium, Leiter der Fachschaft Musikerzieher in der Reichsmusikkammer; 1946—49 Weimar (musikal. Oberleiter); 1947 Hochschulprofessor in Weimar; 1949—53 Rundfunksymphonieorchester Leipzig (Chefdirigent); 1953 Rundfunksymphonieorchester Berlin (Chefdirigent).
Bayreuther Festspiele: 1943/44 Meistersinger.
Literatur: G. Brieger, H. A. 70 Jahre, Musica VII (1953), S. 32 f.

Balling, Michael (27. 8. 1866 Heidingsfeld/Main — 1. 9. 1925 Darmstadt). Sohn eines unbemittelten Schreibers der Kreisregierung; anstelle der in Aussicht genommenen Schusterlehre Freistelle an der Königlichen Musikschule in Würzburg; Studium von Bratsche und Viola alta bei Hermann Ritter. — Komponist.
Daten und Stationen der Laufbahn: 1884—86 Mainz (Bratschist); 1886—92 Schwerin (Bratschist); 1892—95 Reise nach Australien und Neuseeland; in Nelson (Neuseeland) Gründung einer Musikschule und zweijähriger Aufenthalt als Lehrer; 1895 Konzertreise durch England als Bratschist und Dirigent; 1896/7 Hamburg (Chordirigent); 1897 vorübergehend Bratschist am Hoftheater Karlsruhe unter Felix Mottl; 1898—1902 Lübeck (1. Kpm); 1. ungekürzte Ring-Aufführung in Lübeck; 1902/3 Breslau; 1903 Karlsruhe (Nachfolger Felix Mottls); 1910 Edinburg, 1. Ring-Aufführung in Schottland; 1911—14 Hallé-Orchester Manchester (Nachfolger Hans Richters); 1914 Budapest (Hofkpm); 1919—25 Darmstadt (GMD).
1908 heiratete B. Mary Levi, die Witwe Hermann Levis.
Bayreuther Festspiele: 1886—89, 1892 [?] (Bratschist); 1896, 1899, 1901/2 (Assistent); 1904—08, 1911/2 Parsifal; 1909—25 Ring; 1906 Tristan.
Publikationen: Richard Wagners Werke, Breitkopf & Härtel, Leipzig o. J. [Herausgeber].
Literatur: R. Sternfeld, M. B., Die Musik XVII (1924/25), S. 832—835; W. Kulz, M. B., Bayreuther Festspielführer 1927, S. 97—105.

Beidler, Franz (29. 3. 1872 Kaiserstuhl/Aargau — 15. 1. 1930 München). Gymnasium in St. Gallen; Musikschule in Weimar; Konservatorium in Leipzig.
Daten und Stationen der Laufbahn: 1894 Stilbildungsschule Bayreuth unter Julius Kniese; ab 1896 musikalischer Assistent der Bayreuther Festspiele; 1902—05 Kaiserlicher MD in Mos-

kau; 1905 Leiter der Bayreuther Stilbildungsschule (als Nachfolger Knieses); 1908 Konzerte in Manchester [?]; später Tätigkeit als Kaufmann.

Am 12. 12. 1900 Verheiratung mit Isolde Wagner (1865–1919), der ältesten Tochter Richard Wagners; 1906 Entzweiung mit Haus Wahnfried und der Familie Wagner; 1913 Beidler-Prozeß: Klage Isoldes gegen ihre Mutter Cosima um ihre Rechte als ältestes Kind Richard Wagners; die Klage wurde 1914 abgewiesen.

Bayreuther Festspiele: 1896/97, 1901/02 (Assistent); 1904 Ring; 1906 Parsifal.

Böhm, Karl (28. 8. 1894 Graz). Jurastudium; 1919 Dr. jur. in Graz; Musikstudium in Graz (Konservatorium) und bei dem Brahms-Freund und -Herausgeber Eusebius Mandyczewski in Wien.

Daten und Stationen der Laufbahn: 1917 Graz (Korrepetitor); 1918 2. Kpm; 1920 1. Kpm; 1921 Staatsoper München (1. Kpm unter Bruno Walter, auf Empfehlung Karl Mucks, der zeitweise privater musikalischer Ratgeber B.s war); 1927 Darmstadt (GMD); 1931 Staatsoper Hamburg (u. a. Professor); 1934–43 Staatsoper Dresden (Operndirektor); 1943–45 Staatsoper Wien (Direktor); 1947 Wien (Dirigent der Staatsoper, der Philharmoniker, der Gesellschaft der Musikfreunde, der Konzerthausgesellschaft); 1950–53 Teatro Colón Buenos Aires (musikal. Oberleiter); 1954–56 Staatsoper Wien (Direktor); 1957 Metropolitan Opera New York.

Bayreuther Festspiele: 1962–64, 1966, 1968–70 Tristan; 1963 Beethoven, IX. Symphonie; 1964, 1968 Meistersinger; 1965–67 Ring; 1968 Lohengrin; 1971 Fliegender Holländer.

Publikationen: Ich erinnere mich ganz genau. Autobiografie, Zürich 1968, ²1974.

Literatur: K. Laux, K. B., Die Musik XXVII (1935), S. 443; M. Roemer, K. B., Berlin 1966 (Rembrandt-Reihe LIV); G. Schmiedel, K. B. and the Dresden Opera, in: Opera, London 1960, S. 324–331; W. Schuh, K. B., Schweizerische Musikzeitung CIV (1964), S. 228 ff.

Boulez, Pierre (26. 3. 1925 Montbrison/Loire). Sohn eines Stahlunternehmers; sollte zunächst Ingenieur werden. 1935–41 Collège St. Etienne; 1941/42 Mathematikstudium in Lyon; ab 1943 in Paris; Musikstudium; Lehrer: 1944/45 Andrée Vaurabourg-Honegger (Kontrapunkt), 1945 Olivier Messiaen (Komposition), René Leibowitz (Dodekaphonie), 1951 Pierre Schaeffer (Musique concrète).

Daten und Stationen der Laufbahn: 1946–56 Compagnie Madeleine Renaud — Jean-Louis Barrault (musikal. Leiter); 1954–67 Domaine-Musical-Konzerte für Neue Musik Paris (Organisator und Dirigent); 1955–67 Kompositionslehrer bei den Internationalen Ferienkursen für Neue Musik in Darmstadt; 1958 Übersiedlung nach Baden-Baden, Dirigententätigkeit im Südwestfunk; 1960–63 Lehrtätigkeit an der Musikakademie Basel; 1963 französische Erstaufführung des »Wozzeck« an der Pariser Oper (Inszenierung: J.-L. Barrault); 1966 »Wozzeck« in Frankfurt/M (Inszenierung: Wieland Wagner); 1967 Principal Guest Conductor des Cleveland Orchestra; 1969 »Pelléas et Mélisande« an Covent Garden London; 1971 BBC Symphony Orchestra, New York Philharmonic (Chefdirigent); Direktor des Centre Beaubourg Paris.

Bayreuther Festspiele: 1966–68, 1970 Parsifal.

Publikationen: Werkstatt-Texte [Aufsätze] (aus dem Französischen von J. Häusler), Berlin 1972; Anhaltspunkte. Essays [u. a. Wege zu Parsifal; Divergenzen: Vom Wesen zum Werk], (aus dem Französischen von J. Häusler), Stuttgart–Zürich 1975.

Literatur: A. Goléa, Rencontres avec P. B., Paris 1958.

Busch, Fritz (13. 3. 1890 Siegen/Westfalen — 14. 9. 1951 London). Sohn eines Geigenbauers, Bruder des Geigers Adolf B. Gymnasium in Siegen und Siegburg; Musikstudium am Konservatorium in Köln bei K. Boettcher und L. Uzielli (Klavier), O. A. Klauwell (Theorie), Fritz Steinbach (Dirigieren).

Daten und Stationen der Laufbahn: 1909 Riga (Kpm und Chordirektor); 1909–12 Bad Pyrmont (Fürstlicher Kpm und Leiter der Kurkonzerte); 1911/12 Gotha (Chorleiter des Musikvereins); 1912 Aachen (MD, als Nachfolger von E. Schwickerath); 1918 Stuttgart (Hofkpm, als Nachfolger M. v. Schillings), nach der Novemberrevolution Operndirektor; 1922–33 Staatsoper Dresden (GMD, als Nachfolger Fritz Reiners); Emigration; 1933–36 Teatro Colón Buenos Aires; 1934–39, 1950 Glyndebourne; 1934 Rundfunkorchester Kopenhagen; 1937–41 Stockholm; 1945–50 Metropolitan Opera New York. Seit 1947 argentinischer Staatsbürger.

Bayreuther Festspiele: 1924 Meistersinger.

Publikationen: Das ›Bewußtsein vom Richtigen‹, Dresdner Anzeiger, 12. 2. 1933, Sonderbeilage; Aus dem Leben eines Musikers, Zürich 1949, [englisch] London 1953.

Literatur: In memoriam F. B., hg. v. W. Burbach, Dahlbruch 1966, ²1968; G. Busch, F. B. Dirigent, Frankfurt/M 1970; B. Dopheide, F. B. Sein Leben und Wirken in Deutschland mit einem Ausblick auf die Zeit seiner Emigration, Tutzing 1970; R. Engländer, F. B., Musik-blätter des Anbruch, Wien 1925, S. 456—459; H. Tessmer, F. B., Die Musik XVI (1923/24).

Cluytens, André (26. 3. 1905 Antwerpen — 3. 6. 1967 Neuilly). Sohn einer Sängerin und eines Dirigenten des Königlichen Theaters von Antwerpen; 1914—22 Musikstudium am Kon-servatorium in Antwerpen.
Daten und Stationen der Laufbahn: 1922 Antwerpen (Chorleiter); 1927 1. Kpm; 1932—35 Toulouse; 1935 Lyon; 1938 Bordeaux; 1941 Paris; 1947—49 Opéra comique Paris; 1949 Société des Concerts du Conservatoire (Chefdirigent); 1960 Orchestre National Belge (Chef-dirigent).
Bayreuther Festspiele: 1955, 1965 Tannhäuser; 1956—58 Meistersinger; 1957, 1965 Parsifal; 1958 Lohengrin.
Literatur: B. Gavoty und R. Hauert, A. C., Genf 1955, [deutsch] Frankfurt/M 1955 (Les grandes interprètes).

Elmendorff, Karl (25. 10. 1891 Düsseldorf — 21. 10. 1962 Hofheim am Taunus). Philologie-studium an den Universitäten Freiburg, München, Münster; 1913—16 Musikstudium am Kon-servatorium in Köln bei L. Uzielli (Klavier), F. Bölsche und E. Sträßer (Theorie), F. Steinbach und H. Abendroth (Dirigieren).
Daten und Stationen der Laufbahn: 1916—20 Düsseldorf (2. Kpm); 1920—23 Mainz (1. Kpm); 1923/24 Hagen/Westf. (musikal. Oberleiter); 1924/25 Aachen; 1925—32 Staatsoper Berlin u. Staatsoper München (1. Kpm); 1927 Bayerischer Staatskpm; 1932—36 Wiesbaden (GMD); 1936—42 Mannheim; 1938 Berlin (1. Dirigent der Staatsoper); 1942—45 Dresden; 1948—51 Kassel; 1952—56 Wiesbaden.
Bayreuther Festspiele: 1927/28, 1938 Tristan; 1930—34, 1942 Ring; 1933/34 Meistersinger; 1939—41 Fliegender Holländer.

Erede, Alberto (8. 11. 1909 Genua). Musikstudium (Klavier, Violoncello, Komposition, Dirigieren) in Genua (1926), Mailand (1927), Basel (1929); in Basel Schüler Felix Wein-gartners.
Daten und Stationen der Laufbahn: 1934—39 als Operndirigent in England (u. a. Glynde-bourne); 1935—38 Salzburg; 1945/46 Rundfunkorchester Turin (Chefdirigent); 1946—48 New London Opera Company, Cambridge Theatre; 1949 Stoll Theatre London; 1950—55 Metro-politan Opera New York; 1958—62 Deutsche Oper am Rhein, Düsseldorf/Duisburg (GMD); 1961 Göteborg (Leiter der Symphoniekonzerte).
Bayreuther Festspiele: 1968 Lohengrin.
Publikationen: Muß Kunst sein?, Das Orchester XII (1964).
Literatur: L. Rognoni, A. E., Arzignano 1954.

Fischer, Franz (29. 7. 1849 München — 8. 6. 1918 München). Violoncellostudium bei H. Mül-ler in München.
Daten und Stationen der Laufbahn: 1870 Pest (Solocellist am Nationaltheater unter Hans Richter); 1877—79 Mannheim (Hofkpm); 1879—1912 München (Hofkpm, mit persönlichem Adel); ab 1912 im Ruhestand.
Bayreuther Festspiele: Mitglied der sog. Nibelungenkanzlei zur Vorbereitung der ersten Festspiele; 1876 (Assistent und Chorleiter); 1882—84, 1899 Parsifal.
Literatur: H. v. Wolzogen, F. F. †, Bayreuther Blätter 1918, S. 197.

Furtwängler, Wilhelm (25. 1. 1886 Berlin — 30. 11. 1954 Ebersteinburg). Sohn des Archäolo-gieprofessors Adolf F.; Privatunterricht bei W. Riezler und dem Archäologen Ludwig Curtius; nachhaltige Prägung durch den Bildhauer Adolf Hildebrand; musikalische Ausbildung in Mün-chen bei A. Beer-Walbrunn, J. Rheinberger und M. v. Schillings, in Berlin bei C. Ansorge (Klavier). — Komponist.
Daten und Stationen der Laufbahn: 1906 Breslau (Korrepetitor); 1907 Zürich (Chordiri-gent); 1907—09 Hofoper München (Korrepetitor unter Felix Mottl); 1910 Straßburg (3. Kpm unter Hans Pfitzner); 1911—15 Verein der Musikfreunde Lübeck (Nachfolger H. Abendroths); 1915—20 Mannheim (Hofkpm, als Nachfolger A. Bodanzkys); 1919—24 Tonkünstlerorchester Wien; 1920—22 Konzerte der Berliner Staatskapelle (Nachfolger von R. Strauss), Frankfurter Museumskonzerte (Nachfolger von W. Mengelberg); 1921 Gesellschaft der Musikfreunde Wien; 1922—28 Gewandhausorchester Leipzig; 1922 Leiter der Berliner Philharmoniker; (Nachfolger A. Nikischs); 1928—30 Wiener Philharmoniker (Nachfolger F. Weingartners); 1933 Staatsoper Berlin (Direktor), Vizepräsident der Reichsmusikkammer; Ende 1934 Niederlegung

aller Ämter; seit April 1935 nur noch Gastdirigent; 1937 Ring-Aufführungen an Covent Garden London; 1952 Berliner Philharmoniker (Dirigent auf Lebenszeit).

Bayreuther Festspiele: 1931 Tristan; 1936/37 Ring/Parsifal; 1936 Lohengrin; 1943/44 Meistersinger; 1951, 1954 Beethoven, IX. Symphonie.

Publikationen: Ton und Wort. Aufsätze und Vorträge 1918 bis 1954, Wiesbaden 1955; Gespräche über Musik, Wien 1948; Vermächtnis. Nachgelassene Schriften, Wiesbaden 1956.

Literatur: W. F., Briefe, hg. v. F. Thiess, Wiesbaden 1964; F. Thiess, In memoriam W. F., Wien 1955; K. Höcker, W. F., Dokumente, Berichte und Bilder, Aufzeichnungen, Berlin 1968; F. Recalled, hg. v. D. Gillis, Zürich-Tuckahoe (N. Y.) 1965; W. F. im Urteil seiner Zeit, hg. v. M. Hürlimann, Zürich—Freiburg i. B. 1955; A. Einstein, W. F., Von Schütz bis Hindemith, Zürich—Stuttgart 1957; B. Geissmar, Musik im Schatten der Politik. Erinnerungen, Zürich 1945; F. Herzfeld, W. F., Weg und Wesen, Leipzig 1941, ²1950; K. Höcker, W. F., Begegnungen und Gespräche, Berlin 1961; H. J. Moser, W. F., Zeitschrift für Musik IX, September 1932; C. Riess, F. Musik und Politik, Bern 1953.

Heger, Robert (19. 8. 1886 Straßburg). Musikstudium in Straßburg bei F. Stockhausen, in Zürich bei L. Kempter und in München bei M. v. Schillings. — Komponist.

Daten und Stationen der Laufbahn: 1907 Straßburg; 1908 Ulm; 1909 Barmen; 1911—13 Volksoper Wien; 1913—21 Nürnberg; 1921 Staatsoper München; 1925 Staatsoper Wien; 1933 Staatsoper Berlin; Staatstheater Kassel (musikal. Oberleiter); 1941—45 Vorsitzender des internationalen Ausschusses für Singen und Sprechen; 1945 Städtische Oper Berlin; 1950 Staatsoper München; 1950—54 Präsident der Akademie der Tonkunst in München.

Bayreuther Festspiele: 1964 Meistersinger.

Publikationen: Wagner-Diktion, Bayreuther Festspiele 1953 [Programmheft:] Siegfried.

Hindemith, Paul (16. 11. 1895 Hanau/Main — 28. 12. 1963 Frankfurt/M). 1904 Violinunterricht bei A. Hegner; 1909 Musikstudium am Hochschen Konservatorium in Frankfurt/M bei A. Mendelssohn, B. Sekles und A. Rebner (Violine).

Daten und Stationen der Laufbahn: vor 1915 Frankfurter Opernorchester (Geiger); 1915—23 Konzertmeister; 2. Geiger und Bratschist im Rebner-Quartett; 1921 Gründung des Amar-Quartetts, dessen Mitglied H. bis 1929 blieb; 1927—37 Kompositionslehrer an der Berliner Hochschule für Musik (Professor); 1936 Lehrtätigkeit in Ankara; Emigration; 1938—40 Schweiz; 1940—53 Kompositionslehrer in Boston und an der Yale University New Haven; 1951—57 Lehrauftrag an der Universität Zürich.

Seit den 20er Jahren als Dirigent, vornehmlich eigener Werke, tätig.

Bayreuther Festspiele: 1953 Beethoven, IX. Symphonie.

Zu *Publikationen* und *Literatur* siehe: H. Rösner, P. H., Katalog seiner Werke. Diskographie, Bibliographie, Einführung in das Schaffen, Frankfurt/M 1970; Hindemith-Jahrbuch/Annales Hindemith I, 1971.

Hoeßlin, Franz von (31. 12. 1885 München — 28. (25?) 9. 1946 bei einem Flugzeugunglück in Südfrankreich). Sohn des Leibarztes des Königs von Bayern. Gymnasium und Universität in München; 1903—07 Musikstudium bei Felix Mottl (Dirigieren), Max Reger (Komposition) und F. Berber (Violine). — Komponist.

Daten und Stationen der Laufbahn: vor 1907 München (Assistent bei den Wagner-Festspielen im Prinzregententheater); 1907 Danzig (Kpm); 1908—11 St. Gallen; 1912—14 Konzertverein Riga; 1919/20 Verein der Musikfreunde Lübeck; 1920—22 Mannheim (Kpm); 1922/23 Volksoper Berlin; 1923—26 Dessau (GMD); 1926—32 Barmen-Elberfeld; 1932—36 Breslau; 1936—45 Florenz (Exil seiner Frau, der jüdischen Sängerin Erna Liebenthal).

Bayreuther Festspiele: 1927/28, 1940 Ring; 1934, 1938/39 Parsifal.

Hollreiser, Heinrich (24. 6. 1913 München). Humanistisches Gymnasium; Musikstudium an der Akademie der Tonkunst in München; privates Studium bei K. Elmendorff.

Daten und Stationen der Laufbahn: 1932 Wiesbaden (Assistent des GMD K. Elmendorff); 1935 Darmstadt (Kpm); 1938 Mannheim (1. Kpm); Duisburg; 1942—45 Staatsoper München; 1945—52 Düsseldorf (GMD); 1952 Staatsoper Wien (1. Kpm); 1961—64 Deutsche Oper Berlin (Chefdirigent).

Bayreuther Festspiele: 1973/74 Tannhäuser; 1975 Meistersinger.

Jochum, Eugen (1. 11. 1902 Babenhausen/Bayern). Benediktinergymnasium Augsburg; Musikstudium (Klavier und Orgel) am Konservatorium in Augsburg; 1922—25 Dirigierunterricht an der Akademie der Tonkunst in München bei Siegmund von Hausegger.

Daten und Stationen der Laufbahn: 1924/25 München (Korrepetitor); 1925 Mönchengladbach; 1926—29 Kiel; 1927 Kpm; Lübeck; Mannheim; 1930—32 Duisburg (GMD); 1932—34 Städtische Oper Berlin, Konzerte der Berliner Funkstunde; 1934—45 Staatsoper Hamburg (musikal. Direktor, als Nachfolger von K. Muck); 1945 Philharmonisches Staatsorchester Hamburg; 1948 Professor; 1949—60 Symphonieorchester des Bayerischen Rundfunks München (Chefdirigent); 1950 Präsident der deutschen Sektion der Internationalen Bruckner-Gesellschaft; 1961 Concertgebouw Orchester Amsterdam (Chefdirigent, zusammen mit B. Haitink); 1969 Bamberger Symphoniker.

Bayreuther Festspiele: 1953 Tristan; 1954 Tannhäuser/Lohengrin; 1971—73 Parsifal.

Publikationen: Zur Phänomenologie des Dirigierens, o. O. 1938; Zur Interpretation der Fünften Symphonie von A. Bruckner, Bruckner-Studien. Festschrift für L. Nowak, Wien 1964.

Kaehler, Willibald (2. 1. 1866 Berlin — 17. 10. 1938 Klein-Machnow). Gymnasium; Musikstudium an der Hochschule für Musik in Berlin bei F. Kiel († 1885), H. v. Herzogenberg und G. Engel. — Komponist, Herausgeber (C. M. v. Weber), Musikschriftsteller.

Daten und Stationen der Laufbahn: 1887 Hannover; Freiburg; Basel; Regensburg; Rostock; 1891 Mannheim (1. Kpm); 1906—31 Schwerin (anfangs Hofkpm, ab 1911 Königlicher Professor, seit 1924 mecklenburgischer GMD); ab 1931 im Ruhestand.

Bayreuther Festspiele: 1896—1901 (Assistent); 1924/25 Parsifal.

Literatur: A. E. Reinhard, W. K., Zeitschrift für Musik CVI (1939).

Karajan, Herbert von (5. 4. 1908 Salzburg). Sohn eines Arztes, Urenkel des Historikers und Philologen Th. G. Ritter v. K. Gymnasium in Salzburg; Musikstudium am Mozarteum und ab 1926 in Wien an der Akademie für Musik und dramatische Kunst bei Franz Schalk und an der Universität bei R. Lach (Musikwissenschaft).

Daten und Stationen der Laufbahn: 1927—34 Ulm; 1928 MD; 1930—34 Leiter der Dirigentenkurse bei den Salzburger Festspielen; 1934 Aachen; 1935 GMD; 1937 Berlin (Gastdirigent der Philharmoniker und der Staatsoper); 1940—44 Berlin (Konzerte der Staatskapelle); 1941 Staatsoper Berlin (Staatskpm); 1946 Wien; 1949 Gesellschaft der Musikfreunde Wien (Direktor); 1955 Berliner Philharmoniker (Künstlerischer Leiter, als Nachfolger W. Furtwänglers); 1956—64 Staatsoper Wien (Direktor, als Nachfolger K. Böhms); 1957/58 Oberleiter der Salzburger Festspiele; 1969 Gründung der H. v. K.-Stiftung.

Seit 1939 auch als Regisseur tätig.

Bayreuther Festspiele: 1951 Ring/Meistersinger; 1952 Tristan.

Literatur: B. Gavoty und R. Hauert, H. v. K., Genf 1956, [deutsch] Frankfurt/M 1956; E. Haeusserman, H. v. K., Gütersloh 1968; F. Herzfeld, H. v. K., Berlin 1959; K. Löbl, Das Wunder K., Bayreuth 1965.

Keilberth, Joseph (19. 4. 1908 Karlsruhe — 20. 7. 1968 München). Sohn des Solocellisten im Badischen Hoforchester, J. Keilberth (1924 Violoncellist im Bayreuther Festspielorchester).

Daten und Stationen der Laufbahn: 1925 Karlsruhe (Korrepetitor); 1935 GMD; 1940 Deutsche Philharmonie Prag; 1945—51 Dresden (GMD und Direktor der Staatsoper); 1951 Philharmonisches Staatsorchester Hamburg, Bamberger Symphoniker (Chefdirigent); 1959 Staatsoper München (GMD, als Nachfolger von F. Fricsay).

Bayreuther Festspiele: 1952—56 Ring; 1953/54 Lohengrin; 1954/55 Tannhäuser; 1955/56 Fliegender Holländer.

Literatur: R. Hartmann, J. K., Opera XIX, London 1968, S. 799 ff.; W. E. v. Lewinski, J. K., Berlin 1968 (Rembrandt-Reihe LIX); A. Schmitt, J. K., Das Orchester XVI (1968), S. 178 ff.; L. Schrott, J. K., Zeitschrift für Musik CXI (1950), S. 534 f.

Kempe, Rudolf (14. 6. 1910 Niederpoyritz bei Dresden). Zunächst Besuch einer Handelshochschule; 1924—28 Musikstudium an der Orchesterschule der Sächsischen Staatskapelle Dresden bei K. Striegler (Komposition, Dirigieren), W. Bachmann (Klavier) und J. König (Oboe).

Daten und Stationen der Laufbahn: 1928 Dortmund (1. Oboist); 1929 Gewandhausorchester Leipzig (1. Oboist); 1933 Leipzig (Korrepetitor); 1936 Kpm; 1942—48 Chemnitz; 1946 GMD; 1948 Weimar; 1949—52 Staatsoper Dresden; 1951 musikal. Leiter (Nachfolger J. Keilberths); 1952 Staatsoper München (GMD und musikal. Oberleiter, Nachfolger von G. Solti); 1961—74 Royal Philharmonic Orchestra London (Chefdirigent, als Nachfolger von Th. Beecham); 1965—73 Tonhalle-Orchester Zürich; 1967 Münchner Philharmoniker; 1975 BBC Symphony Orchestra London.

Bayreuther Festspiele: 1960—63 Ring; 1967 Lohengrin.

Literatur: [anonym] Dirigenten-Porträt: R. K., Musica VI (1952), S. 77 f.; G. Haußwald, R. K., Zeitschrift für Musik CXI (1950), S. 535 f.; H. Jäckel und G. Schmiedel, Bildnis des schaffenden Künstlers: ein Dirigent bei der Arbeit, Leipzig 1954.

Kleiber, Carlos (3. 7. 1930 Berlin). Sohn des Dirigenten Erich K.; 1950 musikalische Studien in Buenos Aires, wo sein Vater am Teatro Colón wirkte.
Daten und Stationen der Laufbahn: 1952 La Plata/Argentinien; 1953 München (Volontär am Gärtnerplatztheater); 1954 Potsdam (Kpm); 1956 Deutsche Oper am Rhein Düsseldorf/Duisburg; 1964 Zürich; 1966 Stuttgart.
Bayreuther Festspiele: 1974/75 Tristan.

Klobucar, Berislav (28. 8. 1924 Zagreb). Musikstudium an der Musikakademie in Zagreb und bei L. v. Matacic und C. Krauss.
Daten und Stationen der Laufbahn: 1941 Kroatisches Nationaltheater Zagreb; 1953 Staatsoper Wien; 1961 Graz.
Bayreuther Festspiele: 1964 Ring; 1967 Lohengrin/Tannhäuser; 1968 Tristan; 1968/69 Meistersinger.

Knappertsbusch, Hans (12. 3. 1888 Elberfeld — 25. 10. 1965 München). Sohn eines Fabrikanten. 1908 Musikstudium am Konservatorium in Köln bei L. Uzielli (Klavier), O. Lohse (Komposition) und F. Steinbach (Dirigieren); zugleich Besuch philosophischer und musikwissenschaftlicher Vorlesungen an der Universität Bonn; Dissertation »Über das Wesen der Kundry in Wagners Parsifal« (1913 an der Münchner Universität eingereicht, jedoch keine Promotion).
Daten und Stationen der Lufbahn: 1910—12 Mühlheim/Ruhr u. Bochum (Assistent); 1913—18 Elberfeld (Operndirektor); 1918 Leipzig (1.Kpm); 1919 Dessau (Operndirektor, als Nachfolger von F. Mikorey); 1920 GMD; 1922 München (Nachfolger Bruno Walters); 1923 Professor; 1936 Entlassung, Dirigierverbot; Exil in Wien; komissarische Leitung der Wiener Staatsoper; 1937 Salzburger Festspiele; 1945 Ehrenmitglied der Bayerischen Staatsoper München.
Bayreuther Festspiele: 1911/12 (inoffizieller Assistent) [?]; 1951/52, 1954—64 Parsifal; 1951/52, 1960 Meistersinger; 1951, 1956—58 Ring; 1955 Fliegender Holländer.
Publikationen: Opernfragen der Gegenwart, Die Musik XXV, 7 (April 1933), S. 550.
Literatur: R. Betz und W. Panofsky, K., Ingolstadt 1963; U. Eckart-Bäcker, H. K., Rheinische Musiker V, hg. v. K. G. Fellerer, Köln 1967, S. 100 f.; J. Hermann, H. K. 70 Jahre, Musica XII, 3 (1958), S. 175 f.; P. Marsop, H. K., Allgemeine Musikzeitung, Berlin 1923, S. 128 f.; W. Panofsky, Die Ära K., Musikalische Akademie Bayerisches Staatsorchester, Festschrift zum 150jährigen Jubiläum, München 1961; K. H. Ruppel, Der Großsiegelbewahrer, Neue Zeitschrift für Musik, Mainz 1958, S. 142 ff.; K. Schumann, H. K. — ein Siebziger, Oesterreichische Musikzeitung XIII (1958), S. 116 f.

Kraus, Richard (16. 11. 1902 Berlin-Charlottenburg). Sohn des Heldentenors Ernst K. Musikstudium an der Hochschule für Musik in Berlin bei O. Taubmann, E. N. v. Reznicek, Marbach, Besl und Eberhardt.
Daten und Stationen der Laufbahn: 1923—27 Berlin (Korrepetitor und Assistent Erich Kleibers an der Staatsoper); 1927/28 Kassel (Korrepetitor und Kpm); 1928—33 Hannover (2. Kpm); 1933—37 Stuttgart (1. Kpm); 1937—44 Halle/Saale (GMD); 1948—53 Köln (GMD); 1953 Städtische Oper Berlin; Lehrtätigkeit an der Hochschule für Musik in Berlin; 1963 Nordwestdeutsche Philharmonie Herford/Westfalen.
Bayreuther Festspiele: 1927/28, 1931—33 (Assistent); 1942 Fliegender Holländer.

Krauss, Clemens (31. 3. 1893 Wien — 16. 5. 1954 Mexico-City). Sohn des Grafen Baltazzi und der Sängerin und Schauspielerin Clementine K. 1901 Hofsängerknabe in Wien; Musikstudium in Wien bei H. Grädener, R. Heuberger (Theorie) und H. Reinhold (Klavier).
Daten und Stationen der Laufbahn: 1912 Brünn (Chordirektor); 1913/14 Riga (2. Kpm); 1915/16 Nürnberg; 1916—21 Stettin (1. Kpm); 1921/22 Graz (Operndirektor); 1922—24 Staatsoper Wien; Leiter der Kapellmeisterschule der Staatsakademie (Nachfolger von F. Löwe); 1923 Professor; 1924—29 Frankfurt/M (Opernintendant), Museumskonzerte; 1929—34 Staatsoper Wien (Direktor); 1934—36 Staatsoper Berlin (Direktor); 1936—45 Bayerische Staatsoper München (Direktor); 1938 Generalintendant; 1939 Leiter der Reorganisation des Mozarteums Salzburg; Dirigentenkurse am Mozarteum und bei den Salzburger Festspielen; 1945—47 Auftrittsverbot; 1947 Staatsoper Wien.
K. schrieb das Textbuch zu R. Strauss' Oper »Capriccio«.
Bayreuther Festspiele: 1953 Ring/Parsifal.

Literatur: A. Berger, C. K., Graz 1924, ³1929; J. Gregor, C. K., Wien—Zürich 1953; F. K. Grimm, Der Prototyp des Operndirigenten, C. K., Die Bühnengenossenschaft IX (1958); O. v. Pander, C. K. in München, München 1955. — In Wien gibt es ein C. K.-Archiv.

Krips, Josef (8. 4. 1902 Wien — 12. 10. 1974 Genf). Humanistisches Gymnasium; Musikstudium an der Akademie der Tonkunst in Wien bei dem Brahms-Freund und -Herausgeber E. Mandyczewski und bei F. Weingartner; Violinstudium.

Daten und Stationen der Laufbahn: 1918—20 als Geiger tätig; 1921 Volksoper Wien (Korrepetitor/Chordirektor/Kpm); Aussig; 1925/26 Dortmund; 1926—33 Karlsruhe (GMD); 1934 Staatsoper Wien (Direktor); 1935—38 Lehrtätigkeit an der Akademie der Tonkunst; 1938/39 Belgrad; 1939—45 Dirigierverbot; 1945—50 Staatsoper Wien (Direktor); 1950—54 London Symphony Orchestra (Chefdirigent); 1954 Buffalo Symphony Orchestra (Chefdirigent); 1963 San Francisco Symphony Orchestra (Chefdirigent); 1970 Wiener Symphoniker (Chefdirigent, als Nachfolger von W. Sawallisch).

Bayreuther Festspiele: 1961 Meistersinger.

Leinsdorf, Erich (4. 2. 1912 Wien). Gymnasium in Wien; Musikstudium privat bei P. Emerich und H. Kammer-Rosenthal und 1931—33 an der Akademie der Tonkunst in Wien; Cellostudium.

Daten und Stationen der Laufbahn: 1934—37 Assistent B. Walters und A. Toscaninis bei den Salzburger Festspielen; 1936 Bologna; Triest; San Remo; 1937 Maggio Musicale Fiorentino; 1937 Metropolitan Opera New York (Assistant Conductor); 1938 Full Conductor; 1943 Cleveland Orchestra; 1947 Rochester Philharmonic Orchestra; 1955 New York City Opera (Direktor); 1958—62 Metropolitan Opera New York (musikal. Berater und Dirigent); 1962—69 Boston Symphony Orchestra (Nachfolger von Ch. Münch).

Bayreuther Festspiele: 1959 Meistersinger; 1972 Tannhäuser.

Publikationen: Rezept zum Überleben. Die kritische Opernsituation, vom Dirigenten gesehen, Frankfurter Allgemeine Zeitung, 18. 9. 1972, S. 12.

Literatur: D. Ewen, Dictators of the Baton, Chicago 1943.

Leitner, Ferdinand (4. 3. 1912 Berlin). 1926—31 Musikstudium an der Hochschule für Musik in Berlin bei Artur Schnabel, W. Gmeindl, Fr. Schreker und J. Prüwer (1902—06 Assistent bei den Bayreuther Festspielen). — Als Pianist Lied- und Konzertbegleiter (Emmi Leisner, Georg Kulenkampff, Ludwig Hoelscher). Komponist von Schauspielmusik.

Daten und Stationen der Laufbahn: 1943 Berlin (Kpm am Theater am Nollendorfplatz); 1945 Staatsoper Hamburg (Kpm); 1946 Staatsoper München (Operndirektor); 1947 Stuttgart; 1950 GMD und stellvertretender Generalintendant; 1947—51 Leiter der Bachwoche Ansbach; 1951 Einstudierung von Strawinskys Oper »The Rake's Progress« in Venedig für die vom Komponisten geleitete Uraufführung; 1969 Zürich (Operndirektor).

Bayreuther Festspiele: 1960 Lohengrin.

Levi, Hermann (7. 11. 1839 Gießen — 13. 5. 1900 München). Sohn eines Oberrabbiners. 1852—54 Gymnasium in Mannheim; gleichzeitig Musikstudium bei V. Lachner; 1855—58 Musikstudium am Konservatorium in Leipzig bei J. Rietz und M. Hauptmann. — Komponist, Bearbeiter (Opern von Mozart, Marschner, Cornelius), Übersetzer (Berlioz, Chabrier).

Daten und Stationen der Laufbahn: 1859—61 Saarbrücken (MD); 1861—64 Rotterdam (1. Kpm der Deutschen Oper); 1864—72 Karlsruhe (Hofkpm); in dieser Zeit Freundschaft mit J. Brahms; 1872—96 München (Hofkpm); 1878 1. Ring-Aufführung in München; 1894 GMD.

Bayreuther Festspiele: 1875/76 zeitweise Beteiligung an den Proben; 1882—86, 1889—94 Parsifal.

Publikationen: Gedanken aus Goethes Werken, München 1901, ³1911.

Literatur: Richard Wagners Briefe an H. L., Bayreuther Blätter 1901, S. 13—42 (siehe auch: Künstlerbriefe); — Levis Briefwechsel mit Brahms, hg. v. L. Schmidt, Berlin 1910; E. Possart, H. L., Erinnerungen, München 1901; A. Ettlinger, H. L., Biographisches Jahrbuch und Deutscher Nekrolog V, hg. v. A. Bettelheim, Berlin 1903.

Maazel, Lorin (6. 3. 1930 Neuilly). Violinstudium bei K. Moldrem; Dirigierunterricht bei V. Bakaleinikoff; 1939 erstes Auftreten als Dirigent in New York und im Hollywood Bowl.

Daten und Stationen der Laufbahn: seit 1941 Konzerte mit der New York Philharmonic, dem Chicago Symphony Orchestra, dem Cleveland Orchestra und dem NBC Symphony Orchestra; 1946 1. Geiger im Fine Arts String Quartet und Mitglied des Pittsburgh Symphony Orchestra; 1949 Dirigent dieses Orchesters; 1952 Fulbright Stipendium für Italien (Santa Cecilia Rom);

1962 Metropolitan Opera New York; 1965 Radiosymphonieorchester Berlin (Chefdirigent); 1965—71 Deutsche Oper Berlin (GMD); 1971 Philharmonia Orchestra London (assoziierter Chefdirigent); 1972 Cleveland Orchestra (Chefdirigent, als Nachfolger von G. Szell).
Bayreuther Festspiele: 1960 Lohengrin; 1968/69 Ring.
Literatur: J. Geleng, L. M., Berlin 1971 (mit Diskographie).

Matacic, Lovro von (14. 2. 1899 Sušak/Kroatien, heute Rijeka). 1908 Sängerknabe in Wien; Musikstudium in Wien bei Dietrich (Klavier und Orgel), Walker (Theorie), Herbst und O. Nedbal (Komposition und Dirigieren). — Komponist.
Daten und Stationen der Laufbahn: 1916 Köln (Korrepetitor); Studien bei G. Brecher; 1919 Osijek; 1920—22 Novi Sad; 1924—26 Ljubljana; 1926—31 Belgrad; 1932—38 Zagreb; 1938—41 Belgrad (Operndirektor); 1942—45 Staatsoper Wien; nach 1945 Reorganisation des Musiklebens in Jugoslawien (Skopje, Rijeka); 1956—58 Staatsoper Dresden u. Staatsoper Berlin (musikal. Leiter); 1958—64 Staatsoper Wien; 1961—66 Frankfurt/M (GMD); 1970 Zagreber Philharmonie (GMD).
Bayreuther Festspiele: 1959 Lohengrin.

Melles, Carl (15. 7. 1926 Budapest). Studium an der Musikakademie in Budapest.
Daten und Stationen der Laufbahn: vor 1951 Leiter des Franz-Liszt-Chors Budapest; 1951 Ungarisches Staats- und Rundfunkorchester; 1954 Musikakademie Budapest (Professor); 1958 Orchester Radio Luxemburg (Chefdirigent); Volksoper Wien.
Bayreuther Festspiele: 1966 Tannhäuser.

Mottl, Felix (24. 8. 1856 Unter-St. Veit/Wien — 2. 7. 1911 München). Sohn eines Kammerdieners. 1866 Sopranist im Löwenburgkonvikt in Wien; Musikstudium am Konservatorium in Wien bei A. Bruckner (Theorie), J. Hellmesberger (Dirigieren), O. Dessoff (Komposition), A. Door und W. Scheuer (Klavier). — Komponist, Bearbeiter (Bellini, Cornelius), Herausgeber (Donizetti, Wagner), Instrumentator (Rameau, Händel, Mozart, Schubert, Wagner).
Daten und Stationen der Laufbahn: 1872 Akademischer Wagnerverein Wien; 1875 Hofoper Wien (Korrepetitor); 1878 Komische Oper Wien (Kpm); 1881—1903 Karlsruhe (Hofkpm); 1890 1. vollständige Aufführung von Berlioz' »Les Troyens«; 1893 GMD; 1903—11 Hofoper München (GMD), Leitung der Konzerte der Musikalischen Akademie; 1904 Direktor der Königlichen Akademie der Tonkunst (zusammen mit H. Bußmeier); 1903/04 Metropolitan Opera New York; 1907 Hofoperndirektor in München.
Bayreuther Festspiele: Mitglied der sog. Nibelungenkanzlei zur Vorbereitung der ersten Festspiele; 1876 (Assistent); 1886, 1889—92, 1906 Tristan; 1888, 1894, 1897, 1902 Parsifal; 1891/92 Tannhäuser; 1892 Meistersinger; 1894 Lohengrin; 1896 Ring; 1901/02 Fliegender Holländer.
Publikationen: Klavierauszüge der Opern und Musikdramen Wagners mit Probenbemerkungen des Komponisten, C. F. Peters Leipzig; Bayreuther Erinnerungen, Der Merker II, Heft 19/20 (1911), S. 8—14.
Literatur: F. M.s Tagebuch-Aufzeichnungen aus den Jahren 1873—76, hg. v. W. Krienitz, Neue Wagner-Forschungen, hg. v. O. Strobel, Karlsruhe 1943, S. 167—239; A. Ettlinger, F. M., Biographisches Jahrbuch und Deutscher Nekrolog XVII, hg. v. A. Bettelheim, Berlin 1912; E. Istel, F. M. Zu seinem 50. Geburtstage, Richard Wagner-Jahrbuch, hg. v. L. Frankenstein, Bd. 1, Leipzig 1906, S. 393 ff.; E. Kloss, F. M., Leipzig 1909; W. Krienitz, F. M. †, Richard Wagner-Jahrbuch, hg. v. L. Frankenstein, Bd. 4, Berlin 1912, S. 202—209; L. Reuß-Belce, F. M., Bayreuther Festspielführer 1930, S. 138 ff.

Muck, Karl (22. 10. 1859 Darmstadt — 3. 3. 1940 Stuttgart). Sohn eines bayerischen Ministerialrats. Humanistisches Gymnasium; Musikstudium am Würzburger Konservatorium; Studium der klassischen Philologie an der Universität Heidelberg; 1877 Fortsetzung der Studien in Leipzig; Klavierstudium bei C. Reinecke; 1880 Promotion zum Dr. phil. und Debüt als Pianist im Leipziger Gewandhaus mit dem Konzert in b-moll von X. Scharwenka.
Daten und Stationen der Laufbahn: 1880/81 Zürich (Chordirektor und Kpm); 1882 Salzburg (Operettenkpm); 1883/84 Brünn; 1884—86 Graz; 1886 Prag (1. Kpm am Deutschen Landestheater unter A. Neumann); 1889 Ring-Aufführungen mit Neumanns Operntruppe in Moskau und St. Petersburg; 1891 Lessingtheater Berlin, Sommerstagione; 1892—1912 Hofoper Berlin (1. Kpm); 1894—1911 Leiter des schlesischen Musikfestes in Görlitz; 1903—06 Konzerte der Wiener Philharmoniker (alternierend mit F. Mottl); 1906—08 Konzerte in Boston; 1908 GMD in Berlin; 1912—18 Boston Symphony Orchestra (musikal. Leiter); 1918/19 Internierung in

amerikanischem Lager; 1919 Rückkehr nach Europa; 1922—33 Staatsoper Hamburg; ab 1933 Ruhestand.

Bayreuther Festspiele: 1892 (Probendirigent); 1901—1930 Parsifal; 1909 Lohengrin; 1925 Meistersinger.

Literatur: I. Lowens, L'affaire M., Musicology I, 1947, F. Pfohl, K. M., der deutsche Dirigent, Bayreuther Festspielführer 1931, S. 43—51; N. Stücker, K. M., Graz 1939; S. Wagner, Zu Dr. K. M.s 70. Geburtstag, Bayreuther Festspielführer 1930, S. 96 ff.; W. Zinne, K. M., Die Musik XVII (1924/25), S. 669—673.

Richter, Hans (4. 4. 1843 Raab, heute Györ — 5. 12. 1916 Bayreuth). Sohn eines Kirchenkpm. und der Sängerin J. Csazinsky, die bei der ersten Wiener Tannhäuser-Aufführung 1857 die Venus sang. 1853 Löwenburgkonvikt in Wien; Chorknabe in der Hofkapelle; 1860—65 Musikstudium am Konservatorium in Wien bei S. Sechter (Theorie), Heißler (Violine) sowie Kleinecke und R. Levy (Waldhorn).

Daten und Stationen der Laufbahn: 1862—66 Hornist im Orchester des Kärntnertortheaters in Wien unter H. Esser; 1866 Kpm-Diplom bei Esser; 1866/67 Tribschen (Abschrift der Meistersingerpartitur); 1867 Hofoper München (Chordirektor und Korrepetitor); Einstudierung der Uraufführung der Meistersinger; 1968/69 Kpm, dann Hof-MD; 1870 Brüssel (Proben und Aufführungen des Lohengrin); 1870/71 Tribschen (Abschrift der Siegfriedpartitur); Mitwirkung bei den von Wagner veranstalteten Streichquartettabenden und bei der Uraufführung des Siegfried-Idylls; 1871—75 Nationaltheater Pest (Kpm); 1872 Bayreuth (Paukist bei der Aufführung der IX. Symphonie von Beethoven im Markgräflichen Opernhaus unter der Leitung Wagners); 1875 Hofoper Wien (Kpm, Nachfolger von O. Dessoff); Dirigent der Philharmonischen Konzerte; 1878 Hofkpm; 1879—97 Orchestral Festival Concerts in London, später »Richter Concerts« genannt; 1885—1909 Leiter der Musikfeste in Birmingham; Konzerte des Symphonieorchesters Manchester; 1888/89, 1891, 1897 Leiter der Niederrheinischen Musikfeste; 1903—10 Covent Garden London (Wagner-Vorstellungen); 1904 London Symphony Orchestra; ab 1912 im Ruhestand in Bayreuth.

Bayreuther Festspiele: 1876, 1896/97, 1901—08 Ring; 1888/89, 1892, 1899, 1911/12 Meistersinger.

Literatur: Richard Wagner, Briefe an H. R., hg. v. L. Karpath, Berlin—Wien—Leipzig 1924; Briefe von H. R. an O. Kahl, hg. v. H. J. Moser, Süddeutsche Monatshefte 1912; O. Sourek, A. Dvorak an H. R., Prag 1942, [deutsch] Festschrift für E. Müller von Asow, Salzburg 1942; K. Gianicelli, H. R., der erste Festspieldirigent, Bayreuther Festspielführer 1927, S. 111—114; W. Golther, H. R., Niehrenheims Wegweiser für Besucher der Bayreuther Festspiele 1914, Teil II, S. 114—134; E. Hanslick, Concerte, Componisten und Virtuosen der letzten 15 Jahre 1870—1885, Berlin 1886; R. Heuberger, H. R., in: E. Hanslick, Suite, Wien 1884; W. Kienzl, R., Neue Oesterreichische Biographie VII, Wien 1931; H. Kralik, Das Buch der Musikfreunde, Wien 1951; G. Schönaich, H. R., Die Musik II, 3 (1903), S. 129—135.

Sabata, Victor de (10. 4. 1892 Triest — 11. 12. 1967 S. Margherita Ligure). Musikstudium am Konservatorium in Mailand bei G. Orefice (Komposition) und M. Saladino (Theorie); 1910 Diplom. — Komponist.

Daten und Stationen der Laufbahn: Turin; Triest; Bologna; Brüssel; Warschau; 1918—29 Monte Carlo (Operndirektor); Cincinnati Symphony Orchestra; 1927—57 La Scala Mailand (Chefdirigent); 1953—57 Intendant.

Bayreuther Festspiele: 1939 Tristan.

Literatur: G. M. Gatti, V. d. S., Mailand 1958; R. Mucci, V. d. S., Lanciano 1937; K. H. Ruppel, Der Maestro V. d. S., Neues Musikblatt XVIII, 44 (1939), S. 3 f.

Sawallisch, Wolfgang (26. 8. 1923 München). Privates Musikstudium bei H. Sachsse (Theorie) und W. Ruoff (Klavier); 1945/46 Studium an der Hochschule für Musik in München bei J. Haas, W. Georgii, H. Mersmann und H. Rosbaud.

Daten und Stationen der Laufbahn: 1947—53 Augsburg (Korrepetitor, dann Kpm, danach 1. Kpm); 1951—53 Schüler und Assistent Igor Markevitchs bei den Salzburger Sommerkursen für Dirigieren; 1953 Aachen (GMD); 1958 Wiesbaden (GMD); 1960 Köln (GMD und Lehrer an der Hochschule für Musik); 1961 Professor; 1960—70 Wiener Symphoniker (Chefdirigent); 1961—73 Philharmonisches Staatsorchester Hamburg (GMD); 1970 Orchestre de la Suisse Romande (Chefdirigent, als Nachfolger von E. Ansermet); 1971 Staatsoper München (GMD).

Bayreuther Festspiele: 1957—59 Tristan; 1959—61 Fliegender Holländer; 1961/62 Tannhäuser; 1962 Lohengrin.

Schippers, Thomas (9. 3. 1930 Kalamazoo/Michigan). 1944/45 Musikstudium am Curtis Institute of Music in Philadelphia, 1946/47 privat bei O. Samaroff; später Yale University, Juillard School of Music in New York, Tanglewood.

Daten und Stationen der Laufbahn: 1948 Lemonade Opera Company New York; 1950/51 Premierendirigent der Menotti-Opern »The Consul« und »Amahl and the Night Visitors« in New York; 1951 New York City Opera; 1955 Metropolitan Opera New York; 1958 Festival Spoleto (musikal. Direktor); 1970 Cincinnati Symphony Orchestra (MD); 1972 University of Cincinnati (Professor).

Bayreuther Festspiele: 1963 Meistersinger.

Seidl, Anton (7. 5. 1850 Pest — 28. 3. 1898 New York). 1870—72 allgemeines Studium an der Universität in Leipzig, Musikstudium am Leipziger Konservatorium bei Pappritz, O. Paul und E. F. Richter.

Daten und Stationen der Laufbahn: 1872—76 Mitglied der sog. Nibelungenkanzlei in Bayreuth; 1876—78 Assistent Wagners und Dirigent der Bayreuther Dilettantenkapelle; 1878—82 Leipzig (Wagner-Dirigent unter A. Neumann); 1882 Tournee mit Ring-Aufführungen der Operntruppe A. Neumanns; 1883 Bremen; 1885 Metropolitan Opera New York (Amerikanische Erstaufführungen von Meistersinger, Tristan, Ring); 1891 New York Philharmonic Society (Nachfolger von Th. Thomas); 1893 Uraufführung von Dvoraks Symphonie »Aus der neuen Welt«; 1895—97 Hauptredakteur von »The Music of the Modern World«; 1897 Covent Garden London.

Bayreuther Festspiele: 1872—76 Mitglied der sog. Nibelungenkanzlei zur Vorbereitung der ersten Festspiele; 1876 (Assistent und Chordirigent); 1897 Parsifal.

Publikationen: On Conducting, The Music of the Modern World, New York 1895; [deutsch] Über das Dirigieren, Bayreuther Blätter 1900, S. 291—308.

Literatur: A. S. A Memorial by his Friends, hg. v. H. T. Finck, New York 1899; Briefe Richard Wagners an Anton Seidl, Bayreuther Blätter 1898, S. 143—149 (siehe auch Künstlerbriefe); H. E. Krehbiel, A. S., New York 1898; A. Neumann, Erinnerungen an Richard Wagner, Leipzig 1907; [C. Wagner,] A. S. †, Bayreuther Blätter 1898, S. 137—142.

Stein, Horst (2. 5. 1928 Wuppertal-Elberfeld). 1940—45 Musisches Gymnasium Frankfurt/M.; 1945—47 Musikstudium an der Hochschule für Musik in Köln bei G. Wand (Dirigieren) und P. Jarnach (Komposition, Theorie).

Daten und Stationen der Laufbahn: 1947 Wuppertal (Korrepetitor); 1951—55 Staatsoper Hamburg (Kpm); 1955—61 Staatsoper Berlin (Staatskpm); 1961—63 Staatsoper Hamburg (stellvertretender GMD); 1963—70 Mannheim (GMD); 1970 Staatsoper Wien (1. Kpm); 1973 Staatsoper Hamburg (GMD); 1974 Staatliche Hochschule für Musik Hamburg (Professor.)

Bayreuther Festspiele: 1952—55 (Assistent); 1969, 1975 Parsifal; 1970—75 Ring; 1972 Tannhäuser.

Strauss, Richard (11. 6. 1864 München — 8. 9. 1949 Garmisch). Sohn des 1. Hornisten des Münchner Hoforchesters und Professors an der Akademie der Tonkunst, Franz S. 1870—74 Domschule in München; 1874—82 Ludwigs-Gymnasium; 1869—80 Musikstudium bei A. Tombo und C. Niest (Klavier), B. Walter (Violine) und F. W. Meyer (Theorie); 1882/83 Besuch von Vorlesungen über Philosophie, Ästhetik und Kunstgeschichte an der Universität München.

Daten und Stationen der Laufbahn: 1882—85 Orchester Wilde Gungl München (Geiger); 1884 Dirigentendebüt auf Veranlassung H. v. Bülows; 1885 Meiningen (Herzoglicher Hofmusikdirektor auf Empfehlung v. Bülows); 1886 Hofoper München (3. Kpm neben F. Fischer und H. Levi); 1889 Weimar (2. Kpm); 1894 Hofoper München (2. Kpm); 1896 1. Kpm; 1895/96 Berliner Philharmoniker; 1898 Hofoper Berlin (1. Kpm, als Nachfolger F. Weingartners); 1901—09 1. Vorsitzender des Allgemeinen Deutschen Musikvereins; 1901—03 Berliner Tonkünstlerorchester; 1908 Hofoper Berlin (GMD neben K. Muck und L. Blech); 1909 Mitglied der Akademie der Künste in Berlin; 1917—20 Meisterklasse für Komposition an der Königlichen Hochschule für Musik in Berlin; 1919—24 Staatsoper Wien (Leiter, zusammen mit F. Schalk); 1922 Salzburger Festspiele; 1933 Präsident der Reichsmusikkammer; 1935 erzwungener Rücktritt von diesem Amt.

Bayreuther Festspiele: 1889, 1891 (Assistent); 1894 Tannhäuser; 1933/34 Parsifal; 1933 Beethoven, IX. Symphonie.

Publikationen: Betrachtungen und Erinnerungen, hg. v. W. Schuh, Zürich—Freiburg i. B. 1949, erweitert ²1957.

Literatur: L. Wurmser, R. S. as an Opera Conductor, Music & Letters XLV (1964). Im übrigen sei verwiesen auf: R.-S.-Bibliographie, Teil 1, bearbeitet v. O. Ortner, Wien 1964, Teil 2, bearbeitet v. G. Brosche, Wien 1973.

Suitner, Otmar (16. 5. 1922 Innsbruck). Musikstudium am Konservatorium in Innsbruck bei F. Weidlich (Klavier) und von 1940 bis 1942 am Mozarteum in Salzburg bei F. Ledwinka (Klavier) und C. Krauss (Dirigieren).
Daten und Stationen der Laufbahn: 1942—44 Innsbruck (Kpm); 1945—52 Konzertreisen als Pianist; 1952 Remscheid (MD); 1957—60 Pfalzorchester Ludwigshafen (GMD); 1960—64 Staatsoper Dresden (GMD); 1964 Staatsoper Berlin (GMD).
Bayreuther Festspiele: 1964 Tannhäuser; 1965 Fliegender Holländer; 1966/67 Ring.

Tietjen, Heinz (24. 6. 1881 Tanger — 30. 11. 1967 Baden-Baden). Sohn einer Engländerin und eines deutschen Diplomaten. Zunächst kaufmännische Lehre in Bremen; Musikstudium u. a. bei A. Nikisch. — Regisseur.
Daten und Stationen der Laufbahn: 1904—22 Trier (Dirigent, Regisseur, später auch Intendant); 1919—22 Saarbrücken (Intendant); 1925—30 Städtische Oper Berlin (Intendant); 1927—45 Generalintendant der Preußischen Staatstheater; 1935 Mitglied des Reichskultursenats; Senator der Akademie der Künste in Berlin; 1948—55 Städtische Oper Berlin (Intendant); 1957—59 Staatsoper Hamburg; ab 1959 im Ruhestand.
Bayreuther Festspiele: 1933/34 Meistersinger; 1934, 1936, 1938/39, 1941 Ring; 1936/37, 1959 Lohengrin.
Literatur: H. E. Weinschenk, H. T. Statt Diplomat Opernleiter, Der Autor, Wien—Leipzig, Mai 1938, S. 8 ff.

Toscanini, Arturo (25. 3. 1867 Parma — 16. 1. 1957 New York). Sohn eines Schneiders. 1876 Musikstudium am Konservatorium in Parma bei L. Carini (Violoncello) und G. Dacci (Komposition); 1885 Diplom.
Daten und Stationen der Laufbahn: 1880 Parma (Cellist im Opernorchester); 1886 Rio de Janeiro (T. springt als Cellist einer italienischen Operntruppe für den erkrankten Dirigenten einer Aida-Vorstellung ein); 1886—98 Turin und andere italienische Städte (Kpm); 1898—1903/ 1906—08 La Scala Mailand (Chefdirigent und künstlerischer Direktor); ital. Erstaufführungen: Götterdämmerung (1895), Siegfried (1899), Parsifal (1914); 1903/04 und 1906 Buenos Aires; 1908—15 Metropolitan Opera New York; 1921—29 La Scala Mailand (künstl. Direktor); 1927—36 New York Philharmonic Society; 1933 GMD; 1933, 1935—37 Salzburger Festspiele; 1935—39 BBC Symphony Orchestra London; 1936 Tel Aviv (1. Konzert des Emigranten- und Flüchtlingsorchesters); 1937—54 NBC Symphony Orchestra New York (Chefdirigent); 1938/39 Luzerner Festwochen.
Bayreuther Festspiele: 1930/31 Tannhäuser; 1930 Tristan; 1931 Parsifal.
Literatur: T. W. Adorno, Die Meisterschaft des Maestro, Klangfiguren, Berlin—Frankfurt/M 1959, S. 72—94; S. Antek, This was T., New York 1963; D. Bonardi, T.: il creatore, l'uomo, la sua arte, le sue interpretazioni famose, Mailand 1929; S. Chotzinoff, T.: An intimate Portrait, New York 1956, [deutsch] Wiesbaden 1956; A. d. Corte, T., visto da un critico, Turin 1958; L. Gilman, T. and Great Music, New York 1938; B. H. Haggin, Conversations with T., New York 1959; S. W. Hoeller, A. T., New York 1943; S. Hughes, The T. Legacy. A Critical Study of A. T.s Performances, London 1959; R. C. Marsh, T. and the Art of Orchestral Performance, Philadelphia 1956, London 1956, [deutsch] Zürich—Stuttgart 1958; D. Nives, A. T., Mailand 1946; F. Sacchi, T. — Un secolo di musica, Mailand 1960; A. Segre, T.: The First Forty Years, The Musical Quarterly XXXIII (1947) S. 149—177; G. Selden-Goth, A. T., Mailand 1937; P. Stefan, A. T., Wien 1935; H. Taubman, The Maestro, New York 1951, [deutsch als] T. Das Leben des Maestro, Bern 1951; S. v. Winternitz, A. T., Wien 1937; S. Zweig, A. T., Mailand 1937.

Varviso, Silvio (26. 2. 1924 Zürich). Musikstudium am Konservatorium in Zürich bei W. Frey (Klavier), Müller—Zürich (Theorie) und H. Rogner (Dirigieren) sowie in Wien bei C. Krauss.
Daten und Stationen der Laufbahn: 1944 St. Gallen (Kpm); 1950—62 Basel (1. Kpm, 1956 musikal. Oberleiter); 1958—61 ständiger Gastdirigent der Städtischen Oper Berlin; 1961 Metropolitan Opera New York; 1962 Glyndebourne; 1963 Covent Garden London; 1965 Stockholm (Chefdirigent); 1972 Stuttgart (GMD).
Bayreuther Festspiele: 1969/70 Fliegender Holländer; 1971/72 Lohengrin; 1973/74 Meistersinger.

Wagner, Siegfried (6. 6. 1869 Tribschen/Luzern — 4. 8. 1930 Bayreuth). Sohn Richard Wagners und Cosima von Bülows, Enkel Franz Liszts. Erziehung durch Hauslehrer (u. a. H. v. Stein); Gymnasium; zunächst Architekturstudium (1890 am Polytechnikum in Berlin, dann an der Technischen Hochschule in Karlsruhe); auf einer Reise nach Indien und China 1892 Entscheidung für die Musik- und Theaterlaufbahn; 1892—96 musikalische Ausbildung durch J. Kniese, E. Humperdinck in Frankfurt/M und — im weiteren Sinne — durch F. Mottl und H. Richter. — Regisseur. Komponist.

Daten und Stationen der Laufbahn: 1893 Debüt als Konzertdirigent in einem Konzert des Lisztvereins in Leipzig mit Werken von Humperdinck, Liszt und R. Wagner; 1893 Debüt als Opernkapellmeister in einer Teil-Aufführung des »Freischütz« am Ende des ersten Jahres der Bayreuther Stilbildungsschule; 1892—96 Assistententätigkeit bei den Bayreuther Festspielen; Konzertreisen (u. a. nach Rom, London, Paris) zur Aufführung von Werken Beethovens, Liszts und R. Wagners sowie eigener Kompositionen; 1901 Beteiligung an der Bayreuther Inszenierung des Fliegenden Holländers; zunehmende Regietätigkeit; 1906 Übernahme der Festspielleitung und eigene Inszenierungen: Meistersinger (1911), Fliegender Holländer (1914), Tristan (1927), Tannhäuser (1930).

Bayreuther Festspiele: 1892—96 (Assistent und Probendirigent); 1896—1902, 1906, 1911/12, 1928 Ring; 1904 Tannhäuser; 1908/09 Lohengrin; 1909 Parsifal; 1914 Fliegender Holländer.

Publikationen: Erinnerungen, Stuttgart 1923; Reisetagebuch 1892, hg. v. W. Wagner, Bayreuth 1935 (Privatdruck).

Literatur: R. Eidem, Bayreuther Erinnerungen, Ansbach 1930; L. Karpath, S. W. als Mensch und Künstler, Leipzig o. J.; Z. v. Kraft, Der Sohn. S. W.s Leben und Umwelt, Graz—Stuttgart 1969; K. Meier-Gesees, Festschrift zu S. W.s 60. Geburtstag, Bayreuth 1929; K. Mey, S. W. als reproduzierender Künstler und Leiter der Bayreuther Festspiele, Wegweiser für Besucher der Bayreuther Festspiele 1911, S. 70—87; R. Rebois, Lettres de S. W., Paris 1933; F. Stassen, Erinnerungen an S. W., Detmold 1942 (Blätter des Bayreuther Bundes der deutschen Jugend).

Wallat, Hans (18. 10. 1929 Berlin). Musisches Gymnasium in Leipzig; Musikstudium am Staatlichen Konservatorium in Schwerin.

Daten und Stationen der Laufbahn: 1949/50 Schwerin; 1950/51 Stendal; 1951/52 Meiningen; 1953—56 Schwerin; 1956—58 Cottbus (musikal. Oberleiter); 1958—61 Leipzig (1. Kpm); 1961—64 Stuttgart; 1964/65 Deutsche Oper Berlin; 1965—70 Bremen (GMD); 1970 Mannheim (GMD).

Bayreuther Festspiele: 1970 Meistersinger; 1971 Fliegender Holländer.

Zender, Hans (22. 11. 1936 Wiesbaden). Humanistisches Gymnasium; 1956 Musikstudium an der Hochschule für Musik in Frankfurt/M bei A. Leopolder (Klavier) und K. Hessenberg (Komposition), private Studien bei K. Thomas (Dirigieren); 1957—59 Studium an der Hochschule für Musik in Freiburg i. B. bei E. Picht-Axenfeld (Klavier), C. Üter (Dirigieren) und W. Fortner (Komposition). — Komponist.

Daten und Stationen der Laufbahn: 1959—63 Freiburg i. B. (Studienleiter, Kpm und Assistent des GMD H. Gierster); 1963/64 Stipendiat der Villa Massimo in Rom; 1964—68 Bonn (Chefdirigent); 1968/69 Villa Massimo; 1969—71 Kiel (GMD); 1971 Symphonieorchester des Saarländischen Rundfunks in Saarbrücken.

Bayreuther Festspiele: 1975 Parsifal.

6. Tabellen

a) Die Festspieljahre und ihre Dirigenten

Abkürzungen: H = Der fliegende Holländer, L = Lohengrin, M = Die Meistersinger von Nürnberg, P = Parsifal, R = Der Ring des Nibelungen, Th = Tannhäuser, Tr = Tristan und Isolde, IX. Symphonie = Beethoven, IX. Symphonie in d-moll op. 125.

1876 Hans Richter (R)	Karl Muck (P)
1882 Franz Fischer (P)	Hans Richter (R)
Hermann Levi (P)	Siegfried Wagner (R)
1883 Franz Fischer (P)	1908 Michael Balling (P)
Hermann Levi (P)	Karl Muck (P)
1884 Franz Fischer (P)	Hans Richter (R)
Hermann Levi (P)	Siegfried Wagner (L)
1886 Hermann Levi (P)	1909 Michael Balling (R)
Felix Mottl (Tr)	Karl Muck (L P)
1888 Felix Mottl (P)	Siegfried Wagner (L P)
Hans Richter (M)	1911 Michael Balling (R P)
1889 Hermann Levi (P)	Karl Muck (P)
Felix Mottl (Tr)	Hans Richter (M)
Hans Richter (M)	Siegfried Wagner (R)
1891 Hermann Levi (P)	1912 Michael Balling (P R)
Felix Mottl (Th Tr)	Karl Muck (P)
1892 Hermann Levi (P)	Hans Richter (M)
Felix Mottl (M Th Tr)	Siegfried Wagner (R)
Hans Richter (M)	1914 Michael Balling (R)
1894 Hermann Levi (P)	Karl Muck (P)
Felix Mottl (L P)	Siegfried Wagner (H)
Richard Strauss (Th)	1924 Michael Balling (R)
1896 Felix Mottl (R)	Fritz Busch (M)
Hans Richter (R)	Willibald Kaehler (P)
Siegfried Wagner (R)	Karl Muck (P)
1897 Felix Mottl (P)	1925 Michael Balling (R)
Hans Richter (R)	Willibald Kaehler (P)
Anton Seidl (P)	Karl Muck (M P)
Siegfried Wagner (R)	1927 Karl Elmendorff (Tr)
1899 Franz Fischer (P)	Franz von Hoeßlin (R)
Hans Richter (M)	Karl Muck (P)
Siegfried Wagner (R)	1928 Karl Elmendorff (Tr)
1901 Felix Mottl (H)	Franz von Hoeßlin (R)
Karl Muck (P)	Karl Muck (P)
Hans Richter (R)	Siegfried Wagner (R)
Siegfried Wagner (R)	1930 Karl Elmendorff (R)
1902 Felix Mottl (H P)	Karl Muck (P)
Karl Muck (P)	Arturo Toscanini (Th Tr)
Hans Richter (R)	1931 Karl Elmendorff (R)
Siegfried Wagner (R)	Wilhelm Furtwängler (Tr)
1904 Michael Balling (P)	Arturo Toscanini (P Th)
Franz Beidler (R)	1933 Karl Elmendorff (M R)
Karl Muck (P)	Richard Strauss (P IX. Symphonie)
Hans Richter (R)	Heinz Tietjen (M)
Siegfried Wagner (Th)	1934 Karl Elmendorff (M R)
1906 Michael Balling (P Tr)	Franz von Hoeßlin (P)
Franz Beidler (P)	Richard Strauss (P)
Felix Mottl (Tr)	Heinz Tietjen (M R)

115

1936 Wilhelm Furtwängler (L P R)
Heinz Tietjen (L R)
1937 Wilhelm Furtwängler (P R)
Heinz Tietjen (L)
1938 Karl Elmendorff (Tr)
Franz von Hoeßlin (P)
Heinz Tietjen (R)
1939 Karl Elmendorff (H)
Franz von Hoeßlin (P)
Victor de Sabata (Tr)
Heinz Tietjen (R)
1940 Karl Elmendorff (H)
Franz von Hoeßlin (R)
1941 Karl Elmendorff (H)
Heinz Tietjen (R)
1942 Karl Elmendorff (R)
Richard Kraus (H)
1943 Hermann Abendroth (M)
Wilhelm Furtwängler (M)
1944 Hermann Abendroth (M)
Wilhelm Furtwängler (M)
1951 Wilhelm Furtwängler (IX. Symphonie)
Herbert von Karajan (M R)
Hans Knappertsbusch (M P R)
1952 Herbert von Karajan (Tr)
Joseph Keilberth (R)
Hans Knappertsbusch (M P)
1953 Paul Hindemith (IX. Symphonie)
Eugen Jochum (Tr)
Joseph Keilberth (L R)
Clemens Krauss (P R)
1954 Wilhelm Furtwängler (IX. Symphonie)
Eugen Jochum (L Th)
Joseph Keilberth (L R Th)
Hans Knappertsbusch (P)
1955 André Cluytens (Th)
Joseph Keilberth (H R Th)
Hans Knappertsbusch (H P)
1956 André Cluytens (M)
Joseph Keilberth (H R)
Hans Knappertsbusch (P R)
1957 André Cluytens (M P)
Hans Knappertsbusch (P R)
Wolfgang Sawallisch (Tr)
1958 André Cluytens (L M)
Hans Knappertsbusch (P R)
Wolfgang Sawallisch (Tr)
1959 Hans Knappertsbusch (P)
Erich Leinsdorf (M)
Lovro von Matacic (L)
Wolfgang Sawallisch (H Tr)
Heinz Tietjen (L)
1960 Rudolf Kempe (R)
Hans Knappertsbusch (M P)
Ferdinand Leitner (L)
Lorin Maazel (L)
Wolfgang Sawallisch (H)
1961 Rudolf Kempe (R)
Hans Knappertsbusch (P)
Josef Krips (M)
Wolfgang Sawallisch (H Th)

1962 Karl Böhm (Tr)
Rudolf Kempe (R)
Hans Knappertsbusch (P)
Wolfgang Sawallisch (L Th)
1963 Karl Böhm (Tr IX. Symphonie)
Rudolf Kempe (R)
Hans Knappertsbusch (P)
Thomas Schippers (M)
1964 Karl Böhm (M Tr)
Robert Heger (M)
Berislav Klobucar (R)
Hans Knappertsbusch (P)
Otmar Suitner (Th)
1965 Karl Böhm (R)
André Cluytens (P Th)
Otmar Suitner (H)
1966 Karl Böhm (R Tr)
Pierre Boulez (P)
Carl Melles (Th)
Otmar Suitner (R)
1967 Karl Böhm (R)
Pierre Boulez (P)
Rudolf Kempe (L)
Berislav Klobucar (L Th)
Otmar Suitner (R)
1968 Karl Böhm (L M Tr)
Pierre Boulez (P)
Alberto Erede (L)
Berislav Klobucar (M Tr)
Lorin Maazel (R)
1969 Karl Böhm (Tr)
Berislav Klobucar (M)
Lorin Maazel (R)
Horst Stein (P)
Silvio Varviso (H)
1970 Karl Böhm (Tr)
Pierre Boulez (P)
Horst Stein (R)
Silvio Varviso (H)
Hans Wallat (M)
1971 Karl Böhm (H)
Eugen Jochum (P)
Horst Stein (R)
Silvio Varviso (L)
Hans Wallat (H)
1972 Eugen Jochum (P)
Erich Leinsdorf (Th)
Horst Stein (R Th)
Silvio Varviso (L)
1973 Heinrich Hollreiser (Th)
Eugen Jochum (P)
Horst Stein (R)
Silvio Varviso (M)
1974 Heinrich Hollreiser (Th)
Carlos Kleiber (Tr)
Horst Stein (R)
Silvio Varviso (M)
1975 Heinrich Hollreiser (M)
Carlos Kleiber (Tr)
Horst Stein (P R)
Hans Zender (P)

b) Die aufgeführten Werke und ihre Dirigenten

Der fliegende Holländer: Felix Mottl (1901/02), Siegfried Wagner (1914), Karl Elmendorff (1939–41), Richard Kraus (1942), Joseph Keilberth (1955/56), Hans Knappertsbusch (1955), Wolfgang Sawallisch (1959–61), Otmar Suitner (1965), Silvio Varviso (1969/70), Karl Böhm (1971), Hans Wallat (1971).

Lohengrin: Felix Mottl (1894), Siegfried Wagner (1908/09), Karl Muck (1909), Wilhelm Furtwängler (1936), Heinz Tietjen (1936/37, 1959), Joseph Keilberth (1953/54), Eugen Jochum (1954), André Cluytens (1958), Lovro von Matacic (1959), Ferdinand Leitner (1960), Lorin Maazel (1960), Wolfgang Sawallisch (1962), Rudolf Kempe (1967), Berislav Klobucar (1967), Karl Böhm (1968), Alberto Erede (1968), Silvio Varviso (1971/72).

Die Meistersinger von Nürnberg: Hans Richter (1888–1912), Felix Mottl (1892), Fritz Busch (1924), Karl Muck (1925), Karl Elmendorff (1933/34), Heinz Tietjen (1933/34), Hermann Abendroth (1943/44), Wilhelm Furtwängler (1943/44), Herbert von Karajan (1951), Hans Knappertsbusch (1951/52, 1960), André Cluytens (1956–58), Erich Leinsdorf (1959), Josef Krips (1961), Thomas Schippers (1963), Karl Böhm (1964, 1968), Robert Heger (1964), Berislav Klobucar (1968/69), Hans Wallat (1970), Heinrich Hollreiser (1975).

Parsifal: Franz Fischer (1882–84, 1899), Hermann Levi (1882–86, 1889–94), Felix Mottl (1888, 1894, 1897, 1902), Anton Seidl (1897), Karl Muck (1901–30), Michael Balling (1904–08, 1911/12), Franz Beidler (1906), Siegfried Wagner (1909), Willibald Kaehler (1924/25), Arturo Toscanini (1931), Richard Strauss (1933/34), Franz von Hoeßlin (1934, 1938/39), Wilhelm Furtwängler (1936/37), Hans Knappertsbusch (1951/52, 1954–64), Clemens Krauss (1953), André Cluytens (1957, 1965), Pierre Boulez (1966–68, 1970), Horst Stein (1969, 1975), Eugen Jochum (1971–73), Hans Zender (1975).

Der Ring des Nibelungen: Hans Richter (1876, 1896/97, 1901–08), Felix Mottl (1896), Siegfried Wagner (1896–1902, 1906, 1911/12, 1928), Franz Beidler (1904), Michael Balling (1909–25), Franz von Hoeßlin (1927/28, 1940), Karl Elmendorff (1930–34, 1942), Heinz Tietjen (1934, 1936, 1938/39, 1941), Wilhelm Furtwängler (1936/37), Herbert von Karajan (1951), Hans Knappertsbusch (1951, 1956–58), Joseph Keilberth (1952–56), Clemens Krauss (1953), Rudolf Kempe (1960–63), Berislav Klobucar (1964), Karl Böhm (1965–67), Otmar Suitner (1966/67), Lorin Maazel (1968/69), Horst Stein (1970–75).

Tannhäuser: Felix Mottl (1891/92), Richard Strauss (1894), Siegfried Wagner (1904), Arturo Toscanini (1930/31), Eugen Jochum (1954), Joseph Keilberth (1954/55), André Cluytens (1955, 1965), Wolfgang Sawallisch (1961/62), Otmar Suitner (1964), Carl Melles (1966), Berislav Klobucar (1967), Erich Leinsdorf (1972), Horst Stein (1972), Heinrich Hollreiser (1973/74).

Tristan und Isolde: Felix Mottl (1886, 1889, 1891/92, 1906), Michael Balling (1906), Karl Elmendorff (1927/28, 1938), Arturo Toscanini (1930), Wilhelm Furtwängler (1931), Victor de Sabata (1939), Herbert von Karajan (1952), Eugen Jochum (1953), Wolfgang Sawallisch (1957–59), Karl Böhm (1962–64, 1966, 1968–70), Berislav Klobucar (1968), Carlos Kleiber (1974/75).

Beethoven, IX. Symphonie: Richard Strauss (1933), Wilhelm Furtwängler (1951, 1954), Paul Hindemith (1953), Karl Böhm (1963).

7. Diskographie

Das folgende Schallplattenverzeichnis enthält nicht nur die Aufnahmen aus dem Bayreuther Festspielhaus (Teil 1), sondern auch die Wagner-Einspielungen, die die Dirigenten der Festspiele an anderen Orten und mit anderen Ensembles vorgenommen haben (Teil 2). Sinn dieser Verfahrensweise ist es, etwas von der Rolle zu veranschaulichen, die die Dirigenten als Wagner-Interpreten im allgemeinen Bewußtsein gespielt haben bzw. spielen. Dabei dienen die Aufnahmedaten, soweit sie sich ermitteln ließen, ebenso der Konkretisierung wie die Menge der Einspielungen. Zum zweiten soll die Diskographie — ähnlich den bibliographischen Angaben im *Lexikon der Dirigenten* — dem Leser Anschauungsmaterial an die Hand geben, das gleichermaßen zur Bekräftigung und Ergänzung der Darstellung dieses Buches wie zur Bildung eines eigenen Urteils beiträgt. Allerdings sollte man den Schallplattenaufnahmen nicht zuviel zutrauen. Die Aufnahmen aus älterer Zeit — aber nicht nur sie — sind mit Sicherheit mehr von den Gesetzen der Platte und ihren technischen Erfordernissen bestimmt als vom spezifischen Interpretationswillen der ausführenden Musiker. Aufführungsmitschnitte reduzieren die Interpretation auf das Hörbare, das — allein betrachtet — einen falschen oder mißverständlichen Eindruck vermittelt, weil die Darstellung der Musik ihren Sinn aus dem Zusammenhang mit der Inszenierung bezieht, aus dieser Verbindung gelöst aber unverständlich erscheinen muß. Ein weiterer beachtenswerter Gesichtspunkt ist, daß in modernen Studioaufnahmen, zumindest intentional, eine Verdeutlichung des Kompositionsgefüges erreicht werden kann, die weit über den in Theatern und im Bayreuther Festspielhaus möglichen Standard hinausgeht, so daß eine Plattenaufnahme gegebenenfalls wenig darüber aussagt, wie ein Dirigent Wagners Musik im Bayreuther Festspielhaus darstellt. Was die Mitschnitte von den Festspielen angeht, ist anzufügen, daß diejenigen aus jüngerer Zeit fast immer Zusammenschnitte aus sämtlichen Aufführungen eines Jahres oder — wie im Falle von Karl Böhms Ring-Aufnahme — sogar mehrerer Jahre sind. Auch das mindert den dokumentarischen Wert der Platten.

Das Verzeichnis strebt Vollständigkeit an. Die Erfahrung hat jedoch gelehrt, daß sie kaum erreichbar ist. Die nötigen Hilfsmittel sind lückenhaft, oft unzulänglich, bisweilen gar nicht vorhanden. Diskographie ist eine Disziplin, die im Unterschied zur Bibliographie noch tief in den Anfängen steckt. Es wäre daher vermessen zu behaupten, dieses Schallplattenverzeichnis sei vollständig. Daß das Reservoir an vorhandenen Bandaufnahmen und der unübersehbare Markt der Schwarz- und Privataufnahmen nicht erfaßt worden ist, bedarf wohl keiner Erklärung. Für ihre Hilfe bei der Zusammenstellung der Diskographie habe ich folgenden Personen und Institutionen zu danken: Frau Dr. S. Großmann-Vendrey (Deutsches Rundfunkarchiv Frankfurt/M), Frau A. Hoehn (Schallplattenantiquariat, München), Herrn R. Benecke (Ariola-Eurodisc, München), Herrn W. Burbach (Brüder Busch Gesellschaft e. V., Hilchenbach), Herrn Hein (Musiksammlung der Bayerischen Staatsbibliothek München), Herrn A. Kaine (Polydor International, Hamburg), Herrn H. Landgraf (EMI Electrola, Köln), Herrn H. Ritter (Phonogram, Baarn-Niederlande), Herrn O. Waldeck (Ariola-Eurodisc, Berlin), Herrn H. P. Werner (BASF Musikproduktion, Mannheim) sowie der Firma CBS (Frankfurt/M). Nicht bereit zur Hilfe war die Firma Telefunken-Decca Hamburg-London.

Zum Verständnis des Folgenden: Auf die Wiedergabe von Matrizen- und Bestellnummern ist aus Mangel an Raum weitgehend verzichtet worden,[1] obwohl außer Frage steht, daß diese Daten zur genauen Identifizierung von Platten notwendig sind. Ebenfalls im Interesse der Raumeinsparung sind die zahlreichen Teilwiedergaben aus Gesamtaufnahmen nicht eigens genannt worden. Textzitate beziehen sich stets auf vokale Ausführung, in runden Klammern erscheinende Titel dagegen auf rein instrumentale Wiedergabe. Das in der Regel nach den Ausführenden genannte Datum gibt das Jahr oder den Tag an, an dem die jeweilige Aufnahme gemacht worden ist. In eckige Klammern gesetzte Daten hingegen beziehen sich auf den Zeitpunkt der Veröffentlichung. Sofern nicht anders angegeben, ist der Ort des ausführenden Orchesters oder Ensembles auch der Ort, an dem die Aufnahme gemacht wurde. Abkürzungen: DGG = Deutsche Grammophon Gesellschaft, Elec = Electrola; HMV = His Masters Voice; LV = Lebendige Vergangenheit; Tel = Telefunken; W = Wiederveröffentlichung. Wenn nicht anders angegeben, gilt die Firmenangabe der Erstveröffentlichung auch für die Wiederveröffentlichung.

---

[1] Für den Kauf von Platten, die im offiziellen Handel sind, genügt im allgemeinen die Angabe der Firma, die sie vertreibt. Bestellnummern sind daher nur dann angegeben worden, wenn es sich um Aufnahmen handelt, die schwer zu bekommen sind (über Auslandsdienste oder bestimmte Händler).

Teil 1
Aufnahmen aus dem Bayreuther Festspielhaus, mit Chor und Orchester der Bayreuther Festspiele.

1927

FRANZ VON HOESSLIN:

a) *Das Rheingold*, 4. Szene: Rheingold! Rheingold! Reines Gold + (Einzug der Götter in Walhall) — C. Müller, M. Nézadal, M. Ruske-Leopold.
b) *Siegfried*, 2. Aufzug, 2. Szene (Waldweben).
c) —, 3. Aufzug, Vorspiel.
d) —, 3. Aufzug (Verwandlungsmusik zur 3. Szene).
e) *Die Walküre*, 3. Aufzug, Vorspiel (Walkürenritt).

KARL MUCK:

f) *Parsifal*, 1. Aufzug (Verwandlungsmusik).
g) —, 1. Aufzug: Zum letzten Liebesmahle + Den sündigen Welten + Durch Mitleid wissend + Nehmet hin meinen Leib + Wein und Brot des letzten Mahles.
h) —, 2. Aufzug, 2. Szene: Komm'! Komm'! Holder Knabe!

SIEGFRIED WAGNER:

i) *Parsifal*, 3. Aufzug, Vorspiel.
j) —, 3. Aufzug: So ward es uns verhießen + Wie dünkt mich doch die Aue heut' so schön — A. Kipnis, F. Wolff.
   Sämtlich: Columbia — W: Elec, Stätte der Tradition. Festspielhaus Bayreuth. Folge I (a, h, j) — LV 37, Rezital Kipnis (j) — Elec, Dacapo, Siegfried Wagner dirigiert R. Wagner (i).

1928

KARL ELMENDORFF:

Tristan und Isolde (stark gekürzte Gesamtaufnahme) — G. Graarud, N. Larsén-Todsen, R. Bockelmann, A. Helm, I. Andresen u. a. — Columbia — W: Elec, Stätte der Tradition. Festspielhaus Bayreuth. Folge I (2. Aufzug: Nicht Hörnerschall tönt so hold + Dein Werk! O tör'ge Magd).

1930

KARL ELMENDORFF:

Tannhäuser (gekürzte Gesamtaufnahme) — S. Pilinsky, M. Müller, R. Jost-Arden, H. Janssen, I. Andresen u. a. — Columbia — W: LV 81, Rezital Müller (2. Akt: Dich, teure Halle, grüß' ich wieder + Dort ist sie + O Fürstin + Zurück von ihm! + 3. Akt: Allmächt'ge Jungfrau, hör mein Flehen!) — Elec, Stätte der Tradition. Festspielhaus Bayreuth. Folge I (Dich, teure Halle, grüß' ich wieder + Blick' ich umher) — LV 60, Rezital Janssen (Blick' ich umher + O du mein holder Abendstern).

1931 (18. 8.)

WILHELM FURTWÄNGLER:

Tristan und Isolde, Vorspiel. — BASF, 100 Jahre Bayreuth.

1933

RICHARD STRAUSS:

Parsifal, 3. Aufzug: Nur eine Waffe taugt — M. Lorenz — BASF, 100 Jahre Bayreuth.

1936

HEINZ TIETJEN:

a) *Der fliegende Holländer*, Ouvertüre.
b) *Lohengrin*, 1. Akt, 3. Szene: Mein Herr und Gott — M. Müller, M. Klose, F. Völker, J. Prohaska, J. v. Manowarda.

c) —, 2. Akt, 4. Szene: Gesegnet soll sie schreiten.
d) —, 3. Akt, Vorspiel.
e) —, 3. Akt, 1. Szene: Treulich geführt.
f) —, 3. Akt, 2. Szene: Das süße Lied verhallt — M. Müller, F. Völker.
g) —, 3. Akt, 2. Szene: Höchstes Vertrau'n — F. Völker.
h) —, 3. Akt, 3. Szene: In fernem Land — F. Völker.
i) —, 3. Akt, 3. Szene: Mein lieber Schwan — F. Völker.
j) *Siegfried*, 1. Aufzug, 3. Szene: Nothung! Nothung! Neidliches Schwert — M. Lorenz.
k) —, 1. Aufzug, 3. Szene: Schmiede, mein Hammer — M. Lorenz, E. Zimmermann.
l) —, 2. Aufzug, 2. Szene: Daß der mein Vater nicht ist — M. Lorenz.
m) *Die Walküre*, 1. Aufzug, 3. Szene: Winterstürme wichen dem Wonnemond — M. Müller, F. Völker.
n) —, 1. Aufzug, 3. Szene: Siegmund heiß' ich — M. Müller, F. Völker.
o) *Siegfried Wagner: Der Schmied von Marienburg*, Ouvertüre.
   Sämtlich: Telefunken — W: Berühmte Wagner-Interpreten Berlin 1933, Bayreuth 1936 (b, d-n) — BASF, 100 Jahre Bayreuth (d-f) — DGG, Große Sänger der Bayreuther Festspiele Vol. 2 (l-n).

1938

FRANZ VON HOESSLIN:
Parsifal, 1. Aufzug: Nun achte wohl + Zum letzten Liebesmahle — J. v. Manowarda — BASF, 100 Jahre Bayreuth.

1940

FRANZ VON HOESSLIN:
Die Walküre, 2. Aufzug, 1. Szene: Deiner ew'gen Gattin — M. Klose, J. Prohaska — BASF, 100 Jahre Bayreuth.

1941

HEINZ TIETJEN:
Die Walküre, 1. Aufzug, Vorspiel + 1. Szene: Wes' Herd dies auch sei — M. Müller, F. Völker — BASF, 100 Jahre Bayreuth.

1942

KARL ELMENDORFF:
Das Rheingold, 2. Szene: Immer ist Undank Loges Lohn — E. Zimmermann.

RICHARD KRAUS:
Der fliegende Holländer, Ouvertüre.
Sämtlich: BASF, 100 Jahre Bayreuth.

1943 (oder 1944?)

WILHELM FURTWÄNGLER:
Die Meistersinger von Nürnberg (Gesamtaufnahme — mit einigen Kürzungen) — M. Müller, C. Kallab, J. Prohaska, M. Lorenz, J. Greindl, E. Fuchs, E. Zimmermann u. a. — Elec, Dacapo (datiert 1943) — Estro Armonico. Rare Opera Editions. EA 008 (datiert 1944).

1944

HERMANN ABENDROTH:
Die Meistersinger von Nürnberg, Vorspiel + Da zu dir der Heiland kam. — BASF, 100 Jahre Bayreuth.

1951

HERBERT VON KARAJAN:
Die Meistersinger von Nürnberg (Gesamtaufnahme) — E. Schwarzkopf, I. Malaniuk, O. Edelmann, H. Hopf, F. Dalberg, E. Kunz, G. Unger u. a. — Columbia — W: Seraphim IE—6030.

Die Walküre, 3. Aufzug — A. Varnay, L. Rysanek, S. Björling u. a. — Columbia (12. 8. 1951) — W: Elec, Dacapo, A. Varnay singt Wagner (ab »Hier bin ich, Vater«).

WILHELM FURTWÄNGLER:

Beethoven, IX. Symphonie — E. Schwarzkopf, E. Höngen, H. Hopf, O. Edelmann. — Electrola — W: Seraphim.

HANS KNAPPERTSBUSCH:

Parsifal (Gesamtaufnahme) — M. Mödl, W. Windgassen, G. London, L. Weber u. a. — Decca — W.

1953

JOSEPH KEILBERTH:

Lohengrin (Gesamtaufnahme) — E. Steber, A. Varnay, W. Windgassen, H. Uhde, J. Greindl u. a. — Decca — W.

1955

JOSEPH KEILBERTH:

Der fliegende Holländer (Gesamtaufnahme) — A. Varnay, H. Uhde, L. Weber, J. Traxel u. a. — Decca — W.

1957

HANS KNAPPERTSBUSCH:

Der Ring des Nibelungen (Gesamtaufnahme) — A. Varnay, B. Nilsson, E. Grümmer, H. Hotter, W. Windgassen, L. Suthaus, G. Neidlinger, J. Greindl, H. Uhde u. a. — Estro Armonico, Rare Opera Editions. EA 31—34 [4 einzelne Kassetten].

1961

WOLFGANG SAWALLISCH:

Der fliegende Holländer (Gesamtaufnahme) — A. Silja, F. Crass, J. Greindl, F. Uhl u. a. — Philips.

1962

HANS KNAPPERTSBUSCH:

Parsifal (Gesamtaufnahme) — I. Dalis, J. Thomas, G. London, H. Hotter u. a. — Philips.

WOLFGANG SAWALLISCH:

Tannhäuser (Gesamtaufnahme) — A. Silja, G. Bumbry, W. Windgassen, E. Waechter, J. Greindl u. a. — Philips.

1966

KARL BÖHM:

Tristan und Isolde (Gesamtaufnahme) — B. Nilsson, C. Ludwig, W. Windgassen, E. Waechter, M. Talvela u. a. — DGG.

1966/67 [Nachaufnahmen in den folgenden Jahren]

KARL BÖHM:

Der Ring des Nibelungen (Gesamtaufnahme) — B. Nilsson, L. Rysanek, T. Adam, W. Windgassen, J. King, G. Neidlinger, J. Greindl u. a. — Philips.

1970

PIERRE BOULEZ:

Parsifal (Gesamtaufnahme) — G. Jones, J. King, T. Stewart, F. Crass u. a. — DGG.

1971

Karl Böhm:

Der fliegende Holländer (Gesamtaufnahme) — G. Jones, T. Stewart, K. Ridderbusch, H. Esser
u. a. — DGG.

1974

Silvio Varviso:

Die Meistersinger von Nürnberg (Gesamtaufnahme) — H. Bode, A. Reynolds, K. Ridderbusch,
J. Cox, H. Sotin, K. Hirte u. a. — Philips.

Teil 2
Außerhalb Bayreuths eingespielte Wagner-Aufnahmen
mit den Dirigenten der Festspiele.

HERMANN ABENDROTH:

Der fliegende Holländer, Ouvertüre — Berliner Philharmoniker — 1932 — Odeon.
Siehe auch Teil 1: 1944.

KARL BÖHM:

Der fliegende Holländer, Ouvertüre — Staatskapelle Dresden — 1939 — Electrola.
Lohengrin, Vorspiele zum 1. und 3. Akt — Orchester der Wiener Staatsoper — 16. 5. 1965 —
Philips.
 —, Vorspiel zum 3. Akt — Staatskapelle Dresden — 1939 — Electrola.
 —, 2. Akt, 4. Szene: Gesegnet soll sie schreiten — Chor und Orchester der Staatsoper Dresden — 1939 — Electrola.
 —, 3. Akt, 1. Szene: Treulich geführt — Chor und Orchester der Staatsoper Dresden —
 1938 — Electrola.
Die Meistersinger von Nürnberg, Vorspiel — Staatskapelle Dresden — 1939 — Electrola.
 —, 2. Aufzug, 3. Szene: Was duftet doch der Flieder — J. Hermann, Staatskapelle Dresden —
 1941 — Electrola — W: LV 49, Rezital Hermann.
 —, Vorspiel zum 3. Aufzug — Berliner Philharmoniker — März 1936 — Electrola.
 —, 3. Aufzug (Gesamtaufnahme) — H. H. Nissen, E. Fuchs, T. Ralf, M. Teschemacher,
 L. Jung, M. Kremer u. a., Chor und Orchester der Staatsoper Dresden — Juni 1938 —
 Electrola — W: LV 178, Rezital Nissen II (3 Ausschnitte).
Tannhäuser, Ouvertüre — Staatskapelle Dresden — 1939 — Electrola.
 —, 2. Akt, 4. Szene: Freudig begrüßen wir — Chor und Orchester der Staatsoper Dresden —
 1939 — Electrola.
 —, 3. Akt, 1. Szene: Beglückt darf nun — Chor und Orchester der Staatsoper Dresden —
 1939 — Electrola.
Tristan und Isolde, 2. Aufzug, 2. Szene: O sink' hernieder, Nacht der Liebe — K. Flagstad,
S. Svanholm, C. Shacklock, Philharmonia Orchestra London — Juni 1949 — Electrola.
Die Walküre, 2. Aufzug, 4. Szene: Siegmund! Sieh' auf mich — K. Flagstad, S. Svanholm,
Philharmonia Orchestra London — Juni 1949 — Electrola.
Siehe auch Teil 1: 1966, 1967, 1971.

PIERRE BOULEZ:

Eine Faust-Ouvertüre — 24. 9. 1971.
Die Meistersinger von Nürnberg, Vorspiel — 25. 9. 1971.
Tannhäuser, Ouvertüre — 6. 2. 1973.
Tristan und Isolde, Vorspiel und Liebestod — 6. 2. 1973.
Sämtlich: New York Philharmonic — CBS.
Siehe auch Teil 1: 1970.

FRITZ BUSCH:

Lohengrin (Gesamtaufnahme) — T. Ralf, H. Traubel, H. Janssen, K. Thorborg u. a., Chor
und Orchester der Metropolitan Opera New York — 26. 11. 1945 — privat.
Die Meistersinger von Nürnberg, Vorspiel zum 3. Aufzug — Sächsische Staatskapelle Dresden
— vermutlich 1926 — Polydor (DGG).
Tannhäuser, Ouvertüre — Sächsische Staatskapelle Dresden — 1930 (Tonfilmaufnahme) —
Friends of Fritz Busch Society FB 101.
Tristan und Isolde (Gesamtaufnahme) — L. Melchior, H. Traubel u. a., Chor und Orchester
des Teatro Colón Buenos Aires — 7. 8. 1943 — privat.
 —, (Gesamtaufnahme) — S. Svanholm, H. Traubel, M. Harshaw, D. Ernster u. a., Chor
 und Orchester der Metropolitan Opera New York — 30. 11. 1946 — privat.
 —, Vorspiel + 3. Aufzug, 3. Szene (Liebestod) — Philharmonic Symphony Orchestra Los
 Angeles — 6. 3. 1946 — Friends of Fritz Busch Society FB 101.

—, 2. Aufzug, 2. Szene: O sink' hernieder, Nacht der Liebe — T. Ralf, H. Traubel, H. Glaz, Orchester der Metropolitan Opera New York — 16. 3. 1947 — Amerikan. Columbia.
Die Walküre (Gesamtaufnahme) — R. Maison, A. Kipnis, F. Destal, G. Hoerner, M. Lawrence u. a., Orquesta Sinfónica del SODRE Montevideo — 29. 9. 1936 — privat.
Rezital Torsten Ralf: *Lohengrin*, 3. Akt. 3. Szene: In fernem Land + Mein lieber Schwan — *Die Meistersinger von Nürnberg*, 1. Aufzug, 3. Szene: Am stillen Herd + Fanget an! + 3. Aufzug, 5. Szene: Morgenlich leuchtend — *Parsifal*, 3. Aufzug: Nur eine Waffe taugt — *Tannhäuser*, 3. Akt, 3. Szene: Inbrunst im Herzen — Orchester der Metropolitan Opera New York — [1948] — Amerikan. Columbia.

ANDRÉ CLUYTENS:
Der fliegende Holländer, Ouvertüre.
Lohengrin, Vorspiele zum 1. und 3. Akt.
Die Meistersinger von Nürnberg, Vorspiel.
Tannhäuser, Ouvertüre.
Les différents visages de Siegfried:
Götterdämmerung, Vorspiel (Siegfrieds Rheinfahrt).
   —, 3. Aufzug (Trauermarsch).
Siegfried, 2. Aufzug (Waldweben).
Siegfried-Idyll.
Sämtlich: Orchestre du Théàtre National de l'Opera Paris — 1958/59 — Columbia.

KARL ELMENDORFF:
Götterdämmerung, Vorspiel (Siegfrieds Rheinfahrt) — Staatskapelle Berlin — 1940 — DGG — W: Große Dirigenten der Bayreuther Festspiele.
Das Rheingold, 4. Szene (Einzug der Götter in Walhall) — Staatskapelle Berlin — 1940 — DGG.
Siegfried, 2. Aufzug, 2. Szene (Waldweben) — Staatskapelle Berlin — 1940 — DGG.
Tannhäuser, Vorspiel zum 3. Akt + 3. Akt, 1. Szene: Beglückt darf nun — Chor und Orchester der Württembergischen Staatsoper Stuttgart — [1956] — Amerikan. Vox.
Die Walküre, 1. Aufzug (Gesamtaufnahme) + 3. Aufzug, 3. Szene: Leb' wohl + (Feuerzauber) — M. Teschemacher, M. Lorenz, K. Böhme, J. Hermann, Sächsische Staatskapelle Dresden — 1944 — W: Preiser Records — BASF, Porträts Teschemacher/Lorenz/Böhme (Ausschnitte).
   —, 3. Aufzug, Vorspiel (Walkürenritt) + 3. Szene (Feuerzauber) — Staatskapelle Berlin — 1940 — DGG.
Siehe auch Teil 1: 1928, 1930, 1942.

ALBERTO EREDE:
Tannhäuser, 3. Akt, 2. Szene: O du mein holder Abendstern — M. Rothmüller, Philharmonia Orchestra London — ? — HMV.

WILHELM FURTWÄNGLER:
Götterdämmerung, Vorspiel (Siegfrieds Rheinfahrt) — Wiener Philharmoniker — 23. 2. 1949 — Electrola.
   —, 2. Aufzug, 4. Szene: Heil dir, Gunther! — F. Leider, L. Melchior, H. Janssen, W. Schirp, M. Nézadal, Chor und Orchester von Covent Garden London — 1937 — BASF, 100 Jahre Bayreuth.
   —, 3. Aufzug (Trauermarsch) — Berliner Philharmoniker — 1933 — DGG — W: Heliodor — DGG, Große Dirigenten der Bayreuther Festspiele.
   —, 3. Aufzug (Trauermarsch) — Wiener Philharmoniker — 23. 2. 1949 — Electrola.
   —, 3. Aufzug (Trauermarsch) — Wiener Philharmoniker — 31. 1. 1950 — Electrola.
   —, 3. Aufzug (Trauermarsch) — Wiener Philharmoniker — 2. 3. 1954 — Electrola.
   —, 3. Aufzug, 3. Szene: Starke Scheite schichtet mir — K. Flagstad, Philharmonia Orchestra London — März 1948 — Electrola.
   —, 3. Aufzug, 3. Szene: Starke Scheite schichtet mir — K. Flagstad, Philharmonia Orchestra London — 23. 6. 1952 — Electrola.
Der fliegende Holländer, Ouvertüre — Wiener Philharmoniker — 29./30. 3. 1949 — Electrola — W: Seraphim IB—6024.
Lohengrin, Vorspiel — Berliner Philharmoniker — 1930 — DGG — W: Heliodor.
   —, Vorspiel — Wiener Philharmoniker — 5. 3. 1954 — Electrola — W: Seraphim IB—6024.

Die Meistersinger von Nürnberg, Vorspiel — Wiener Philharmoniker — 1./4. 4. 1949 — Electrola — W: Seraphim IB—6024.
  —, Vorspiel — Berliner Philharmoniker — 19. 12. 1949 — DGG, Große Dirigenten der Bayreuther Festspiele.
  —, Vorspiel zum 3. Aufzug — Wiener Philharmoniker — 1. 2. 1950 — Electrola.
  —, 3. Aufzug, 5. Szene (Tanz der Lehrbuben) — Wiener Philharmoniker — 4. 4. 1949 — Electrola.
Parsifal, Vorspiel + 3. Aufzug (Karfreitagszauber) — Berliner Philharmoniker — März 1938 — Electrola — W: Seraphim IB—6024.
Der Ring des Nibelungen (Gesamtaufnahme) — M. Mödl, H. Konetzni, M. Klose, L. Suthaus, W. Windgassen, J. Patzak, F. Frantz, G. Neidlinger, G. Frick, J. Greindl u. a., Coro e Orchestra sinfonica della Radio italiana Rom — Aufnahme der RAI: 26./29. 10./3./6./10./13./17./20./24./27. 11. 1953 — Electrola.
Siegfried-Idyll — Wiener Philharmoniker — 16./17. 2. 1949 — Electrola — W: Seraphim IB—6024.
Tannhäuser, Ouvertüre — Wiener Philharmoniker — 17./22./23. 2. 1949 — Electrola — W: Seraphim IB—6024.
  —, Ouvertüre — Wiener Philharmoniker — 2./3. 12. 1952 — Electrola.
Tristan und Isolde (Gesamtaufnahme) — L. Suthaus, K. Flagstad, B. Thebom, D. Fischer-Dieskau, J. Greindl u. a., Chor von Covent Garden, Philharmonia Orchestra London — Juni 1952 — Electrola.
  —, Vorspiel — Berliner Philharmoniker — 1930 — DGG — W: Heliodor.
  —, Vorspiel — Berliner Philharmoniker — Februar 1938 — Electrola — W: Seraphim IB—6024.
  —, 2. Aufzug, 2. Szene: Einsam wachend — M. Klose, Staatskapelle Berlin — 1942 — BASF, 100 Jahre Bayreuth.
  —, 3. Aufzug, 3. Szene (Liebestod) — Berliner Philharmoniker — 1930 — DGG — W. Heliodor.
  —, 3. Aufzug, 3. Szene (Liebestod) — Berliner Philharmoniker — Februar 1938 — Electrola — W: Seraphim IB—6024.
Die Walküre (Gesamtaufnahme) — L. Suthaus, M. Mödl, L. Rysanek, M. Klose, G. Frick, F. Frantz u. a., Wiener Philharmoniker — (28. 9.—6. 10. 1954) — Electrola — W: Seraphim IE—6012.
  —, 3. Aufzug, Vorspiel (Walkürenritt) — Wiener Philharmoniker — 31. 3. 1949 — Electrola — W: Seraphim IB—6024.
  —, 3. Aufzug, 2. Szene: Nicht straf' ich dich erst — K. Flagstad, R. Bockelmann, Orchester von Covent Garden London — 1937 — BASF, Berlin. Die Staatsoper unter den Linden 1919—1945.
  —, 3. Aufzug, 3. Szene: Leb' wohl + (Feuerzauber) — R. Bockelmann, Orchester von Covent Garden London — 1937 — BASF, 100 Jahre Bayreuth.
Siehe auch Teil 1: 1931, 1943 (1944?), 1951.
Zu den zahlreichen Band- und Privataufnahmen vgl.: W. Furtwängler. A discography compiled by Henning Smidth Olsen, Kopenhagen 1970.

ROBERT HEGER:

Götterdämmerung, 3. Aufzug, 1. Szene: Siegfried! Schlimmes wissen wir dir! — M. Lorenz, M. Klose u. a., Staatskapelle Berlin — 1944 — BASF, Porträts Klose/Lorenz.
  —, 3. Aufzug, 2. Szene: So singe, Held! . . . Mime hieß ein mürrischer Zwerg — L. Melchior, O. Helgers, London Symphony Orchestra — Mai 1930 — Electrola.
  —, 3. Aufzug, 2. Szene: Brünnhilde! Heilige Braut! — L. Melchior, London Symphony Orchestra — Mai 1930 — Electrola.
  —, 3. Aufzug, 2. Szene: Brünnhilde! Heilige Braut! — M. Lorenz, Staatskapelle Berlin — 1944 — BASF, Porträt Lorenz.
Der fliegende Holländer, 1. Akt: Mit Gewitter und Sturm — Chor und Orchester der Staatsoper Berlin — 1930 — Odeon.
Lohengrin (Szenenfolge) — M. Müller, M. Klose, F. Völker, J. Prohaska, L. Hofmann u. a., Chor und Orchester der Staatsoper Berlin — 1942 — BASF.
Die Meistersinger von Nürnberg, 3. Aufzug, 1. Szene: Wahn! Wahn! — H. Hotter, Staatskapelle Berlin — 1942 — DGG.
  —, 3. Aufzug, 4. Szene: Hat man mit dem Schuhwerk nicht seine Not! — C. Wackers, H. H. Nissen, Orchester des Deutschen Opernhauses Berlin — 1942 — DGG.
  —, 3. Aufzug, 4. Szene: Selig, wie die Sonne + 5. Szene: Wach auf! — C. Wackers, M. Arndt-

Ober, H. Kraayvanger, E. Zimmermann, H. H. Nissen, Chor und Orchester des Deutschen Opernhauses Berlin — 1942 — DGG.

—, 3. Aufzug, 5. Szene: Morgenlich leuchtend + Verachtet mir die Meister nicht + Ehrt eure deutschen Meister — M. Müller, L. Suthaus, L. Hofmann, J. Prohaska u. a., Chor und Orchester der Staatsoper Berlin — 1943 — BASF, 100 Jahre Bayreuth — Berlin. Die Staatsoper unter den Linden 1919—1945.

—, 3. Aufzug, 5. Szene: Verachtet mir die Meister nicht — H. H. Nissen, Chor und Orchester des Deutschen Opernhauses Berlin — 1942 — DGG.

Rienzi (Ausschnitte) — G. Treptow, G. Scheyer, A. Vogel, H. Rössl-Majdan, W. Berry, O. Czerwenka, W. Kmentt, O. Wiener, Chor und Orchester der Staatsoper Berlin — 1950 — The Golden Age of Opera.

—, 3. Akt, Nr. 9: Gerechter Gott, so ist's entschieden — M. Klose, Berliner Rundfunk-Symphonie-Orchester — 1942 — BASF, Porträt Klose.

Siegfried (Ausschnitte) — L. Melchior, F. Schorr u. a., London Symphony Orchestra — Mai 1931 — Electrola — W: LV 125, Rezital Schorr II (Auszüge).

—, 1. Aufzug, Vorspiel — London Symphony Orchestra — Mai 1931 — Electrola.

—, 2. Aufzug (Siegfried und die Stimme des Waldvogels) + 3. Aufzug (Verwandlungsmusik zur 3. Szene) — C. Wackers, H. Kraayvanger, Orchester der Städtischen Oper Berlin — 1942 — DGG.

—, 3. Aufzug (Ausschnitte) — L. Melchior u. a., Orchester von Covent Garden London — April 1932 — Electrola.

—, 3. Aufzug, 3. Szene: Wie end' ich die Furcht — L. Melchior, London Symphony Orchestra — Mai 1930 — Electrola.

Tannhäuser (Gesamtaufnahme) — A. Seider, M. Schech, M. Bäumer, K. Paul, O. v. Rohr u. a., Chor und Orchester der Bayerischen Staatsoper München — 1951 — Vox.

—, 3. Akt, 1. Szene: Beglückt darf nun — Chor und Orchester der Staatsoper Berlin — 1930 — Odeon.

Tristan und Isolde (Höhepunkte) — M. Lorenz, P. Buchner, M. Klose, J. Prohaska, L. Hofmann, E. Fuchs, E. Zimmermann u. a., Chor und Orchester der Staatsoper Berlin — 1942 — BASF.

—, Vorspiel — Berliner Philharmoniker — ? — DGG.

—, 2. Aufzug, 3. Szene: Wohin nun Tristan scheidet — L. Melchior, London Symphony Orchestra — 12. 5. 1930 — Electrola — W: LV 124, Rezital Melchior II.

—, 3. Aufzug, 1. Szene: Wie sie selig, hehr und milde — L. Melchior, London Symphony Orchestra — 13. 5. 1930 — Electrola — W: LV 124, Rezital Melchior II.

Die Walküre, 3. Aufzug, 3. Szene: Leb' wohl! — H. Hotter, Staatskapelle Berlin — 1942 — DGG — W: Große Sänger der Bayreuther Festspiele Vol. 3.

Chöre: *Der fliegende Holländer*, 1. Akt: Mit Gewitter und Sturm + 2. Akt: Summ' und brumm' — *Lohengrin*, 3. Akt: Treulich geführt — *Die Meistersinger von Nürnberg*, 3. Aufzug: Wach auf! + Ehrt eure deutschen Meister — *Tannhäuser*, 2. Akt: Freudig begrüßen wir + 3. Akt: Beglückt darf nun — Chor und Orchester der Bayerischen Staatsoper München — 2.-4. 11. 1970 — Electrola.

FRANZ VON HOESSLIN:

Götterdämmerung, Vorspiel (Siegfrieds Rheinfahrt) — Orchester Straram Paris — [1948] — Pathé.

—, 3. Aufzug (Trauermarsch) — Orchester Straram Paris — [1948] — Pathé.

Die Walküre, 3. Aufzug, Vorspiel (Walkürenritt) — Chor und Orchester des Theatre Châtelet Paris — [1948] — Pathé.

Siehe auch Teil 1: 1927, 1938, 1940.

HEINRICH HOLLREISER:

Götterdämmerung, 3. Aufzug, 2. Szene: Brünnhilde! Heilige Braut + (Trauermarsch) — H. Hopf, Orchester der Deutschen Oper Berlin — 18. 2. 1964 — Eurodisc.

—, 3. Aufzug, 3. Szene: Starke Scheite schichtet mir — C. Ludwig, Orchester der Deutschen Oper Berlin — 8. 4. 1964 — Eurodisc.

Der fliegende Holländer, 1. Akt: Die Frist ist um — H. Hotter, Orchester der Bayerischen Staatsoper München — 1943 — DGG.

—, 3. Akt: Steuermann, laß' die Wacht — Chor der Wiener Staatsoper, Wiener Symphoniker — 12. 11. 1958 — Philips.

Lohengrin, Vorspiel — Bayerisches Staatsorchester München — [1951] — Mercury.

—, Vorspiele zum 1. und 3. Akt — Bamberger Symphoniker — [1961] — Vox.

—, 3. Akt, 1. Szene: Treulich geführt — Chor der Wiener Staatsoper, Wiener Symphoniker —
    1.-6. 11. 1957 — Philips.
—, 3. Akt, 1. Szene: Treulich geführt — Chor und Orchester der Deutschen Oper Berlin —
    4. 4. 1965 — Eurodisc.
Die Meistersinger von Nürnberg, Vorspiel — Bamberger Symphoniker — [1961] — Vox.
—, 1. Aufzug, 1. Szene: Da zu dir der Heiland kam — Chor der Wiener Staatsoper, Wiener
    Symphoniker — 1.-6. 11. 1957 — Philips.
—, 1. Aufzug, 3. Szene: Das schöne Fest Johannistag — G. Frick, Orchester der Deutschen
    Oper Berlin — 11. 10. 1963 — Eurodisc.
Siegfried, 1. Aufzug, 3. Szene: Nothung! Nothung! Neidliches Schwert! — H. Hopf, H. Kraus,
Orchester der Deutschen Oper Berlin — 17. 2. 1964 — Eurodisc.
Siegfried-Idyll — Bamberger Symphoniker — [1956] — Amerikan. Vox.
Tannhäuser, Ouvertüre — Bayerisches Staatsorchester München — [1951] — Mercury.
—, 2. Akt: Freudig begrüßen wir + 3. Akt: Beglückt darf nun + Heil! Heil! der Gnade
    Wunder Heil! — Chor der Wiener Staatsoper, Wiener Symphoniker — 1.-6. 11. 1957 —
    Philips.
Tristan und Isolde, Vorspiel — Bamberger Symphoniker — [1961] — Vox.
—, 2. Aufzug, 3. Szene: Tatest du's wirklich? — G. Frick, Orchester der Deutschen Oper
    Berlin — 11. 10. 1963 — Eurodisc.

EUGEN JOCHUM:

Götterdämmerung, 3. Aufzug (Trauermarsch) — Orchester der Städtischen Oper Berlin —
[1950] — Telefunken.
Der fliegende Holländer, Ouvertüre — Symphonieorchester des Bayerischen Rundfunks Mün-
chen — 9.-11. 12. 1957 — Philips.
Lohengrin (Gesamtaufnahme) — L. Fehenberger, A. Kupper, H. Braun, F. Frantz, O. v. Rohr
u. a., Chor und Symphonieorchester des Bayerischen Rundfunks München — 15.-22. 12. 1952 —
DGG.
—, Vorspiel — Orchester der Städtischen Oper Berlin — [1950] — Telefunken.
—, Vorspiel — Berliner Philharmoniker — 15. 6. 1951 — DGG.
—, Vorspiel zum 3. Akt — Berliner Philharmoniker — [1939] — Telefunken.
—, Vorspiel zum 3. Akt — Orchester des Deutschen Opernhauses Berlin — [1948] —
    Telefunken.
—, Vorspiel zum 3. Akt — Berliner Philharmoniker — 13. 6. 1951 — DGG.
Die Meistersinger von Nürnberg, Vorspiele zum 1. und 3. Aufzug — Symphonieorchester des
Bayerischen Rundfunks München — 9.-11. 12. 1957 — Philips.
—, Vorspiel zum 3. Aufzug — Berliner Philharmoniker — [1939] — Telefunken.
Parsifal, Vorspiel — Orchester des Deutschen Opernhauses Berlin — [1952] — Telefunken.
—, Vorspiel + 3. Aufzug (Karfreitagszauber) — Symphonieorchester des Bayerischen Rund-
    funks München — 12.-14. 12. 1957 — DGG.
—, 3. Aufzug (Karfreitagszauber) — Concertgebouw Orchester Amsterdam [?] — [1953] —
    Telefunken.
Tannhäuser, Ouvertüre — Berliner Philharmoniker — [1939] — Telefunken.
—, Ouvertüre — Symphonieorchester des Bayerischen Rundfunks München — 9.-11. 12. 1957
    — Philips.
—, 2. Akt: Freudig begrüßen wir — Chor und Orchester der Städtischen Oper Berlin —
    [1950] — Telefunken.
Tristan und Isolde, Vorspiel + 3. Aufzug, 3. Szene (Liebestod) — Berliner Philharmoniker —
[1939] — Telefunken.
—, Vorspiel + 3. Aufzug, 3. Szene (Liebestod) — Symphonieorchester des Bayerischen Rund-
    funks München — 9.-11. 12. 1957 — Philips.

HERBERT VON KARAJAN:

Götterdämmerung (Gesamtaufnahme) — H. Brilioth, H. Dernesch, C. Ludwig, G. Janowitz,
T. Stewart, Z. Kelemen, K. Ridderbusch u. a., Chor der Deutschen Oper Berlin, Berliner
Philharmoniker — 4.-10. 2. 1970 — DGG.
Der fliegende Holländer, Ouvertüre — Berliner Philharmoniker — 1960 — Columbia.
—, 1. Akt: Mit Gewitter und Sturm + 2. Akt: Summ' und brumm' — Chor der Wiener
    Staatsoper, Wiener Philharmoniker — 1950 — Columbia.
Lohengrin, Vorspiel zum 1. Akt — Berliner Philharmoniker — 1960 — Columbia.

—, Vorspiel zum 3. Akt + 3. Akt, 1. Szene: Treulich geführt — Chor der Wiener Staatsoper, Wiener Philharmoniker — 1950 — Columbia.

Die Meistersinger von Nürnberg (Gesamtaufnahme) — T. Adam, K. Ridderbusch, G. Evans, R. Kollo, Z. Kelemen, P. Schreier, H. Donath, R. Hesse u. a., Chor der Staatsoper Dresden, Chor des Leipziger Rundfunks, Staatskapelle Dresden — 24.-30. 11./4. 12. 1970 — Electrola.

—, Vorspiele zum 1. und 3. Aufzug — Staatskapelle Berlin — 1939 — DGG.

—, Vorspiel — Berliner Philharmoniker — 1957 — Columbia.

—, 1. Aufzug, 1. Szene: Da zu dir der Heiland kam + 3. Aufzug: Silentium! . . . Wach auf! — Chor der Wiener Staatsoper, Wiener Philharmoniker — 1950 — Columbia.

Parsifal, Vorspiele zum 1. und 3. Aufzug — Berliner Philharmoniker — Dezember 1974 — Columbia.

Das Rheingold (Gesamtaufnahme) — D. Fischer-Dieskau, G. Stolze, Z. Kelemen, J. Veasey u. a., Berliner Philharmoniker — 6.-15. 12. 1967 — DGG.

Siegfried (Gesamtaufnahme) — J. Thomas, H. Dernesch, T. Stewart, G. Stolze, Z. Kelemen u. a., Berliner Philharmoniker — 2.-12. 12. 1968/3. 2. 1969 — DGG.

Tannhäuser, Ouvertüre — Berliner Philharmoniker — 1957 — Columbia.

—, 1. Aufzug, 1. Szene (Venusberg-Bacchanal) — Philharmonia Orchestra London — ca. 1950 — Columbia.

—, 2. Akt, 4. Szene: Freudig begrüßen wir — Chor der Wiener Staatsoper, Wiener Philharmoniker — 1950 — Columbia.

Tristan und Isolde (Gesamtaufnahme) — J. Vickers, H. Dernesch, C. Ludwig, W. Berry, K. Ridderbusch u. a., Chor der Deutschen Oper Berlin, Berliner Philharmoniker — 2.-4., 6.-10., 13. 12. 1971/10. 1. 1972 — Electrola.

—, Vorspiel + 3. Aufzug, 3. Szene (Liebestod) — Berliner Philharmoniker — 1957 — Columbia.

Die Walküre (Gesamtaufnahme) — R. Crespin, G. Janowitz, J. Veasey, J. Vickers, T. Stewart, M. Talvela u. a., Berliner Philharmoniker — 25. 8.-13. 9. 1966/Oktober 1966/Januar 1967 — DGG.

Karajan dirigiert Wagner:
Der fliegende Holländer, Ouvertüre — *Lohengrin*, Vorspiele zum 1. und 3. Akt — *Die Meistersinger von Nürnberg*, Vorspiel — *Parsifal*, Vorspiele zum 1. und 3. Aufzug — *Tannhäuser*, Ouvertüre + 1. Aufzug, 1. Szene (Venusberg-Bacchanal) — *Tristan und Isolde*, Vorspiel + 3. Aufzug, 3. Szene (Liebestod) — Chor der Deutschen Oper Berlin, Berliner Philharmoniker — Dezember 1974 — Columbia.

Siehe auch Teil 1: 1951.

JOSEPH KEILBERTH:
Lohengrin, Vorspiele zum 1. und 3. Akt — Philharmonisches Staatsorchester Hamburg — [1959] — Telefunken.

—, 3. Akt, 1. Szene: Treulich geführt — Chor der Städtischen Oper Berlin, Berliner Philharmoniker — [1961] — Electrola.

Die Meistersinger von Nürnberg (Gesamtaufnahme) — J. Thomas, C. Watson, O. Wiener, H. Hotter u. a., Chor und Orchester der Bayerischen Staatsoper München — 23. 11. 1963 (Eröffnungsvorstellung im wiederaufgebauten Münchner Nationaltheater) — Eurodisc.

—, Vorspiele zum 1. und 3. Aufzug — Philharmonisches Staatsorchester Hamburg — [1959] — Telefunken.

—, Vorspiel — Bamberger Symphoniker — [1953] — Telefunken.

Siehe auch Teil 1: 1953, 1955.

RUDOLF KEMPE:
Götterdämmerung, Vorspiel (Siegfrieds Rheinfahrt) — Berliner Philharmoniker — 1956 — Electrola.

Der fliegende Holländer, Ouvertüre — Berliner Philharmoniker — 30. 11./5. 12. 1956 — Electrola.

Lohengrin (Gesamtaufnahme) — G. Vincent, M. Schech, M. Klose, A. Boehm, K. Böhme u. a., Chor und Orchester der Bayerischen Staatsoper München — 1951 — Urania — W: BASF.

—, (Gesamtaufnahme) — J. Thomas, E. Grümmer, C. Ludwig, D. Fischer-Dieskau, G. Frick u. a., Chor der Wiener Staatsoper, Wiener Philharmoniker — November, Dezember 1962 — Electrola.

—, Vorspiele zum 1. und 3. Akt — Wiener Philharmoniker — ca. 1956 — Electrola.

Die Meistersinger von Nürnberg (Gesamtaufnahme) — B. Aldenhoff, T. Lemnitz, F. Frantz, H. Pflanzl, K. Böhme, G. Unger u. a., Chor und Orchester der Staatsoper Dresden — 1951 — Urania — W: BASF (Höhepunkte).

—, (Gesamtaufnahme) — R. Schock, E. Grümmer, M. Höffgen, F. Frantz, G. Frick, B. Kusche u. a., Chor der Städtischen Oper Berlin, Chor der Staatsoper Berlin, Berliner Philharmoniker — 1957 — Electrola.

Parsifal, Vorspiel + 3. Aufzug (Karfreitagszauber) — Wiener Philharmoniker — ca. 1956 — Electrola.

Das Rheingold (Ausschnitte) — F. Frantz, J. Metternich, H. Melchert, R. Schock, B. Kusche, J. Blatter, R. Siewert u. a., Orchester der Staatsoper Berlin — 1958 — Electrola.

Tannhäuser, Ouvertüre + 1. Aufzug, 1. Szene (Venusberg-Bacchanal) — Chor der Städtischen Oper Berlin, Berliner Philharmoniker — 1956 — Electrola.

Tristan und Isolde, Vorspiel + 3. Aufzug, 3. Szene (Liebestod) — Wiener Philharmoniker — ca. 1956 — Electrola.

BERISLAV KLOBUCAR:

Der fliegende Holländer, 1. Akt, Nr. 2: Die Frist ist um — O. Wiener, Chor und Orchester der Deutschen Oper Berlin — Frühjahr 1964 — Eurodisc.

Die Walküre, 3. Aufzug, 3. Szene: Leb' wohl + (Feuerzauber) — O. Wiener, Orchester der Deutschen Oper Berlin — 10. 3. 1964 — Eurodisc.

HANS KNAPPERTSBUSCH:

Götterdämmerung, Vorspiel (Siegfrieds Rheinfahrt) — Wiener Philharmoniker — März 1942 — Electrola.

—, Vorspiel (Morgendämmerung + Siegfrieds Rheinfahrt) + 3. Aufzug (Trauermarsch) — Wiener Philharmoniker — [1958] — Decca.

Der fliegende Holländer, Ouvertüre — Berliner Philharmoniker — 1928 — DGG.

—, Ouvertüre — Wiener Philharmoniker — [1956] — Decca.

—, Ouvertüre — Münchner Philharmoniker — ca. 1959 [?] — Westminster.

—, 1. Akt, Nr. 2: Die Frist ist um — G. London, Wiener Philharmoniker — [1959] — Decca.

Lohengrin, Vorspiel — Tonhalle Orchester Zürich — [1948] — Decca.

—, Vorspiel — Münchner Philharmoniker — ca. 1959 [?] — Westminster.

—, 1. Akt, 2. Szene: Einsam in trüben Tagen — K. Flagstad, Wiener Philharmoniker — [1957] — Decca.

—, Vorspiel zum 3. Akt — London Philharmonic Orchestra — [1952] — Decca.

Die Meistersinger von Nürnberg (Gesamtaufnahme) — G. Treptow, H. Güden, P. Schöffler, O. Edelmann, K. Dönch, A. Poell, A. Dermota u. a., Chor der Wiener Staatsoper, Wiener Philharmoniker — 1950 (1951?) — Decca.

—, Vorspiel — Berliner Philharmoniker — 1928 — DGG.

—, Vorspiel — Orchestre de la Suisse Romande Genf — [1948] — Decca.

—, Vorspiel — Wiener Philharmoniker — [1956] — Decca.

—, Vorspiel — Münchner Philharmoniker — ca. 1959 [?] — Westminster.

—, 2. Aufzug, 2. Szene: Was duftet doch der Flieder — T. Scheidl, Berliner Philharmoniker — 1928 — DGG — W: LV 56, Rezital Scheidl.

—, 2. Aufzug, 2. Szene: Was duftet doch der Flieder — G. London, Wiener Philharmoniker — [1959] — Decca.

—, Vorspiel zum 3. Aufzug — Berliner Philharmoniker — 1928 — DGG — W: Heliodor.

—, Vorspiel zum 3. Aufzug + (Tanz der Lehrbuben + Aufzug der Meistersinger) — London Philharmonic Orchestra — [1948] — Decca.

—, Vorspiel zum 3. Aufzug — Wiener Philharmoniker — [1956] — Decca.

—, 3. Aufzug (Tanz der Lehrbuben) — Berliner Philharmoniker — 1928 — DGG — W: Heliodor.

—, 3. Aufzug, 1. Szene: Wahn! Wahn! — G. London, Wiener Philharmoniker — [1959] — Decca.

—, 3. Aufzug, 4. Szene: Hat man mit dem Schuhwerk nicht seine Not! — P. Schöffler, M. Reining, Tonhalle Orchester Zürich — ? — Decca.

Parsifal, Vorspiel — Wiener Philharmoniker — [1953] — Decca.

—, Vorspiel — Münchner Philharmoniker — ca. 1959 [?] — Westminster.

—, 1. Aufzug (Verwandlungsmusik) — Berliner Philharmoniker — 1928 — DGG — W: Heliodor — DGG, Große Dirigenten der Bayreuther Festspiele.

—, 1. Aufzug (Verwandlungsmusik) — Wiener Philharmoniker — [1953] — Decca.

—, 1. Aufzug: Des Weihgefäßes göttlicher Gehalt — T. Scheidl, Berliner Philharmoniker —

1928 — DGG — W: Große Stimmen in Bayreuth—Einst und jetzt — LV 56, Rezital
Scheidl.

—, 2. Aufzug [Klingsors Zaubergarten und Blumenmädchenszene] — G. Treptow, Chor
der Wiener Staatsoper, Wiener Philharmoniker — [1950] — Decca.

—, 2. Aufzug: Ich sah das Kind an seiner Mutter Brust — K. Flagstad, Wiener Philharmoniker — [1957] — Decca.

—, 3. Aufzug: Mein Vater! Hochgesegneter der Helden! — H. Reinmar, Chor- und Orchester der Städtischen Oper Berlin — 1943 — BASF, 100 Jahre Bayreuth.

Rienzi, Ouvertüre — Wiener Philharmoniker — 1940 — Electrola.

—, Ouvertüre — London Philharmonic Orchestra — [1948] — Decca.

—, Ouvertüre — Wiener Philharmoniker — [1950] — Decca.

—, Ouvertüre — Münchner Philharmoniker — ca. 1959 [?] — Westminster.

Siegfried, 2. Aufzug, 2. Szene: Daß der mein Vater nicht ist — F. Lechleitner, Wiener Philharmoniker — [1950] — Decca.

Siegfried-Idyll — Wiener Philharmoniker — [1956] — Decca.

—, Münchner Philharmoniker — ca. 1959 [?] Westminster.

Tannhäuser, Ouvertüre + 1. Aufzug, 1. Szene (Venusberg-Bacchanal) — London Philharmonic
Orchestra — [1950] — Decca.

—, Ouvertüre + 1. Aufzug, 1. Szene (Venusberg-Bacchanal) — Wiener Philharmoniker —
[1956] — Decca.

—, Ouvertüre — Münchner Philharmoniker — ca. 1959 [?] — Westminster.

—, 1. Aufzug, 1. Szene (Venusberg-Bacchanal) — Berliner Philharmoniker — 1928 — DGG —
W: Heliodor — DGG, Große Dirigenten der Bayreuther Festspiele.

—, 2. Akt, 4. Szene (Einzug der Gäste) —Berliner Philharmoniker — 1928 — DGG.

—, 3. Akt, 3. Szene: Inbrunst im Herzen — M. Lorenz, Wiener Philharmoniker — März
1942 — Electrola — W: Rezital Lorenz.

Tristan und Isolde, Vorspiel + 3. Aufzug, 3. Szene (Liebestod) — Münchner Philharmoniker —
ca. 1959 [?] — Westminster.

—, Vorspiel + 1. Aufzug, 3. Szene: Weh, ach wehe! dies zu dulden + 3. Aufzug, 3. Szene:
Mild und leise — B. Nilsson, G. Hoffmann, Wiener Philharmoniker — 1962 — Decca.

Die Walküre, 1. Aufzug (Gesamtaufnahme) — K. Flagstad, S. Svanholm, A. v. Mill, Wiener
Philharmoniker — 1957 — Decca.

—, 3. Aufzug, Vorspiel (Walkürenritt) — Berliner Philharmoniker — 1928 — DGG.

—, 3. Aufzug, Vorspiel (Walkürenritt) — Wiener Philharmoniker — [1956] — Decca.

—, 3. Aufzug, 3. Szene: Leb' wohl + (Feuerzauber) — G. London, Wiener Philharmoniker —
[1959] — Decca.

Wesendonck-Lieder (Instrumentation: F. Mottl) — K. Flagstad, Wiener Philharmoniker — ? —
Decca.

Siehe auch Teil 1: 1951, 1957, 1962.

Richard Kraus:

Der fliegende Holländer, Ouvertüre — Orchester der Städtischen Oper Berlin — ca. 1960 [?] —
Eurodisc.

Lohengrin (Ausschnitte) — M. Cunitz, Geisler, A. Oelke, P. Roth-Ehrang u. a., Chor und Orchester der Städtischen Oper Berlin — ca. 1960 [?] — Europäischer Phonoklub/Eurodisc.

—, Vorspiele zum 1. und 3. Akt — Orchester der Städtischen Oper Berlin — ca. 1960 [?] —
Eurodisc.

—, 3. Akt, 3. Szene: In fernem Land + Mein lieber Schwan — W. Windgassen, Radiosymphonieorchester Berlin — 6. 12. 1956 — DGG.

Parsifal, 3. Aufzug: Nur eine Waffe taugt — W. Windgassen, Radiosymphonieorchester Berlin — 5. 12. 1956 — DGG — W: Rezital Windgassen.

Tannhäuser, Ouvertüre — Orchester der Städtischen Oper Berlin — ca. 1960 [?] — Eurodisc.

—, 2. Akt, 2. Szene: O Fürstin! — A. Kupper, W. Windgassen, Radiosymphonieorchester
Berlin — 4. 12. 1956 — DGG — W: Große Sänger der Bayreuther Festspiele Vol. 3.

—, 3. Akt, 1. Szene: Beglückt darf nun — Chor und Orchester der Deutschen Oper Berlin
— ? — Eurodisc.

Die Walküre, 3. Aufzug, Vorspiel (Walkürenritt) — Orchester der Städtischen Oper Berlin —
ca. 1960 [?] — Eurodisc.

Siehe auch Teil 1: 1942.

CLEMENS KRAUSS:

Der fliegende Holländer (Gesamtaufnahme) — H. Hotter, V. Ursuleac, G. Hann, F. Klarwein u. a., Chor und Orchester der Bayerischen Staatsoper München — 1944 — Mercury — W: BASF (Höhepunkte).
Parsifal, Vorspiel + 3. Aufzug (Karfreitagszauber) — London Philharmonic Orchestra — [1948] — Decca.
Tannhäuser, 1. Akt, 4. Szene: Als du in kühnem Sange + 2. Akt, 4. Szene: O Himmel! Laß dich jetzt erflehen! — H. Schlusnus, Staatskapelle Berlin — 1939 — DGG.
Tristan und Isolde, Vorspiel + 3. Aufzug, 3. Szene (Liebestod) — London Philharmonic Orchestra — [1951] — Decca.

ERICH LEINSDORF:

Götterdämmerung, 3. Aufzug (Trauermarsch) — Concert Arts Symphony Orchestra — [1958] — Capitol/Seraphim.
Der fliegende Holländer, Ouvertüre — Boston Symphony Orchestra — [1968] — RCA.
Lohengrin (Gesamtaufnahme) — L. Melchior, E. Rethberg, K. Thorborg, E. List, L. Warren u. a., Chor und Orchester der Metropolitan Opera New York — 27. 1. 1940 — The Golden Age of Opera.
    —, (Gesamtaufnahme) — S. Konya, L. Amara, R. Gorr, J. Hines, W. Dooley u. a., Pro Musica Chor, Boston Symphony Orchestra — [1966] — RCA.
    —, Vorspiel zum 3. Akt — Concert Arts Symphony Orchestra — [1958] — Capitol/Seraphim.
Die Meistersinger von Nürnberg (Gesamtaufnahme) — F. Schorr, I. Jessner, C. Kullmann, K. Branzell, H. Janssen u. a., Chor und Orchester der Metropolitan Opera New York — 2. 12. 1939 — The Golden Age of Opera.
    —, Vorspiel — Philharmonia Orchestra London — [1959] — Capitol.
    —, 3. Aufzug (Tanz der Lehrbuben + Aufzug der Meistersinger) — Concert Arts Symphony Orchestra — [1958] — Capitol/Seraphim.
Siegfried (Ausschnitte) — S. Svanholm, E. Farrell, Rochester Philharmonic Orchestra — 1949 — RCA.
Tannhäuser, Ouvertüre — Concert Arts Symphony Orchestra — [1958] — Capitol/Seraphim.
    —, Ouvertüre + 1. Aufzug, 1. Szene (Venusberg-Bacchanal) — London Symphony Orchestra — [1970] — Decca.
    —, 1. Aufzug, 1. Szene (Venusberg-Bacchanal) — Concert Arts Symphony Orchestra — [1959] — Capitol.
    —, 2. Akt, 4. Szene (Einzug der Gäste) — Boston Symphony Orchestra — ? — RCA.
Tristan und Isolde, 3. Aufzug (Ausschnitte) — L. Melchior, H. Janssen, Orchester des Teatro Colón Buenos Aires [?] — April 1942 — Columbia.
    —, Vorspiel + 3. Aufzug, 3. Szene (Liebestod) — Symphonie Orchester [?] — [1953] — Classic (Frankreich).
    —, Vorspiel + 3. Aufzug, 3. Szene (Liebestod) — Los Angeles Philharmonic Orchestra — [1962] — Capitol.
Die Walküre (Gesamtaufnahme) — F. Schorr, L. Lehmann, L. Melchior, K. Thorborg, M. Lawrence, E. List u. a., Orchester der Metropolitan Opera New York — 30. 3. 1940 — The Golden Age of Opera.
    —, (Gesamtaufnahme) — B. Nilsson, J. Vickers, R. Gorr, G. London u. a., London Symphony Orchestra — 1961 — Decca.
    —, 2. Aufzug, 1. Szene: So ist es denn aus mit den ewigen Göttern — K. Branzell, Orchester der Metropolitan Opera New York — 1939 — BASF, 100 Jahre Bayreuth.
    —, 3. Aufzug, Vorspiel (Walkürenritt) + 3. Szene (Feuerzauber) — Concert Arts Symphony Orchestra — [1958] — Capitol/Seraphim.

FERDINAND LEITNER:

Götterdämmerung, Vorspiel (Siegfrieds Rheinfahrt) + 3. Aufzug (Trauermarsch) — Württembergisches Staatsorchester Stuttgart — 14.—18. 1. 1953 — DGG.
    —, 1. Aufzug, 3. Szene: Seit er von dir geschieden — E. Höngen, Württembergisches Staatsorchester Stuttgart — 13.—19. 11. 1952 — DGG.
    —, 2. Aufzug, 3. Szene: Hoiho! Ihr Gibichsmannen — J. Greindl, Chor und Orchester der Bayerischen Staatsoper München — [1953] — DGG.
    —, 3. Aufzug, 2. Szene: Mime hieß ein mürrischer Zwerg — M. Lorenz, G. Hann, Münchner Philharmoniker — 19. 9. 1950 — DGG.

Der fliegende Holländer, 1. Akt: Mit Gewitter und Sturm + 2. Akt: Summ' und brumm' —
Chor und Orchester der Württembergischen Staatsoper Stuttgart — 14. 10. 1951 — DGG.

Lohengrin, 3. Akt, 1. Szene: Treulich geführt — Chor und Symphonieorchester des Bayerischen
Rundfunks München — ? — DGG.

Die Meistersinger von Nürnberg, Vorspiel + 3. Aufzug, 5. Szene (Tanz der Lehrbuben + Aufzug der Meistersinger) — Württembergisches Staatsorchester Stuttgart — 29. 6.—9. 7. 1952 —
DGG.

—, 1. Aufzug, 3. Szene: Am stillen Herd + 3. Aufzug, 5. Szene: Morgenlich leuchtend —
P. Anders, Württembergisches Staatsorchester Stuttgart — 14.—18. 1. 1953 — DGG.

—, 1. Aufzug, 3. Szene: Fanget an! + 3. Aufzug, 5. Szene: Morgenlich leuchtend — W. Windgassen, Münchner Philharmoniker — 22. 2. 1955 — DGG.

—, 2. Aufzug: Was duftet doch der Flieder + 3. Aufzug, 1. Szene: Wahn! Wahn!
+ 3. Aufzug, 5. Szene: Verachtet mir die Meister nicht — J. Hermann, Münchner Philharmoniker — 23./21./23.—25. 2. 1955 — DGG.

—, 3. Aufzug, 4. Szene: Selig wie die Sonne — A. Kupper, H. Töpper, W. Windgassen,
R. Holm, J. Hermann, Münchner Philharmoniker — 15. 5. 1955 — DGG.

—, 3. Aufzug, 5. Szene: Wach auf! — Chor und Symphonieorchester des Bayerischen Rundfunks München — 24. 2. 1955 — DGG.

Parsifal (Ausschnitte) — J. Greindl, Chor und Orchester der Württembergischen Staatsoper
Stuttgart — 21.-23. 4. 1952 — DGG.

Das Rheingold, 4. Szene: Weiche, Wotan! Weiche! — M. Klose, Symphonieorchester des Bayerischen Rundfunks München — 5. 1. 1955 — DGG — W: Große Sänger der Bayreuther Festspiele Vol. 2.

Rienzi, 2. Akt: Ihr Römer, hört die Kunde — Chor und Orchester der Württembergischen
Staatsoper Stuttgart — 29. 6.—9. 7. 1952 — DGG.

—, 5. Akt: Allmächt'ger Vater, blick' herab — W. Windgassen, Bamberger Symphoniker —
München 10. 2. 1956 — DGG.

Siegfried, 1. Aufzug, 3. Szene: Nothung! Nothung! Neidliches Schwert! + Schmiede mein
Hammer! — W. Windgassen, W. Carnuth, Bamberger Symphoniker — München 10./11. 2. 1956
— DGG — W: Große Sänger der Bayreuther Festspiele Vol. 3.

—, 2. Aufzug, 2. Szene: Daß der mein Vater nicht ist — W. Windgassen, Münchner Philharmoniker — 18. 5. 1955 — DGG.

Tannhäuser, Ouvertüre — Württembergisches Staatsorchester Stuttgart — 29. 6.—9. 7. 1952 —
DGG.

—, 2. Akt, 1. Szene: Dich, teure Halle, grüß' ich wieder + 3. Akt, 1. Szene: Allmächt'ge
Jungfrau, hör' mein Flehen — L. Rysanek, Münchner Philharmoniker — 13. 4. 1955 —
DGG — W: Große Sänger der Bayreuther Festspiele Vol. 3.

—, 2. Akt, 4. Szene: Freudig begrüßen wir + 3. Akt, 1. Szene: Beglückt darf nun —
Chor und Orchester der Württembergischen Staatsoper Stuttgart — 7. 9. 1950 — DGG.

—, 2. Akt, 4. Szene: Blick' ich umher + 3. Akt, 2. Szene: O du mein holder Abendstern —
E. Waechter, Bamberger Symphoniker — München 10./9. 2. 1956 — DGG — W: Große
Sänger der Bayreuther Festspiele Vol. 3.

Tristan und Isolde, Vorspiel + 3. Aufzug, 3. Szene (Liebestod) — Württembergisches Staatsorchester Stuttgart — 29. 6.—9. 7. 1952 — DGG.

—, 2. Aufzug, 2. Szene: O sink' hernieder, Nacht der Liebe — C. Goltz, M. Lorenz, E. Wyser,
Münchner Philharmoniker — 1950 [?] — DGG.

—, 2. Aufzug, 2. Szene: O sink' hernieder, Nacht der Liebe + Einsam wachend + 3. Aufzug, 3. Szene: Mild und leise — A. Varnay, H. Töpper, W. Windgassen, Bamberger
Symphoniker — 14.—16. 4. 1959 — DGG.

—, 2. Aufzug, 3. Szene: Tatest du's wirklich? — K. Borg, Bamberger Symphoniker — München 18. 10. 1957 — DGG.

—, 3. Aufzug, 3. Szene: Mild und leise — A. Varnay, Bamberger Symphoniker — München
17. 10. 1957 — DGG.

Die Walküre, 1. Aufzug (Gesamtaufnahme) — M. Müller, W. Windgassen, J. Greindl, Württembergisches Staatsorchester Stuttgart — 17.—20. 11. 1951 — DGG.

—, 3. Aufzug, Vorspiel (Walkürenritt) + 3. Szene (Feuerzauber) — Württembergisches
Staatsorchester Stuttgart — 29. 6.—9. 7. 1952 — DGG.

Karl Muck:

Götterdämmerung, Vorspiel (Siegfrieds Rheinfahrt) + 3. Aufzug (Trauermarsch) — Staatskapelle Berlin — 1927 — Electrola.

—, 3. Aufzug (Trauermarsch) — Berliner Funkorchester — ? — BASF, 100 Jahre Bayreuth.
Der fliegende Holländer, Ouvertüre — Staatskapelle Berlin — 1927 — Electrola.
Lohengrin, Vorspiel zum 3. Akt — Boston Symphony Orchestra — ca. 1918 — RCA — W: LM 2643.
Die Meistersinger von Nürnberg, Vorspiel — Staatskapelle Berlin — 1927 — Electrola.
Parsifal, Vorspiel — Staatskapelle Berlin — 1927 — Electrola.
—, 3. Aufzug (Gesamtaufnahme) — G. Pistor, L. Hofmann, C. Bronsgeest, Chor und Orchester der Staatsoper Berlin — Oktober 1928 — Electrola — W : LV 100 (ab »Heil mir, daß ich dich wiederfinde«) — BASF, Berlin. Die Staatsoper unter den Linden 1919—1945 (Vorspiel zum 3. Aufzug).
Siegfried-Idyll — Staatskapelle Berlin — 1928 — Electrola.
Tannhäuser, Ouvertüre — Staatskapelle Berlin — Mai 1928 — Electrola.
Tristan und Isolde, Vorspiel — Staatskapelle Berlin — Mai 1928 — Electrola.
Siehe auch Teil 1: 1927.

VICTOR DE SABATA:

Tristan und Isolde, Vorspiel + 3. Aufzug, 3. Szene (Liebestod) — Berliner Philharmoniker — 1939 — DGG — W: Heliodor — DGG, Große Dirigenten der Bayreuther Festspiele.
Die Walküre, 3. Aufzug, Vorspiel (Walkürenritt) — London Philharmonic Orchestra — [1948] — Decca.

WOLFGANG SAWALLISCH:

Götterdämmerung, Vorspiel (Siegfrieds Rheinfahrt) + 3. Aufzug (Trauermarsch) — Philharmonia Orchestra London — Oktober 1959 — Columbia.
Der fliegende Holländer, Ouvertüre — Wiener Symphoniker — 5.—6. 11. 1959 — Philips.
Lohengrin, Vorspiele zum 1. und 3. Akt — Wiener Symphoniker — 28. 4.—2. 5. 1963 — Philips.
Die Meistersinger von Nürnberg, Vorspiel — Philharmonia Orchestra London — Oktober 1959 — Columbia.
—, Vorspiele zum 1. und 3. Aufzug — Wiener Symphoniker — 28. 4.-2. 5. 1963 — Philips.
Parsifal, Vorspiel + 3. Aufzug (Karfreitagszauber) — Wiener Symphoniker — 28. 4.—2. 5. 1963 — Philips.
Rienzi, Ouvertüre — Wiener Symphoniker — 5.—6. 11. 1959 — Philips.
Siegfried-Idyll — Wiener Symphoniker — 2. 4. 1960 — Philips.
Tannhäuser, Ouvertüre — Philharmonia Orchestra London — Oktober 1959 — Columbia.
—, 1. Aufzug, 1. Szene (Venusberg-Bacchanal) — Wiener Symphoniker — 16.—19. 1. 1961 — Philips.
Siehe auch Teil 1: 1961, 1962.

HORST STEIN:

Der fliegende Holländer, Ouvertüre.
Lohengrin, Vorspiele zum 1. und 3. Akt.
Die Meistersinger von Nürnberg, Vorspiel.
Tristan und Isolde, Vorspiel.
Sämtlich: Wiener Philharmoniker — [1974] — Decca.
Lohengrin, Vorspiel zum 3. Akt + 3. Akt, 1. Szene: Treulich geführt — Chor der Städtischen Oper Berlin, Berliner Symphoniker — September 1960 — Electrola.
Die Meistersinger von Nürnberg, 1. Aufzug, 3. Szene: Am stillen Herd — J. Thomas, Berliner Symphoniker — 8. 3. 1963 — Eurodisc.
Die Walküre, 1. Aufzug, 3. Szene: Winterstürme wichen dem Wonnemond — J. Thomas, Berliner Symphoniker — 8. 3. 1963 — Eurodisc.

RICHARD STRAUSS:

Der fliegende Holländer, Ouvertüre — Berliner Philharmoniker — 1931 (1928?) — DGG — W: Heliodor — DGG, Große Dirigenten der Bayreuther Festspiele.
Tristan und Isolde, Vorspiel — Berliner Philharmoniker — 1931 (1928?) — DGG — W: Heliodor.
Siehe auch Teil 1: 1933.

OTMAR SUITNER:

Der fliegende Holländer, 1. Akt: Die Frist ist um.
Die Meistersinger von Nürnberg, 2. Aufzug, 2. Szene: Was duftet doch der Flieder.
Parsifal, 1. Aufzug: Wehvolles Erbe, dem ich verfallen.

Tristan und Isolde, 2. Aufzug, 3. Szene: Tatest du's wirklich?
Die Walküre, 3. Aufzug, 3. Szene: Leb' wohl.
Sämtlich: T. Adam, Staatskapelle Berlin — [1968] — Telefunken.

HEINZ TIETJEN:
Siehe Teil 1: 1936, 1941.

ARTURO TOSCANINI:
Eine Faust-Ouvertüre — NBC Symphony Orchestra — New York 11. 11. 1946 — RCA — W:
Toscanini Edition, AT 400.
Götterdämmerung, Vorspiel (Morgendämmerung + Siegfrieds Rheinfahrt) (Konzertfassung
von A. Toscanini) — New York Philharmonic Orchestra — 8. 2./9. 4. 1936 — Electrola.
  —, Vorspiel (Morgendämmerung) + Zu neuen Taten, teurer Helde + (Siegfrieds Rhein-
    fahrt) — H. Traubel, L. Melchior, NBC Symphony Orchestra — New York 22. 2. 1941 —
    RCA — W: Toscanini Edition, AT 400.
  —, Vorspiel (Morgendämmerung + Siegfrieds Rheinfahrt) (Konzertfassung A. Toscanini)
    — NBC Symphony Orchestra — New York 17. 3. 1941 — RCA.
  —, Vorspiel (Morgendämmerung + Siegfrieds Rheinfahrt) (Konzertfassung A. Toscanini) —
    NBC Symphony Orchestra — New York 22. 12. 1949 — RCA.
  —, 3. Aufzug (Trauermarsch) — NBC Symphony Orchestra — New York 24. 2. 1941 — RCA.
  —, 3. Aufzug (Trauermarsch) — NBC Symphony Orchestra — New York 3. 1. 1952 — RCA —
    W: Toscanini Edition, AT 400.
  —, 3. Aufzug, 3. Szene: Starke Scheite schichtet mir — H. Traubel, NBC Symphony
    Orchestra — New York 24. 2. 1941 — RCA — W: Toscanini Edition, AT 400.
Lohengrin, Vorspiele zum 1. und 3. Akt — New York Philharmonic Orchestra — 8. 2./9. 4. 1936
— Electrola.
  —, Vorspiel zum 1. Akt — NBC Symphony Orchestra — New York 24. 2./6. 5. 1941 — RCA.
  —, Vorspiele zum 1. und 3. Akt — NBC Symphony Orchestra — New York 22. 10. 1951 —
    — RCA — W: Toscanini Edition, AT 400.
Die Meistersinger von Nürnberg (Gesamtaufnahme) — H. H. Nissen, H. Noort, M. Reining,
K. Thorborg u. a., Chor der Wiener Staatsoper [?], Wiener Philharmoniker [?] — Salzburg
August 1937 (Mitschnitt von den Salzburger Festspielen) — privat.
  —, Vorspiel — NBC Symphony Orchestra — New York 11. 11. 1946 — RCA — W: Toscanini
    Edition, AT 400.
  —, Vorspiel — New York Philharmonic Orchestra — 4. 4. 1954 — privat.
  —, Vorspiel zum 3. Aufzug — NBC Symphony Orchestra — New York 26. 11. 1951 —
    RCA — W: Toscanini Edition, AT 400.
Parsifal, Vorspiel + 3. Aufzug (Karfreitagszauber) — NBC Symphony Orchestra — New York
22. 12. 1949 — RCA — W: Toscanini Edition, AT 400.
Siegfried, 2. Aufzug, 2. Szene (Waldweben) — NBC Symphony Orchestra — New York
29. 10. 1951 — RCA — W: Toscanini Edition, AT 400.
Siegfried-Idyll — New York Philharmonic Orchestra — 6. 2./9. 4. 1936 — Electrola.
    — NBC Symphony Orchestra — New York 11. 3. 1946 — RCA.
    — NBC Symphony Orchestra — New York 29. 7. 1952 — RCA — W: Toscanini Edition,
    AT 400.
Tannhäuser, Ouvertüre + 1. Aufzug, 1. Szene (Venusberg-Bacchanal) — New York Phil-
harmonic Orchestra — 4. 4. 1954 — privat.
Tristan und Isolde, Vorspiel + 3. Aufzug, 3. Szene (Liebestod) — NBC Symphony Orchestra —
New York 7. 1. 1952 — RCA — W: Toscanini Edition, AT 400.
  —, Vorspiel zum 3. Aufzug — NBC Symphony Orchestra — ? — RCA.
  —, 3. Aufzug, 3. Szene (Liebestod) — NBC Symphony Orchestra — New York 19. 3. 1942 —
    RCA.
Die Walküre, 1. Aufzug, 3. Szene — H. Traubel, L. Melchior, NBC Symphony Orchestra —
New York 22. 2. 1941 — RCA — W: Toscanini Edition, AT 400.
  —, 3. Aufzug, Vorspiel (Walkürenritt) — NBC Symphony Orchestra — New York 11. 3. 1946
    — RCA.
  —, 3. Aufzug, Vorspiel (Walkürenritt) — NBC Symphony Orchestra — New York 3. 1. 1952
    — RCA — W: Toscanini Edition, AT 400.

SILVIO VARVISO:
Siehe Teil 1: 1974.

SIEGFRIED WAGNER:

Huldigungsmarsch (Instrumentation: Joachim Raff) — London Symphony Orchestra — April 1927 — Electrola.
Lohengrin, Vorspiel — London Symphony Orchestra — April 1927 — Electrola.
Parsifal, 3. Aufzug (Karfreitagszauber) — Staatskapelle Berlin — 1927 — Odeon.
Das Rheingold, 4. Szene (Einzug der Götter in Walhall) — Staatskapelle Berlin — 26. 1. 1927 — Odeon.
Siegfried-Idyll — London Symphony Orchestra — April 1927 — Electrola.
Tannhäuser, 2. Akt, 4. Szene (Einzug der Gäste) — Staatskapelle Berlin — 1927 — Odeon.
Tristan und Isolde, Vorspiel + 3. Aufzug, 3. Szene (Liebestod) — Staatskapelle Berlin — 11. 10. 1926 — Odeon.
Die Walküre, 3. Aufzug, Vorspiel (Walkürenritt) + 3. Szene (Wotans Abschied und Feuerzauber) — Staatskapelle Berlin — 8. 12. 1926/26. 1. 1927 — Odeon.
Sämtliche Aufnahmen W: Elec, Dacapo, Siegfried Wagner dirigiert Richard Wagner.
Siehe auch Teil 1: 1927.

HANS WALLAT:

Götterdämmerung, 3. Aufzug, 2. Szene: Mime hieß ein mürrischer Zwerg + Brünnhilde! Heilige Braut!
Die Meistersinger von Nürnberg, 3. Aufzug, 5. Szene: Morgenlich leuchtend.
Siegfried, 1. Aufzug, 3. Szene: Nothung! Nothung! Neidliches Schwert! + Schmiede mein Hammer.
Die Walküre, 1. Aufzug, 3. Szene: Ein Schwert verhieß mir der Vater + Winterstürme wichen dem Wonnemond.
Sämtlich: J. Cox, Orchester des Nationaltheaters Mannheim — 1974 [?] — RBM Musikproduktion Mannheim.

Register

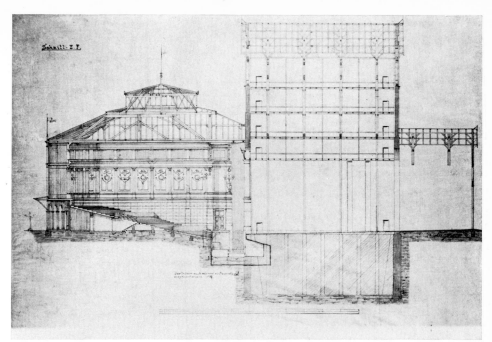

1. Bayreuther Festspielhaus, Querschnitt, Entwurfzeichnung. Unter dem Orchesterraum die handschriftliche Eintragung: »Das Orchester mußte während des Baues vergrößert werden«. (RWG)

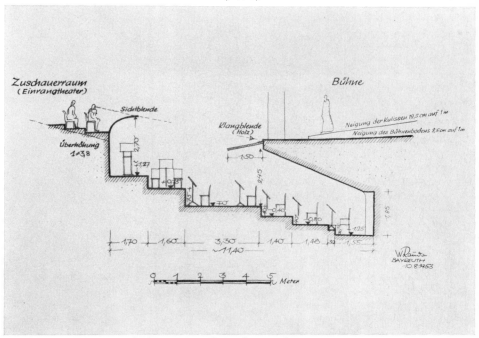

2. Orchesterraum, Querschnittzeichnung von 1953.

Die Bildvorlagen entstammen, sofern nicht anders angegeben, dem Archiv der Bayreuther Festspiele bzw. dem RWA. Fotographen: Ilse Buhs, Adolf Falk, Siegfried Lauterwasser, Wilhelm Rauh, Ed. Renner, Liselotte Strelow.

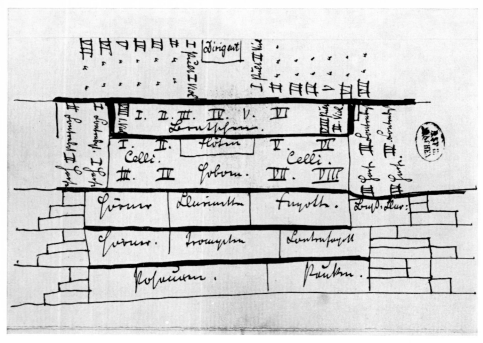

3. Sitzordnung des Orchesters, Zeichnung von Hermann Levi, beigelegt einem Brief an Cosima Wagner vom 12. 12. 1887 (Bayerische Staatsbibliothek München).

4. Orchesterraum und Sitzordnung des Orchesters, Zeichnung von J. Greif 1882. (RWG)

5. Siegfried Wagner am Pult des Festspielorchesters, Fotographie 1914. Vor dem Dirigenten die Tafel mit der Aufforderung »Im Orchesterraume nicht zu präludiren!«

6. Hans Knappertsbusch am Pult des Festspielorchesters, von der Bühne aus. Links die Verbots-tafel (vgl. Abb. 5).

7. Hans Knappertsbusch am Pult des Festspielorchesters, aus der Sicht der Kontrabassisten.
Im Vordergrund die Bratschen.

8. Orchesterraum, vom Schlagzeug aus. Hinter dem Souffleurkasten (Leiter) die klangdurchlässige Sichtblende (in Abb. 2 als Klangblende bezeichnet).   144

Hans Richter

Hermann Levi

Felix Mottl

Franz Fischer

Richard Strauss

Siegfried Wagner

Anton Seidl

Karl Muck

146

Michael Balling

Franz Beidler

Fritz Busch

Willibald Kaehler

Franz von Hoeßlin

Karl Elmendorff

Wilhelm Furtwängler

Arturo Toscanini

148

Heinz Tietjen

Victor de Sabata

Hermann Abendroth (RWG)

Richard Kraus

Hans Knappertsbusch

Herbert von Karajan

Joseph Keilberth

Eugen Jochum

150

Paul Hindemith

Clemens Krauss

André Cluytens

Wolfgang Sawallisch

Lovro von Matacic

Erich Leinsdorf

Rudolf Kempe

Ferdinand Leitner (Foto: A. Altafter Zürich)

Josef Krips (Foto: Fayer Wien)   Lorin Maazel

153   Karl Böhm   Thomas Schippers

Robert Heger

Berislav Klobucar

Pierre Boulez

Otmar Suitner

Carl Melles

Alberto Erede

Horst Stein

Silvio Varviso

Hans Wallat (Foto: I. Paleske München)

Heinrich Hollreiser (Foto: I. Buhs Berlin)

Hans Zender (Foto: Schafgans Bonn)

Carlos Kleiber (Foto: E. Hausmann Wien)